CE LIVRE EST ÉGALEMENT DISPONIBLE
AU FORMAT NUMÉRIQUE

www.bragelonne.fr

Silvia Moreno-Garcia

Mexican Gothic

Traduit de l'anglais (Mexique) par Claude Mamier

Bragelonne

Titre original : *Mexican Gothic*
Copyright © 2020 by Silvia Moreno-Garcia
Tous droits réservés.
Publié avec l'accord de Del Rey, une marque de Random House,
une division de Penguin Random House LLC

© Bragelonne 2021, pour la présente traduction

ISBN : 979-10-281-1248-6

Bragelonne
60-62, rue d'Hauteville – 75010 Paris

E-mail : info@bragelonne.fr
Site Internet : www.bragelonne.fr

Para mi madre.

Chapitre premier

Les fêtes chez les Tuñon se terminaient toujours affreusement tard et, puisque les hôtes appréciaient les bals costumés, il n'était pas rare d'y voir des femmes vêtues en *chinas poblanas,* avec rubans dans les cheveux et jupe folklorique mexicaine, débarquer en compagnie d'un Arlequin ou d'un cow-boy. Les chauffeurs des invités, plutôt que d'attendre en vain devant la grande maison, avaient adopté diverses stratégies pour passer le temps. Certains gagnaient un stand de rue pour manger des tacos ou bien rendaient visite à la servante d'une maison voisine pour la courtiser aussi délicatement que dans un mélodrame victorien. D'autres formaient un groupe au sein duquel s'échangeaient ragots et cigarettes. Les derniers préféraient faire la sieste. Après tout, ils savaient que personne ne quitterait la fête avant une heure du matin.

Aussi, lorsqu'un couple s'en échappa à 22 heures, la convention implicite vola en éclats. Pis encore, le chauffeur concerné était parti se chercher à manger et manquait donc à l'appel. Le jeune homme du couple en parut fort affligé, ignorant que faire. Il était arrivé à la fête muni d'une tête de cheval en papier mâché, un choix peu approprié dès lors qu'il devait se promener dans la rue avec cet attirail encombrant. Noemí l'avait prévenu qu'elle voulait rafler le prix du meilleur costume à Laura Quezada et à son soupirant, ce qui l'avait poussé à un effort au final déplacé puisque sa cavalière ne s'était pas habillée comme prévu.

Noemí Taboada avait promis de louer un costume de jockey, cravache comprise. Une option censée être à la fois subtile et limite scandaleuse, car elle avait entendu dire que Laura se présenterait déguisée en Ève, avec un serpent enroulé autour du cou. Mais le costume de jockey était trop vilain et lui grattait la peau. Elle s'était donc décidée pour une robe du soir verte à fleurs blanches, sans daigner en avertir son compagnon.

—On fait quoi, maintenant?

—Il y a une avenue à trois pâtés de maisons, dit-elle à Hugo. On trouvera bien un taxi là-bas. Tu me passes une cigarette?

—Une cigarette? Je ne sais même pas où j'ai mis mon porte-feuille, rétorqua-t-il en palpant sa veste d'une main. En plus tu en as toujours dans ton sac à main, non? Ce n'est pas comme si tu étais une miséreuse qui ne pouvait pas s'en payer.

—C'est tellement mieux quand un gentleman offre une cigarette à une femme.

—Là, je ne pourrais même pas t'offrir un bonbon à la menthe. Tu crois que j'ai oublié mon portefeuille à l'intérieur?

Noemí ne répondit pas. Hugo peina à transporter la tête de cheval sous son bras, au point qu'il faillit l'abandonner en débou-chant sur l'avenue. Noemí leva une main élégante pour héler un taxi. Une fois dans la voiture, Hugo put enfin poser la fameuse tête sur la banquette.

—Tu aurais dû me prévenir que je n'avais pas besoin de trim-baller ce machin, maugréa-t-il en notant le sourire narquois du chauffeur.

—T'es vraiment mignon quand t'es en colère, dit-elle en ouvrant son sac à main pour extraire un paquet de cigarettes.

Hugo ressemblait à Pedro Infante en plus jeune, ce qui constituait la majeure partie de son charme. Quant au reste

– personnalité, statut social et intelligence –, Noemí ne s'en était guère préoccupée. Elle avait l'habitude d'obtenir ce qu'elle voulait et, dernièrement, elle avait voulu Hugo. À présent qu'elle avait suscité son attention, elle allait sans doute le congédier.

Lorsque le taxi se gara devant la demeure des Taboada, Hugo se pencha vers elle en lui prenant la main.

— J'ai droit à un baiser ?

— Je suis trop pressée, mais tu peux avoir mon rouge à lèvres, répliqua-t-elle en mettant sa cigarette dans la bouche de son cavalier.

Hugo sortit la tête par la vitre baissée, sourcils froncés, tandis que Noemí se dépêchait de rentrer chez elle, traversant ensuite la cour intérieure pour filer droit au bureau de son père. Comme l'ensemble de la maison, cette pièce était décorée dans un style moderne qui faisait écho à la fortune récemment acquise de ses occupants. Le père de Noemí n'avait jamais été pauvre, mais avait de plus réussi à transformer une petite affaire de colorants chimiques en véritable pactole. Il avait des goûts bien arrêtés qu'il ne craignait pas de montrer : couleurs vives et lignes épurées. Ses fauteuils étaient tapissés de rouge éclatant tandis que des plantes luxuriantes teintaient de vert toutes les pièces.

La porte du bureau était ouverte. Noemí ne prit pas la peine de frapper et entra d'un pas assuré en faisant claquer ses talons hauts sur le parquet. Elle remit en place du bout des doigts l'une des orchidées qui ornaient sa chevelure, puis s'assit devant son père en poussant un gros soupir et en laissant tomber son petit sac à main par terre. Elle aussi avait ses *goûts*. Devoir rentrer à la maison si tôt n'en faisait pas partie.

Son père lui avait fait signe d'entrer – prévenu de son arrivée par le vacarme des talons hauts –, mais n'avait pas encore levé les yeux vers elle, absorbé par la lecture d'un document.

— Je n'arrive pas à croire que tu as appelé chez les Tuñon, lança-t-elle en tirant sur ses gants blancs. Même si je sais que tu n'apprécies pas Hugo…

—Ça n'a rien à voir avec lui, l'interrompit-il.

Noemí fronça les sourcils. Sa main droite s'immobilisa, tenant l'un des gants.

—Ah bon ?

Elle avait sollicité la permission de se rendre à la fête mais, connaissant l'opinion de son père, n'avait pas précisé que Hugo Duarte serait son cavalier. Le patriarche redoutait que le jeune homme la demande en mariage et qu'elle accepte. Noemí avait pourtant signifié à ses parents qu'elle n'avait aucune intention d'épouser Hugo, sauf qu'ils ne la croyaient pas.

Comme toute bonne mondaine, Noemí faisait ses emplettes au *Palacio de Hierro*, portait du rouge à lèvres Elizabeth Arden, possédait deux jolis manteaux de fourrure, parlait un excellent anglais grâce aux bonnes sœurs de Monserrat – établissement privé, bien sûr – et était censée dévouer ses heures à deux occupations principales : les loisirs et la traque de son futur époux. Ainsi, d'après son père, toute activité plaisante devait se doubler de cette recherche maritale. Hors de question de s'amuser par pur plaisir. Ce qui conviendrait très bien à Noemí si son père aimait Hugo, mais ce dernier n'était encore qu'un architecte débutant et la jeune femme avait à charge de viser un meilleur parti.

—Rien à voir, confirma son père. Même s'il faudra qu'on aborde le sujet plus tard.

Noemí ne savait plus que penser.

Elle dansait un slow lorsqu'un domestique lui avait tapoté l'épaule pour lui demander si elle acceptait de prendre un appel de M. Taboada dans le petit salon. Ce qui lui avait aussitôt gâché la soirée. Son père avait sans doute appris qu'elle sortait avec Hugo et s'évertuait à l'arracher aux bras du bellâtre, attendant de lui passer un savon.

Sinon, de quoi pouvait-il bien s'agir ?

— Rien de grave ? s'enquit-elle d'un ton changé.

Lorsqu'elle était tracassée, sa voix devenait plus aiguë, presque celle d'une fillette, remplaçant les belles intonations modulées qu'elle avait perfectionnées au fil des années.

— Difficile à dire. Je te prie de ne parler de ça à personne. Ni à ta mère, ni à ton frère, ni à aucun de tes amis, d'accord ?

Le père de Noemí la dévisagea. Elle hocha la tête.

— Il y a quelques semaines, j'ai reçu une lettre de ta cousine Catalina, reprit-il en se renfonçant dans le fauteuil. Cette lettre contenait des assertions inquiétantes sur son mari. J'ai donc écrit à Virgil pour en avoir le cœur net. Il m'a répondu que Catalina s'était comportée bizarrement ces derniers temps, mais que son état s'améliorait. Nous avons continué à correspondre et j'ai insisté sur le fait que, si Catalina se conduisait *bizarrement*, il serait peut-être nécessaire de la faire venir à Mexico pour qu'elle voie un médecin. Virgil, lui, a prétendu le contraire. (Noemí ôta l'autre gant et le posa sur ses genoux.) Nous étions donc dans une impasse. Je pensais qu'il camperait sur ses positions, jusqu'à ce que je reçoive ce télégramme tout à l'heure. Tiens, lis-le.

Le père de Noemí prit la feuille posée sur son bureau et la tendit à sa fille. Il s'agissait d'une invitation – pour elle – à rendre visite à Catalina. Le train ne passait pas tous les jours dans la ville où elle habitait, mais il s'y arrêtait le lundi et un chauffeur attendrait Noemí à la gare.

— Je veux que tu y ailles, lui dit son père. Virgil affirme qu'elle te réclame. De plus, je pense qu'une femme serait mieux à même de gérer cette affaire. Si la chance nous sourit, ce sont de simples exagérations liées à des problèmes conjugaux. Ta cousine a toujours eu une certaine tendance au mélodrame. Peut-être demande-t-elle juste un peu d'attention.

— Dans ce cas, en quoi les problèmes conjugaux de Catalina nous concernent-ils ?

Noemí trouvait néanmoins injuste de qualifier sa cousine de « mélodramatique ». Catalina avait perdu ses parents très jeune, ce qui aurait plongé n'importe qui dans le désarroi.

— Sa lettre était vraiment étrange, répondit le patriarche. Elle assurait que son mari voulait l'empoisonner et qu'elle avait des visions. Je n'ai aucune compétence médicale, mais ça m'a convaincu de chercher aussitôt l'adresse d'un bon psychiatre.

— Tu as encore la lettre ?

— Oui. La voici.

Noemí eut bien du mal à déchiffrer les mots, sans parler d'en appréhender le sens. Catalina avait employé une écriture tremblante, peu soignée.

« … *il essaie de m'empoisonner. La maison empeste la pourriture, déborde de malfaisance et de cruauté. J'ai tenté de calmer mes nerfs, de ne pas m'en préoccuper, mais je n'y parviens pas. Il m'arrive de perdre le fil de mes pensées et toute notion du temps. Je t'en prie. Je t'en prie. Ils sont méchants avec moi. Ils ne me laisseront pas partir. Je m'enferme dans ma chambre, mais ils entrent quand même, murmurent à mon oreille toutes les nuits et j'ai si peur de ces fantômes, de ces morts privés de repos, privés de chair. Le serpent qui mange sa queue, la terre infecte sous nos pieds, les faux visages et les fausses paroles, la toile que l'araignée fait vibrer. Je suis Catalina Catalina Taboada. CATALINA. Cata, Cata, viens jouer dehors. Noemí me manque. Je prie pour te retrouver. Viens me chercher, Noemí. Viens me sauver. Car je n'y arriverai pas toute seule, je suis prisonnière de fils durs comme de l'acier qui traversent mon esprit et ma peau et tout est là dans les murs. Ça ne me lâchera pas, alors je te supplie de venir me libérer, de briser mes liens, de les arrêter. Pour l'amour de Dieu…*

Dépêche-toi,
Catalina »

Dans les marges, la cousine de Noemí avait placé d'autres mots, tracé des cercles et des chiffres. L'ensemble s'avérait plus que déconcertant.

Depuis quand Noemí n'avait-elle pas parlé à Catalina ? De longs mois, sans doute presque un an. Elle et son mari avaient passé leur lune de miel à Pachuca ; la jeune mariée avait téléphoné à Noemí de là-bas, lui avait envoyé deux ou trois cartes postales, puis le flot s'était tari, même si les télégrammes arrivaient toujours en temps et en heure pour souhaiter bon anniversaire à tel ou tel membre de la famille. Il y avait eu aussi une lettre à Noël, accompagnant les cadeaux. À moins que Virgil en ait été l'auteur. En tout cas, c'était une missive terne, sans intérêt.

Toute la famille était partie du principe que Catalina profitait de sa nouvelle vie de couple et ne prenait pas le temps d'écrire. Sachant qu'elle ne disposait pas non plus d'une ligne téléphonique dans sa maison, un manque fréquent à la campagne. De toute façon, Catalina n'était guère encline à la correspondance. Noemí, prise par ses cours et ses obligations sociales, avait fini par se dire que Catalina et son mari se décideraient un jour à passer à Mexico.

Mais la lettre qu'elle tenait entre les mains était surprenante à bien des égards. Manuscrite alors que Catalina privilégiait la machine à écrire. Verbeuse alors que la jeune femme ne s'étendait jamais sur le papier.

— Très bizarre, reconnut Noemí.

Elle avait d'abord cru que son père exagérait ou utilisait cet incident pour écarter sa fille de Duarte, mais l'affaire semblait sérieuse.

— C'est le moins qu'on puisse dire. À présent, tu comprends pourquoi j'ai écrit à Virgil pour réclamer des explications. Et pourquoi j'ai été si surpris qu'il m'accuse aussitôt de le déranger pour rien.

— Que lui as-tu dit exactement ?

Elle craignait que son père ait pu paraître impoli. C'était un homme sévère, qui brusquait parfois les gens sans le vouloir.

— Tu dois bien comprendre que je n'aurais aucun plaisir à envoyer ma propre nièce à La Castañeda…

— C'est ce que tu lui as dit ? Que tu voulais mettre sa femme à l'asile ?

— J'en ai parlé comme d'une solution envisageable. (Il tendit la main. Noemí lui rendit la lettre.) Ce n'est pas le seul établissement possible, mais j'y possède quelques relations. Catalina a peut-être besoin de soins professionnels dont elle ne dispose pas à la campagne. Je crains que ce soit à nous de lui venir en aide au mieux de ses intérêts.

— Tu ne fais pas confiance à Virgil ?

Le père de Noemí laissa échapper un ricanement sec.

— Ma fille, ta cousine s'est mariée vite et, à mon humble avis, sans trop réfléchir. Cela étant, je suis le premier à reconnaître que Virgil Doyle est un homme charmant. Mais ça n'en fait pas quelqu'un de fiable.

L'argument fit mouche. Les fiançailles de Catalina avaient été ridiculement courtes, au point que la famille n'avait guère eu l'occasion de discuter avec le futur époux. Noemí ne savait même plus comment le couple s'était rencontré, à part que, quelques semaines plus tard, Catalina avait expédié les invitations au mariage. Elle-même n'avait appris qu'à cette occasion que sa cousine avait un amoureux. Elle n'aurait peut-être rien su du mariage si Catalina ne lui avait pas demandé de servir de témoin à la mairie.

Le père de Noemí avait fort peu apprécié un tel degré de hâte et de mystère. Il avait quand même offert un banquet au couple après le mariage, mais le comportement de Catalina l'avait offensé. C'était aussi à cause de cette tension latente que Noemí ne s'était pas inquiétée du manque de communication de sa cousine, qui devait miser sur une amélioration de la situation au fil des mois. Catalina aurait pu débarquer à Mexico en novembre pour les achats de Noël et tout le monde s'en serait réjoui. Le temps guérissait beaucoup de choses.

—Donc tu crois qu'elle dit la vérité et que Virgil la maltraite, lança-t-elle en tentant de se remémorer sa propre impression du jeune homme.

Séduisant et *poli* furent les deux mots qui lui vinrent à l'esprit, sachant qu'elle n'avait pas échangé plus de quelques phrases avec lui.

—Elle prétend non seulement qu'il veut l'empoisonner, mais aussi que des fantômes rôdent dans sa chambre. Vois-tu là des propos auxquels on peut se fier ?

Le père de Noemí se leva et se dirigea vers la fenêtre, devant laquelle il s'immobilisa bras croisés. Le bureau offrait une vue sur les superbes bougainvillées de la maîtresse de maison, une masse colorée à présent enveloppée de ténèbres.

—Elle ne va pas bien, ça j'en suis sûr, reprit-il. Je sais aussi que si l'histoire se termine par un divorce, Virgil ne touchera rien. Or il était assez clair au moment du mariage que sa famille subissait des revers de fortune. Tant qu'il reste marié à Catalina, il a accès à son compte en banque. Donc il a tout intérêt à garder ta cousine à la maison, même si elle serait mieux en ville avec nous.

—Il serait assez cupide pour placer son porte-monnaie avant la santé de sa femme ?

—Je ne le connais pas, Noemí. Aucun de nous ne le connaît. C'est bien là le problème. Cet homme est un étranger. Il dit que Catalina est bien soignée et que son état s'améliore mais, pour ce que j'en sais, elle pourrait être attachée sur son lit et nourrie au gruau.

15

Noemí soupira en baissant les yeux vers les orchidées blanches de son corsage.

— C'est toi qui donnes dans le mélodrame, là.

— Je sais ce que c'est d'avoir un malade dans la famille. Ma propre mère a fait une attaque et a dû rester au lit pendant des années. Ce sont des circonstances parfois difficiles à gérer.

— Que devrai-je faire une fois là-bas, alors ? demanda Noemí en posant délicatement ses mains sur ses genoux.

— Évaluer la situation. Déterminer si ce serait mieux pour Catalina de revenir en ville et, dans ce cas, tenter d'en convaincre son mari.

— De quelle manière suis-je donc censée y parvenir ?

Son père se fendit d'un sourire en coin. Dans ce genre d'expression – les sourires, les yeux sombres pétillants d'intelligence –, père et fille se ressemblaient beaucoup.

— Tu ne cesses de changer d'avis sur tout et n'importe quoi. Tu voulais d'abord étudier l'histoire, puis c'est passé au théâtre et maintenant à l'anthropologie. Tu as essayé tous les sports imaginables sans jamais t'investir dans un seul. Quant aux garçons, tu leur accordes au mieux deux rendez-vous avant de couper les ponts.

— Quel rapport avec ma cousine ?

— J'y viens. Tu es inconstante, mais aussi très têtue sur les *mauvais* sujets. L'heure est venue de canaliser cet entêtement et cette énergie vers un objectif utile. Aucune activité n'a su te retenir longtemps, à part les leçons de piano.

— Et d'anglais, rétorqua-t-elle.

Inutile, en revanche, de nier la suite des accusations paternelles. Elle voletait en effet d'un soupirant à l'autre et s'avérait capable de porter quatre tenues différentes dans la même journée.

Pourquoi faudrait-il prendre des décisions définitives à vingt-deux ans ? pensa-t-elle. Mais ce n'était pas une question à poser à son père, lui qui avait repris l'entreprise familiale à dix-neuf ans. Selon ses critères, sa chère fille gaspillait sa jeunesse. Noemí soupira de nouveau sous le regard dur du patriarche.

— D'accord. Je serai très heureuse de rendre visite à Catalina dans quelques semaines…

— Lundi, Noemí. C'est pour ça que je t'ai appelée à la fête. Tu dois te préparer à sauter dans le premier train pour El Triunfo lundi matin.

— Et mon récital ?

Piètre excuse, évidemment. Noemí prenait des leçons de piano depuis ses sept ans et, deux fois par an, se produisait lors d'un petit récital. Les mondaines n'avaient plus l'obligation de savoir jouer d'un instrument de musique, comme à l'époque de sa mère, mais cela demeurait un passe-temps apprécié dans la haute société. De plus, Noemí adorait le piano.

— Oui, le récital. Où tu pensais sans doute exhiber une nouvelle robe et inviter Hugo Duarte afin qu'il ne traîne pas avec une autre femme. Dommage, notre affaire est plus grave.

— Je tiens à te signaler que je n'ai pas acheté de nouvelle robe. Je comptais porter celle du cocktail chez Greta. (L'argument lui servit à masquer le fait qu'elle comptait effectivement inviter Hugo.) Mais ce n'est pas le récital le plus important. Je commence mon cursus dans quelques jours. Si je ne me présente pas, je serai renvoyée.

— Eh bien, tu te présenteras à une autre session.

La jeune femme allait protester contre une telle injustice lorsque son père la foudroya du regard.

— Noemí, tu me tannes depuis un moment à propos de l'Université nationale. Si tu remplis cette mission, tu pourras t'y inscrire.

Les parents de Noemí l'avaient autorisée à fréquenter l'Université féminine, mais rechignaient à la laisser poursuivre plus avant. Or elle voulait décrocher une maîtrise en anthropologie. Ce qui nécessitait une inscription à l'Université nationale. Son père estimait qu'il s'agissait d'une perte de temps, sans compter tous ces jeunes hommes hantant les couloirs, prêts à déverser des idées obscènes dans la tête de leurs condisciples féminines.

Quant à sa mère, elle ne comprenait pas son aspiration à la modernité. Une fille devait mener une vie simple, passant de débutante à épouse. S'obstiner dans les études signifiait retarder la perpétuation de ce cycle, telle une chrysalide restant enfermée dans son cocon. Après de nombreuses disputes, la mère de Noemí avait exigé de son mari une décision ferme, que celui-ci n'avait pas semblé pressé de prendre.

Donc cette étonnante déclaration offrait une occasion unique.

— Tu le penses vraiment ? demanda-t-elle, circonspecte.

— Oui. Je le répète, l'affaire est grave. Autant je ne souhaite pas voir l'annonce d'un divorce s'étaler dans les journaux, autant je ne peux pas laisser quelqu'un profiter des biens de la famille. De plus, il s'agit de notre Catalina. (Il fit une pause avant de reprendre d'une voix plus douce.) Elle n'a pas eu beaucoup de chance dans la vie. Peut-être a-t-elle juste besoin d'une amie à qui parler.

Catalina avait en effet vécu son lot de calamités. D'abord la mort de son père, puis le remariage de sa mère avec un homme qui la rendait bien malheureuse. La mère de Catalina était morte à son tour deux ans plus tard, suite à quoi la jeune fille était venue vivre avec la famille de Noemí ; le beau-père, lui, avait déjà mis les voiles. Malgré l'amour qui l'entourait chez les Taboada, ces deux décès prématurés l'avaient profondément affectée. Quelques années plus tard, ses fiançailles rompues avaient provoqué force querelles et ressentiments.

Un jeune homme un peu lunatique avait courtisé Catalina pendant des mois avec un certain succès, mais le père de Noemí l'avait éconduit, ne le trouvant pas à la hauteur. Après cette vilaine histoire, Catalina avait bien retenu la leçon puisqu'elle avait entouré sa romance avec Virgil Doyle d'un mur de discrétion. À moins que le rusé Virgil ait lui-même convaincu Catalina de garder bouche cousue jusqu'à ce qu'il soit trop tard pour annuler le mariage.

— Je suppose que l'université acceptera que je m'absente quelques jours.

— Parfait. J'envoie un télégramme à Virgil pour le prévenir de ton arrivée. Il faudra s'armer de patience et de subtilité. Le mari de Catalina est en droit de prendre certaines décisions à sa place, mais nous n'hésiterons pas à intervenir s'il manque à ses devoirs.

— Je songe à te demander une confirmation écrite. Pour l'Université nationale.

Le père de Noemí se rassit derrière son bureau.

— Comme si tu m'avais déjà vu manquer à ma parole… À présent, va donc ôter ces fleurs de tes cheveux et préparer ta valise. Je sais que tu mettras des heures à choisir quelles tenues prendre. (Le regard paternel s'attarda un instant sur la robe de sa fille, mécontent entre autres des épaules découvertes.) Tu t'es déguisée en quoi, au juste ?

— J'incarne le printemps.

— Il fait plutôt froid, là-bas, assena-t-il sèchement. Si tu comptes y parader dans ce genre de costume, je te conseille d'emporter un lainage.

Noemí se garda de lancer une réplique cinglante. Ayant accepté de s'embarquer dans cette aventure, elle se rendait soudain compte qu'elle ignorait à peu près tout de l'endroit où elle se rendait et des gens qui y vivaient. Ce voyage n'aurait rien d'une croisière ni d'une gentille promenade. Mais elle se rassura en se disant que son père l'avait choisie pour cette mission et qu'elle saurait la remplir. Inconstante, elle ? Noemí allait montrer le dévouement que l'on attendait d'elle. Peut-être, ensuite, son père la verrait-il enfin comme une femme forte et méritante. La possibilité d'un échec ne lui effleura même pas l'esprit.

Chapitre 2

Lorsque Noemí était encore petite fille et que Catalina lui lisait des contes de fées, cette dernière évoquait souvent «la forêt», l'endroit où Hansel et Gretel jetaient leurs morceaux de pain, où le Petit Chaperon rouge croisait la route du loup. Enfant de la ville, Noemí avait compris sur le tard que les forêts existaient réellement et pouvaient être placées sur une carte. Sa famille passait les vacances dans l'État de Veracruz, en bord de mer, sans l'ombre d'un grand arbre en vue. Même après toutes ces années, la forêt restait associée dans son esprit aux images des livres pour enfants, avec lignes au fusain et à-plats de couleur.

Elle mit donc un certain temps à appréhender le fait qu'elle allait *pénétrer* dans une forêt, car El Triunfo s'accrochait aux pentes abruptes d'une montagne couverte de fleurs sauvages, de chênes et de pins. Noemí aperçut depuis le train des flopées de moutons ainsi que des chèvres grimpant sur les rochers. Les mines d'argent avaient fait la fortune de la région, mines éclairées grâce au suif de ces animaux. Un paysage vraiment charmant.

Néanmoins, plus le train montait et s'approchait d'El Triunfo, plus les alentours perdaient leur aspect bucolique, modifiant l'humeur de Noemí. Des ravins profonds cisaillaient le panorama ; les jolies petites rivières devenaient des torrents violents promettant de balayer tout homme passant à leur portée. Alors que, au pied de la montagne, les paysans cultivaient vergers et champs de luzerne, il n'y avait plus rien de tel à cette altitude à l'exception des chèvres escaladant les amas de roches. Ici, la terre gardait ses richesses en sous-sol, ne produisant aucun arbre à fruits.

L'air se raréfia au fur et à mesure que le train luttait pour gravir la pente, jusqu'à ce que la locomotive s'arrête dans un ultime tressaillement.

Noemí saisit ses bagages. Elle avait emporté deux valises, ayant finalement renoncé à sa malle favorite, jugée trop encombrante. En contrepartie, les valises étaient grosses et lourdes.

La gare ne débordait pas d'activité ; c'était d'ailleurs à peine une gare, juste une bâtisse carrée munie d'un guichet derrière lequel somnolait une employée. Noemí repéra trois gamins jouant à chat et leur proposa quelques pièces en échange du transport de ses bagages, ce qu'ils acceptèrent avec joie. La jeune femme les trouva bien maigres. Elle se demanda comment les habitants du coin se débrouillaient à présent que les mines avaient fermé et qu'ils n'avaient plus que leurs chèvres à vendre.

Noemí s'était préparée au froid de la montagne, pas au brouillard qui l'enveloppait en plein après-midi. Elle étudia cette brume avec curiosité tout en rajustant son chapeau bleu canard orné d'une longue plume jaune. Elle en profita pour parcourir la rue des yeux, à la recherche du véhicule censé l'attendre. Impossible de se tromper puisqu'il n'y avait qu'une seule voiture stationnée devant la gare, un engin ridiculement large qui lui rappela certains films muets vieux de deux ou trois décennies. Une voiture comme son père aurait pu en conduire dans sa jeunesse pour étaler sa fortune.

Mais ce véhicule-là était crotté et aurait nécessité un bon coup de peinture. Au lieu d'évoquer l'attelage flamboyant d'une star de cinéma, il faisait plutôt penser à une antiquité extraite en hâte de sa réserve.

Noemí se dit que le chauffeur devait être à l'avenant – sans doute un vieillard avachi derrière le volant –, aussi s'étonna-t-elle d'en voir sortir un jeune homme de son âge vêtu d'une veste en velours côtelé, les cheveux blonds et la peau pâle… Comment pouvait-on être *pâle* à ce point? Ce garçon ne voyait-il jamais le soleil? Il avait le regard vague tout en s'efforçant de se composer un sourire de bienvenue.

Noemí paya les gamins qui l'avaient assistée, puis s'approcha du jeune homme et lui tendit la main.

— Bonjour. Noemí Taboada. C'est M. Doyle qui vous envoie?

— Oui. Oncle Howard m'a demandé de venir vous chercher. (Sa poignée de main s'avéra bien trop molle.) Je m'appelle Francis. Le voyage s'est bien passé? Ce sont vos valises, mademoiselle? Je peux vous aider?

Les questions fusèrent en succession rapide, comme si Francis préférait finir toutes ses phrases par un point d'interrogation plutôt que d'affirmer quelque chose.

— Vous pouvez m'appeler Noemí. «Mademoiselle», c'est guindé. Oui, ce sont mes bagages. Et j'apprécierais en effet un peu d'aide.

Il attrapa les deux valises, les rangea dans le coffre, puis contourna la voiture pour ouvrir la portière à Noemí. La ville qu'elle découvrit à travers la vitre était constituée de rues sinueuses, d'une belle église, de grands escaliers, de maisons colorées avec pots de fleurs aux fenêtres et grosses portes en bois, bref de tous les éléments qu'un guide touristique qualifierait de «pittoresques».

Il était pourtant assez clair qu'El Triunfo n'apparaissait dans aucun guide. L'endroit offrait un aspect flétri, comme sentant le renfermé. Les maisons étaient certes colorées, mais avec une peinture souvent écaillée, des portes sales et des fleurs qui fanaient dans les pots. La ville ne montrait presque aucun signe d'activité.

Ce qui n'était guère étonnant: beaucoup de sites développés grâce à l'extraction d'or et d'argent durant la période coloniale avaient interrompu leurs opérations au début de la guerre d'indépendance. Plus tard, Français et Anglais avaient été accueillis à bras ouverts sous le régime autoritaire de Porfirio Diaz, invités à se remplir les poches de minerai précieux. Puis la révolution avait mis fin à ce nouvel âge d'or. De nombreuses communes comme El Triunfo regorgeaient de jolies chapelles construites à l'époque où y circulaient pléthores d'argent et de travailleurs ; des communes auxquelles la terre n'accorderait plus les richesses de son ventre.

Néanmoins, les Doyle s'accrochaient à cet endroit que tant d'autres avaient quitté. Noemí songea qu'ils avaient peut-être appris à l'aimer, bien qu'elle-même eût du mal à apprécier la rudesse du paysage. Ces montagnes ne ressemblaient pas à celles des livres pour enfants, avec de beaux arbres et des fleurs au bord des routes ; elles ne ressemblaient surtout pas aux lieux enchanteurs dans lesquels Catalina avait prétendu aller vivre. À l'instar de cette vieille voiture, la ville s'agrippait aux reliquats de sa splendeur passée.

Francis conduisait sur une route étroite qui s'enfonçait de plus en plus profondément dans la montagne. L'air continuait à se raréfier, la brume à s'épaissir. Noemí se frotta les mains l'une contre l'autre.

— C'est encore loin ? demanda-t-elle.

— Ce n'est pas si loin, en réalité. (Le jeune homme semblait toujours aussi incertain. Il parlait lentement, comme s'il s'agissait d'un sujet sensible.) Je roulerais plus vite si la route était meilleure. D'ailleurs elle l'a été, il y a longtemps, quand la mine était ouverte. Toutes les routes du coin étaient en bon état. Même autour de High Place.

— High Place ?

— C'est le nom que nous donnons à notre manoir. Avec, derrière, le cimetière anglais.

— Un cimetière vraiment « anglais » ? s'enquit-elle avec un sourire.

— Oui, répondit-il en agrippant le volant à deux mains avec une force surprenante vu la mollesse de sa poignée de main.

—Ah ? lança-t-elle dans l'espoir d'en apprendre plus.

—Vous verrez. C'est typiquement anglais. C'est ce que… souhaitait Oncle Howard. Un petit morceau d'Angleterre. Il a même apporté de la terre européenne ici.

—Diriez-vous qu'il souffre d'un cas aigu de nostalgie ?

—En effet. À ce propos, autant vous le dire tout de suite, nous ne parlons pas espagnol à High Place. Mon grand-oncle n'en connaît pas un traître mot, Virgil ne s'en tire pas beaucoup mieux et ma mère n'imagine même pas arriver au bout d'une phrase. Est-ce que… vous parlez bien anglais ?

—Je prends des leçons quotidiennes depuis que j'ai six ans, annonça Noemí en passant aussitôt à l'anglais. Je pense que ça ne me posera aucun problème.

La forêt devenait de plus en plus dense, accroissant la pénombre sous les branches. Noemí n'était pas faite pour la vraie nature. La dernière fois qu'elle avait ne serait-ce qu'approché une forêt, c'était lors d'une excursion à cheval au Desierto de los Leones. À un moment, son frère et ses amis avaient décidé de s'arrêter pour s'exercer au tir sur des boîtes de conserve. Cette journée datait de deux, peut-être trois ans. Mais les lieux n'étaient pas comparables. La nature était bien plus sauvage ici.

Noemí se surprit à évaluer avec défiance la hauteur des arbres et la profondeur des ravins. Deux mesures impressionnantes. Elle grimaça en constatant que la brume avait encore épaissi, lui faisant craindre une chute fatale à la moindre erreur de conduite. Combien de mineurs tombés dans un ravin durant leur quête d'un filon d'argent ? Ces montagnes offraient à la fois minerais précieux et mort rapide. Heureusement, Francis paraissait plus assuré dans sa conduite que dans son élocution. En général, Noemí n'appréciait guère les hommes timides, qui avaient tendance à lui porter sur les nerfs. Mais en l'occurrence, quelle importance ? Sa visite ne concernait pas ce Francis ni aucun membre de sa famille.

— Qui êtes-vous exactement ? lui demanda-t-elle pour dissiper de sinistres images de voitures s'encastrant dans un arbre.

— Francis.

— Oui, j'avais compris. Mais vous êtes un cousin de Virgil ? Un oncle perdu de vue pendant longtemps ? Un mouton noir dont je devrais me méfier ?

Elle s'était exprimée sur ce ton enjoué qu'elle employait durant fêtes et cocktails, et qui lui attirait souvent les bonnes grâces des autres invités. Francis y répondit comme espéré, par un sourire.

— Virgil et moi sommes cousins germains éloignés au premier degré. Il est un peu plus vieux que moi.

— Je n'ai jamais compris ces histoires de degrés. Qui peut avoir envie de s'embêter avec ça ? Je pars du principe que les gens qui viennent à mon anniversaire sont de la famille, sans les enjoindre de produire un arbre généalogique.

— Je reconnais que ça simplifie les choses, dit-il avec un sourire plus chaleureux.

— Êtes-vous un gentil cousin ? Moi, quand j'étais petite, je détestais mes cousins. Ils m'enfonçaient toujours la tête dans le gâteau, même si je ne voulais pas faire *mordida*.

— *Mordida* ?

— La personne qui fête son anniversaire doit croquer un bout du gâteau avant qu'on commence à le couper. Et quelqu'un lui enfonce forcément la tête dedans. Je suppose que vous échappez à ça, à High Place.

— Il n'y a pas beaucoup de fêtes à High Place.

— Votre manoir semble bien porter son nom, commenta-t-elle alors que la route continuait à grimper.

Allait-elle grimper encore et encore sans s'arrêter ? Les roues de la voiture écrasèrent une première branche tombée à terre, puis une seconde.

— C'est vrai.

— Je n'ai pas souvenir d'avoir déjà visité une demeure portant un nom. Qui fait ça, de nos jours ?

— Nous aimons nos traditions, marmonna Francis.

Noemí lui lança un regard sceptique. Sa mère aurait dit que ce jeune homme avait grand besoin d'une cure de fer et d'un bon morceau de viande. Les doigts fins donnaient l'impression qu'il se nourrissait plutôt de miel et de rosée, sans compter sa voix qui finissait souvent en murmure. Noemí se souvenait d'un Virgil doté d'une présence physique bien plus imposante. Et plus vieux en effet : la trentaine, même si elle avait oublié son âge exact.

La voiture heurta un gros caillou ou une bosse sur la route. Noemí laissa échapper un cri irrité.

— Désolé, dit Francis.

— Je ne crois pas que ce soit votre faute. C'est toujours comme ça, ici ? Avec ce brouillard, on a l'impression de rouler au fond d'un bol de lait.

— Aujourd'hui, ce n'est rien, gloussa-t-il.

Il paraissait au moins se détendre un peu.

Soudain, le véhicule parvint à destination, débouchant dans une clairière. Le manoir émergea de la brume comme pour prendre les nouveaux arrivants dans ses bras. Quel étrange spectacle ! Le bâtiment était résolument victorien, avec bardeaux cassés, décoration complexe et fenêtres en baie sales. Noemí n'avait jamais rien vu de semblable ; le manoir était très différent de sa maison familiale moderne, des appartements de ses amis, ainsi que des demeures coloniales de Mexico avec leurs façades en *tezontle* rouge.

Le manoir se dressait au-dessus d'elle telle une énorme gargouille. Il aurait pu générer une certaine inquiétude, faire surgir des images de fantômes et de maisons hantées, sans son allure bien défraîchie, avec des lamelles manquant à plusieurs volets et un porche qui grinça sous les pieds de Francis et de Noemí lorsqu'ils montèrent les marches menant à la porte, laquelle disposait d'un heurtoir en argent en forme de poing.

On dirait la coquille abandonnée d'un escargot, songea Noemí. Penser aux escargots la replongea aussitôt dans son enfance, quand elle jouait dans le jardin, soulevant les pots de fleurs pour provoquer la fuite des cloportes. Ou quand elle offrait des morceaux de sucre aux fourmis malgré l'interdiction de sa mère. Ou quand elle caressait inlassablement le gros chat couché sous les bougainvillées. Noemí n'imaginait pas un chat vivre dans ce manoir, pas plus qu'un canari gazouillant dans sa cage pour réclamer sa ration de graines.

Francis produisit une clé et ouvrit la lourde porte. Noemí s'avança dans le hall d'entrée, découvrant un grand escalier de chêne et d'acajou qui se terminait sur un vitrail rond au premier étage. La lumière traversant le verre teintait de rouge, de jaune et de bleu un vieux tapis vert ainsi que deux statues de nymphes – l'une en bas de la rampe d'escalier, l'autre près du vitrail – qui semblaient servir de gardiennes silencieuses au manoir. Près de la porte, une trace ovale sur le papier peint trahissait la disparition d'une peinture ou d'un miroir, telle une énorme empreinte digitale sur une scène de crime. Au plafond, un lustre exhibait ses neuf branches en cristal terni par le temps.

Une femme descendait l'escalier, main gauche glissant sur la rampe. Elle n'était pas vieille malgré les mèches blanches dans ses cheveux ; son corps était trop droit, sa démarche trop agile pour une personne âgée. Mais sa sévère robe grise et son regard dur ajoutaient quelques années à celles de sa chair.

— Mère, je vous présente Noemí Taboada, dit Francis en attaquant les premières marches avec les deux valises.

Noemí le suivit, sourire aux lèvres, et tendit la main à son hôte. Qui la scruta comme s'il s'agissait d'un poisson pourri avant de tourner les talons et de remonter l'escalier.

— Ravie de vous rencontrer, lança-t-elle dos à Noemí. Je m'appelle Florence. La nièce de M. Doyle.

Noemí ravala une réplique acerbe et se contenta de rattraper Florence.

— Merci, dit-elle simplement.

— Je suis chargée de gérer High Place. En conséquence, veuillez vous adresser à moi si vous avez besoin de quoi que ce soit. Nous avons nos habitudes ici. Vous devrez donc vous conformer à certaines règles.

— Lesquelles ? s'enquit Noemí.

Les deux femmes longèrent le vitrail, qui représentait une fleur stylisée. Le bleu des pétales provenait de l'utilisation d'oxyde de cobalt. Noemí connaissait ce genre de détails : le « business du colorant », comme l'appelait son père, lui avait donné accès à une gamme infinie de notions chimiques dont elle n'avait rien à faire mais qui lui restaient dans la tête telle une musique agaçante.

— La règle la plus importante consiste à garder cet endroit calme, annonça Florence. Mon oncle, M. Howard Doyle, est un très vieil homme qui passe le plus clair de son temps dans sa chambre. Il ne faut surtout pas le déranger. Règle suivante, c'est moi qui soigne votre cousine. Elle a besoin de beaucoup de repos, donc inutile de la déranger outre mesure, elle non plus. Ensuite, je vous déconseille de vous éloigner du manoir seule ; c'est facile de se perdre et la région est parsemée de ravins.

— Autre chose ?

— Nous n'allons pas souvent en ville. Si vous souhaitez vous y rendre malgré tout, prévenez-moi afin que je demande à Charles de vous y conduire.

— Qui est-ce ?

— L'un de nos employés. Nous n'en avons plus que trois à présent. Ils sont au service de notre famille depuis de longues années.

Elles s'engagèrent dans un couloir moquetté dont les murs accueillaient des portraits à l'huile dans des cadres ovales. Tous ces Doyle morts dévisagèrent Noemí depuis les brumes du passé ; les femmes portaient bonnet et robe épaisse, les hommes avaient des gants, un chapeau haut-de-forme et l'expression renfrognée.

Bien le genre à revendiquer des armoiries familiales. Traits pâles, cheveux blonds, comme Francis et sa mère. Les visages se ressemblaient tant que Noemí aurait peiné à les distinguer, même en y regardant de près.

—Voici votre chambre, déclara Florence devant une porte s'ouvrant avec un bouton en cristal. Je vous avertis qu'il est interdit de fumer dans le manoir, au cas où vous cultiveriez ce vice.

Elle baissa les yeux vers le sac à main chic de Noemí comme si elle pouvait voir au travers et y débusquer le paquet de cigarettes.

Vice, répéta la jeune femme dans sa tête. Le terme lui rappela les bonnes sœurs qui avaient veillé à son éducation. Elle avait appris à se rebeller tout en récitant le rosaire.

Noemí pénétra dans la pièce, où elle put admirer un vieux lit à baldaquin digne d'un conte gothique ; il disposait même de rideaux permettant de s'isoler du monde. Francis déposa les valises près de l'étroite fenêtre en verre blanc – pas de vitraux excentriques dans la partie privée du manoir – tandis que Florence désignait l'armoire et sa provision de couvertures.

—Nous nous trouvons à une altitude non négligeable, reprit-elle. La température descend vite. J'espère que vous avez apporté un lainage.

—J'ai un *rebozo*.

Florence ouvrit un coffre situé au pied du lit et en tira une poignée de bougies, accompagnées du plus affreux candélabre que Noemí ait jamais vu, tout en argent avec un chérubin servant de base. Florence referma le coffre, puis posa ses trouvailles dessus.

—L'électricité a été installée en 1909, juste avant la révolution. Il n'y a guère eu d'autres améliorations ces quarante dernières années. Le générateur produit le minimum pour alimenter le réfrigérateur et quelques ampoules. Il ne risque pas d'éclairer tout le manoir. Donc nous utilisons des bougies et des lampes à pétrole.

—J'ignore comment fonctionne une lampe à pétrole, avoua Noemí en ricanant. Je ne suis pas adepte du camping.

—Même un simple d'esprit s'en débrouillerait. (Florence enchaîna sans laisser à Noemí une chance de riposter.) Le chauffe-eau est parfois capricieux mais, de toute façon, les douches trop chaudes ne conviennent pas aux jeunes gens. Un bon bain tiède vous suffira amplement. Il n'y a pas de cheminée dans cette chambre ; vous en trouverez une grande au rez-de-chaussée. J'ai oublié quelque chose, Francis ? Non ? Très bien.

Florence s'était tournée vers son fils, à qui elle ne laissa pas non plus le temps de répondre. Peu de gens devaient parvenir à l'interrompre une fois lancée.

—J'aimerais parler à Catalina, dit Noemí.

Estimant la conversation finie, Florence avait déjà posé la main sur le bouton de porte.

—Aujourd'hui ? demanda-t-elle.

—Oui.

—C'est presque l'heure de son remède. Après, elle ne tardera pas à s'endormir.

—Je veux la voir, ne serait-ce que quelques minutes.

—Mère, elle vient de si loin…

L'intervention de son fils prit Florence par surprise. Elle l'observa, sourcils dressés, puis joignit les mains d'un geste sec.

—Ma foi, je suppose que les citadins sont toujours un peu pressés, admit-elle. Si vous voulez vraiment la voir tout de suite, alors suivez-moi. Francis, tu devrais aller demander à Oncle Howard s'il se joindra à nous au dîner. Histoire d'éviter les surprises.

Florence entraîna Noemí le long d'un autre couloir, jusqu'à une chambre munie elle aussi d'un lit à baldaquin, auquel s'ajoutaient une coiffeuse avec un miroir à trois panneaux et une armoire assez vaste pour loger une armée. Le papier peint floral affichait un bleu fané. De petites toiles ornaient les murs, images

31

de côtes, de falaises et de plages. Aucun décor local. Il s'agissait sans doute de paysages anglais, figés par la peinture à l'huile dans des cadres argentés.

Catalina se trouvait dans un fauteuil installé près de la fenêtre. Elle regardait dehors et ne réagit pas lorsque les deux femmes pénétrèrent dans la chambre. Ses cheveux auburn étaient ramenés sur sa nuque. Noemí s'était préparée à rencontrer une malade rongée par la souffrance alors que Catalina ne semblait guère avoir changé depuis Mexico. L'ambiance générale accentuait à coup sûr son naturel rêveur, mais il n'y avait à première vue rien d'autre à signaler.

—Elle doit prendre son remède dans cinq minutes, annonça Florence en consultant sa montre de poignet.

—Alors je vais profiter de ces cinq minutes.

Visiblement contrariée, Florence quitta néanmoins la pièce. Noemí s'approcha aussitôt de sa cousine. Qui n'avait pas bougé d'un pouce.

—Catalina? C'est moi, Noemí.

La visiteuse posa doucement une main sur l'épaule de sa cousine, qui tourna enfin la tête. Les lèvres de Catalina dessinèrent un petit sourire.

—Noemí… tu es venue.

—Oui, répondit-elle en se plaçant devant Catalina. Mon père m'a envoyée vérifier ton état de santé. Comment tu te sens? Qu'est-ce qui ne va pas?

—Je me sens vraiment mal. J'ai eu de la fièvre à cause de la tuberculose, mais ça va mieux.

—Tu nous as écrit une lettre, tu te rappelles? Avec de drôles d'histoires dedans.

—Ça ne me dit pas grand-chose. La fièvre était si forte…

Catalina avait cinq ans de plus que Noemí. Une faible différence d'âge, mais assez pour que, dans leur enfance, Catalina ait joué le rôle d'une seconde mère. Noemí se souvenait de nombreux après-midi passés à coudre des robes de poupée, à aller au cinéma, à écouter les contes de fées de sa cousine. C'était étrange de la voir si apathique, si dépendante de son entourage. Étrange et inquiétant.

—Ta lettre a beaucoup stressé mon père, dit Noemí.

—Je suis désolée, ma chérie. Je n'aurais pas dû vous écrire. Toi, tu es tellement prise à Mexico, avec tes cours, tes amis… Voilà que je te force à venir ici à cause d'une lettre idiote.

—Pas de panique. Je voulais venir, de toute façon. Ça fait bien trop longtemps qu'on ne s'est pas vues. D'ailleurs, pour être honnête, je pensais que tu nous aurais déjà rendu visite.

—Oui… oui, j'y ai songé. Mais c'est impossible de quitter ce manoir.

Catalina prit un air pensif. Ses yeux –deux flaques d'eau couleur noisette– perdirent en éclat tandis qu'elle ouvrait lentement la bouche, comme pour parler. Sauf qu'elle ne dit rien. À la place elle inspira, retint son souffle, puis tourna la tête pour tousser.

—Catalina?

—C'est l'heure du remède, lança Florence en débarquant dans la chambre avec une cuillère et une petite bouteille en verre.

Catalina avala sans discuter la cuillerée de médicament, après quoi Florence l'aida à s'allonger et lui remonta les couvertures jusqu'au menton.

—Laissons-la se reposer, dit la maîtresse de maison. Vous pourrez lui parler plus longuement demain.

Catalina hocha la tête. Florence ramena Noemí à sa chambre avant de lui fournir d'ultimes renseignements –la cuisine était par ici, la bibliothèque par là– et de lui signifier qu'on viendrait la chercher pour dîner à 19 heures. Noemí défit ses valises, rangea ses vêtements dans l'armoire, puis profita de la salle de bains pour se rafraîchir. Une vieille baignoire s'y trouvait, ainsi qu'une armoire de toilette et des traces de moisissure au plafond. Le carrelage était fendu à plusieurs endroits autour de la baignoire, mais des serviettes impeccables attendaient Noemí sur un tabouret à trois pieds; le peignoir suspendu à un crochet avait l'air propre lui aussi.

Elle actionna l'interrupteur en vain. De retour dans la chambre, elle échoua à dénicher la moindre lampe munie d'une ampoule électrique. Apparemment, Florence ne plaisantait pas en discourant sur les bougies et les lampes à pétrole.

Noemí fouilla son sac à main en quête du paquet de cigarettes. Une coupe décorée de petits amours à moitié nus, posée sur la table de chevet, lui fournit un excellent cendrier. Elle prit deux bouffées, puis voulut ouvrir la fenêtre pour éviter que Florence se plaigne de l'odeur. Mais les battants refusèrent de bouger.

Noemí resta plantée derrière les vitres, le regard plongé dans la brume.

Chapitre 3

Florence revint à 19 heures précises avec une lampe à pétrole pour éclairer le chemin. Les deux femmes descendirent l'escalier afin de gagner une salle à manger surplombée d'un lustre colossal, comparable à celui de l'entrée, et tout aussi éteint. La table, assez grande pour douze personnes, était couverte d'une nappe de damas blanc. Les chandeliers contenaient de grandes bougies, blanches également, qui ressemblaient à des cierges d'église.

Aux murs s'alignaient des vitrines chargées de linge en dentelle, de porcelaine et surtout d'argenterie. Verres et assiettes arborant fièrement l'initiale de leurs propriétaires – le grand « D » stylisé des Doyle –, des plats de service, des vases, qui tous devaient avoir resplendi un jour à la lueur des bougies, mais n'étaient plus que silhouettes ternies.

Florence montra son siège à Noemí. Francis était déjà assis en face ; sa mère s'installa à son côté. Une servante aux cheveux gris pénétra dans la pièce et plaça devant les convives des bols remplis d'une soupe claire. Florence et Francis commencèrent aussitôt à manger.

— Personne d'autre ne se joint à nous ? demanda Noemí.

— Votre cousine dort encore, lui répondit Florence. Oncle Howard et Virgil descendront peut-être plus tard.

Noemí disposa sa serviette sur ses genoux. Elle goûta à peine la soupe. Elle n'était pas habituée à dîner si tôt. De plus, il n'était pas conseillé de trop manger le soir; à la maison, sa famille dînait de quelques pâtisseries avec du café au lait. Allait-elle se fondre aisément dans ces nouveaux horaires? *À l'anglaise*, comme disait son professeur de français. *La panure à l'anglaise*, répétez après moi. Faudrait-il subir un thé de 16 heures? Ou de 17 heures, peut-être?

Les bols furent enlevés en silence, le même silence qui accueillit le plat principal, du poulet baignant dans une sauce aux champignons aussi crémeuse que peu appétissante. Le vin qui l'accompagnait était très sombre et bien trop doux pour Noemí.

Elle repoussa les champignons au bord de l'assiette avec sa fourchette, tout en essayant de distinguer ce que renfermaient les vitrines lugubres placées en face d'elle.

— Ce sont des objets en argent, non? Ils viennent tous de la mine?

Francis hocha la tête.

— Oui. Ça remonte à longtemps.

— Pourquoi a-t-elle fermé?

— Il y a eu des grèves et puis...

Francis s'interrompit en voyant sa mère lever la tête et dévisager Noemí.

— Nous ne parlons pas pendant le dîner, assena-t-elle.

— Même pour dire «passe-moi le sel»? rétorqua Noemí avec désinvolture.

— Vous pensez sans doute avoir beaucoup d'humour. Mais nous ne parlons pas pendant le dîner, c'est ainsi. Nous apprécions le silence dans ce manoir.

— Allons, Florence, je suis sûr que nous pouvons entretenir un minimum de conversation pour le bien-être de notre invitée, déclara un homme en costume noir qui faisait son entrée dans la salle à manger, appuyé sur Virgil.

Vieux n'était pas le bon mot pour le décrire. Il était *ancien*, le visage creusé de rides, le crâne chauve à l'exception de rares touffes de cheveux épars. Sa pâleur évoquait celle de créatures souterraines. Une sorte de limace, avec des veines bleu et pourpre formant un réseau arachnéen sur sa peau blanche.

Noemí le regarda s'avancer d'un pas traînant puis s'asseoir en tête de table. Virgil s'installa à la droite de son père, sous un angle qui le gardait en partie dans la pénombre.

La servante n'apporta rien à manger au vieillard, juste un verre du vin douceâtre. Peut-être avait-il déjà dîné et se forçait-il à descendre par politesse envers Noemí.

— Je me présente, Howard Doyle, le père de Virgil. Mais vous l'aviez sans doute déjà deviné.

Le vieil homme avait le cou enveloppé d'un foulard à l'ancienne, retenu par une épingle ronde en argent ; son index s'ornait d'un gros anneau d'ambre. Il ne quittait pas Noemí du regard. Au sein d'un visage si pâle, les yeux resplendissaient d'un bleu éclatant, sans trace de cataracte ni d'âge. Des yeux brûlant d'un feu glacé, qui semblaient disséquer Noemí par la seule force de leur attention.

— Vous êtes bien plus sombre que votre cousine, mademoiselle, lâcha-t-il à la fin de son examen.

— Je vous demande pardon ? dit Noemí, croyant avoir mal entendu.

— Votre peau et vos cheveux, précisa-t-il. Leur teinte est bien plus sombre que chez Catalina. Je suppose que cela provient de votre ascendance indienne plutôt que de la française. Car vous avez du sang indien, n'est-ce pas ? Comme la plupart des *mestizos*.

— La mère de Catalina était française, répondit sèchement Noemí. La mienne vient de l'Oaxaca et mon père du Veracruz. Ma mère est mazatèque. Quel est le but de votre question ?

Le vieillard sourit sans desserrer les lèvres. Noemí imagina ses dents, jaunies et abîmées.

Pendant ce temps, Virgil avait fait signe à la servante, qui lui apporta un verre de vin. Florence et Francis avaient repris leur repas silencieux. L'échange ne compterait donc que deux interlocuteurs.

—Il s'agissait d'une simple observation, mademoiselle. À présent dites-moi : pensez-vous, à l'instar de M. Vasconcelos, que le peuple mexicain a l'obligation – voire la mission – de forger une nouvelle race englobant toutes les races actuelles ? Une race « cosmique », comme il la nomme lui-même. Et ce malgré les recherches de Davenport et Steggerda ?

—Vous voulez parler de leurs travaux en Jamaïque ?

—Splendide. Catalina avait donc raison, vous vous intéressez à l'anthropologie.

—Oui, répondit-elle, refusant de prononcer plus que ce petit mot.

—Quelle est votre opinion sur le mélange des races supérieures et inférieures ? l'interrogea Howard Doyle sans tenir compte de son inconfort.

Noemí sentit les yeux de toute la famille se poser sur elle. Sa seule présence altérait leurs vies bien réglées, tel un nouvel organisme introduit dans un environnement stérile. Ces gens attendaient qu'elle parle pour ensuite analyser la moindre de ses phrases. Eh bien, elle allait leur montrer qu'elle savait se maîtriser.

Elle possédait une certaine habitude des hommes déplaisants. Ils ne l'énervaient plus. À force de cocktails et de soirées au restaurant, elle avait appris que réagir dans l'émotion à leurs remarques crues ne faisait que nourrir leurs mauvais comportements.

—J'ai lu un article de Gamio dans lequel il explique que les peuples autochtones de ce continent ont survécu grâce à une sélection naturelle sévère et que, par conséquent, les Européens gagneraient à se mêler à eux, dit-elle en caressant le métal froid de sa fourchette. Ne trouvez-vous pas que ça bouscule cette drôle d'idée de races supérieures et inférieures ?

Noemí avait lancé sa question mordante sur un ton aussi innocent que possible. L'aîné des Doyle en parut ravi, ses traits s'animant peu à peu.

— Ne soyez pas en colère contre moi, mademoiselle. Je ne voulais pas vous insulter. Votre compatriote, Vasconcelos, évoque les mystérieux arcanes d'un « esthétisme » qui aiderait à la conception de cette race cosmique, et je pense que vous en êtes un très bon exemple.

— Un exemple de quoi ?

Howard Doyle sourit encore, cette fois en découvrant les dents. Elles n'étaient ni jaunes ni abîmées, mais au contraire bien entières et d'un blanc de porcelaine. Les gencives, en revanche, arboraient une vilaine teinte violacée.

— D'un nouveau type de beauté. Vasconcelos explique bien que la laideur est un frein à la procréation. La beauté attire la beauté et en engendre toujours plus. C'est un moyen de sélection. Vous voyez, je viens de vous faire un compliment.

— D'une bien étrange sorte, rétorqua-t-elle en ravalant son dégoût.

— Appréciez-le à sa juste valeur, mademoiselle Taboada. Car je n'en fais pas souvent. À présent, je me sens un peu fatigué, je crois qu'il est temps de me retirer. Mais sachez que j'ai adoré notre conversation. Francis, viens donc me prêter main-forte.

Le jeune homme se leva aussitôt pour aider le vieillard au teint de cire. Florence but une gorgée de vin, ses doigts enveloppant en douceur le pied fragile du verre. Un silence oppressant s'abattit de nouveau sur la tablée. Noemí songea qu'en se concentrant, elle pourrait sans doute entendre les battements de cœur des convives.

Elle se demanda comment Catalina parvenait à supporter cet endroit. Sa cousine s'était toujours montrée si souriante, si tendre et protectrice envers les plus jeunes. Les Doyle l'obligeaient-ils vraiment à manger en silence, rideaux tirés, à la lueur des bougies ? Le vieillard tentait-il de l'entraîner elle aussi dans des conversations nauséabondes ? L'avait-il déjà fait pleurer ? Alors que pendant les repas à Mexico, le père de Noemí ne perdait jamais une occasion de sortir une devinette et de récompenser l'enfant assez futé pour y répondre.

La servante réapparut et ôta les assiettes. Virgil, qui n'avait pas encore adressé la parole à Noemí, se tourna enfin vers elle. Leurs regards se croisèrent.

—J'imagine que vous avez quelques questions à me poser.

—En effet.

—Alors passons au salon.

Virgil prit un candélabre en argent sur la table, puis guida Noemí jusqu'à une grande pièce munie d'une énorme cheminée dont le manteau en noyer noir était gravé de thèmes floraux. Au-dessus, une nature morte représentant fruits, roses et vignes était accrochée au mur. Deux lampes à pétrole disposées sur des tables jumelles en ébène offraient un éclairage supplémentaire.

Au fond de la pièce, deux canapés en velours vert fané accompagnaient trois fauteuils à têtière. Des vases blancs prenaient la poussière, preuve que ce salon avait eu vocation autrefois à accueillir des visiteurs et à les mettre à l'aise.

Virgil ouvrit les portes d'un buffet exhibant des charnières en argent et un plan de service en marbre. Il en sortit une carafe à vin surmontée d'un curieux bouchon en forme de fleur, puis remplit deux verres et en offrit un à Noemí. Après quoi il s'enfonça dans l'un des grands fauteuils couverts de brocart doré placés devant la cheminée. La jeune femme l'imita.

Cette pièce mieux éclairée permit à Noemí de découvrir Virgil sous un jour plus avantageux. Elle l'avait bien sûr rencontré au mariage de Catalina, mais tout était allé très vite et cela remontait déjà à un an, au point qu'elle aurait eu du mal à le reconnaître. Il était blond aux yeux bleus, comme son père, avec des traits graves et altiers. Sa veste croisée gris anthracite, avec des motifs à chevrons, se révéla très élégante malgré l'absence de cravate ; il avait même ouvert le premier bouton de sa chemise, comme pour feindre une décontraction qu'il lui était impossible d'éprouver.

Noemí ignorait comment s'adresser à lui. Elle savait flatter les garçons de son âge, mais Virgil était plus âgé, sans doute plus sérieux. Si elle se laissait aller à flirter, comme à son habitude, il la prendrait sûrement pour une idiote. Cet homme faisait figure d'autorité dans le manoir. Mais Noemí disposait de sa propre autorité en tant qu'envoyée de son père.

Lorsque Kubilai Khan dépêchait ses messagers aux quatre coins du royaume, ceux-ci transportaient une pierre avec le sceau du souverain, et quiconque s'en prenait à eux encourait la peine de mort. Catalina elle-même avait raconté cette histoire à sa cousine entre deux contes de fées.

Noemí devait faire sentir à Virgil qu'elle possédait une pierre invisible au fond de sa poche.

—Je vous remercie d'être venue si vite, dit-il sur un ton affable mais sans chaleur.

—Il le fallait bien.

—Pourquoi donc ?

—Mon père était très inquiet.

Voilà pour la pierre. Même ici, entourée des symboles des Doyle, Noemí était une Taboada, mandatée par Leocadio Taboada en personne.

—Je lui ai pourtant écrit qu'il n'y avait pas lieu de s'inquiéter.

—Catalina dit souffrir de tuberculose. Mais ça me paraît insuffisant à expliquer sa lettre.

—Vous l'avez lue ? Que dit-elle exactement ?

Virgil se pencha en avant. Sa voix demeurait courtoise, mais il semblait plus tendu.

—Je ne l'ai pas apprise par cœur. En tout cas, elle a poussé mon père à me demander de vous rendre visite.

—Je vois.

Il fit tourner son verre entre ses doigts, le feu dans l'âtre illuminant le vin, puis il se renfonça dans le fauteuil. Il était beau. Comme une sculpture. Son visage, plutôt que fait de chair et d'os, évoquait un masque mortuaire.

—Catalina a passé de mauvais moments, reprit-il. Elle avait beaucoup de fièvre. Elle a écrit cette lettre alors qu'elle était très malade.

—Qui la soigne?

—Pardon?

—Je suppose que quelqu'un la suit. Florence… c'est bien votre cousine?

—Oui.

—J'ai vu votre cousine Florence lui donner un médicament. Donc un médecin a dû le lui prescrire.

Virgil se leva et saisit un tisonnier avec lequel il remua les bûches en train de flamber. Une étincelle atterrit par terre, sur un carreau usé et fendu en son milieu.

—Effectivement. Le docteur Arthur Cummins. C'est notre médecin de famille depuis de nombreuses années. Nous avons toute confiance en lui.

—Pense-t-il que Catalina se comporte de façon inhabituelle, même en tenant compte de la tuberculose?

—Inhabituelle, répéta Virgil avec un rictus. Vous vous y connaissez en médecine?

—Non. Mais mon père ne m'a pas envoyée ici parce qu'il juge la situation *habituelle*.

—Votre père ne parle que de psychiatres, lettre après lettre, rétorqua Virgil avec dédain.

Noemí n'aimait pas que l'on traite son père ainsi, comme un homme horrible et injuste.

—Je veux m'entretenir avec le médecin de Catalina, lança-t-elle.

Peut-être sur un ton trop sec, car Virgil rangea aussitôt le tisonnier d'un geste vif.

—Vous êtes une femme exigeante…

—Ce n'est pas le mot que j'emploierais. Disons plutôt « préoccupée ».

Elle prit soin de sourire, pour montrer qu'il s'agissait d'une demande sans conséquence, facile à accepter. La combine parut fonctionner puisque Virgil hocha la tête.

—Arthur vient au manoir une fois par semaine. Jeudi, il sera là pour Catalina, et aussi pour mon père.

—Il est malade ?

—Il est vieux. Il souffre des maux que le grand âge nous réserve à tous. Si vous êtes encore des nôtres jeudi, vous rencontrerez Arthur.

—Je n'ai pas l'intention de partir avant.

—Combien de temps comptez-vous rester, alors ?

—Pas très longtemps, j'espère. Juste assez pour voir si Catalina a besoin de moi. D'ailleurs je peux loger en ville si je vous dérange.

—La ville est vraiment petite. Il n'y a pas d'hôtel, même pas une auberge. Non, votre place est ici, bien sûr. Loin de moi l'idée de vous pousser dehors. Peut-être aurais-je aimé que vous nous rendiez visite pour d'autres raisons, voilà tout.

Noemí n'avait pas envisagé un instant la présence d'un hôtel à El Triunfo, alors qu'elle aurait été heureuse d'en dénicher un. Le manoir était un endroit sinistre, à l'instar de ses habitants. Elle comprenait qu'une femme puisse rapidement y tomber malade.

Noemí prit une gorgée de vin. Le même qu'au dîner, trop fort et trop sucré.

—Votre chambre vous convient ? s'enquit soudain Virgil.

Son ton devenait plus cordial. Comme s'il se disait que, finalement, il n'avait pas fait entrer une ennemie chez lui.

—Ça va. L'absence d'électricité est surprenante, mais je suppose que personne n'est jamais mort d'un manque d'ampoules.

—Catalina trouve les bougies très romantiques.

Noemí n'en doutait pas. C'était tout à fait le genre d'ambiance susceptible d'impressionner sa cousine : un manoir ancien au sommet d'une colline, la brume, le clair de lune. Un vrai décor de roman gothique. Catalina adorait *Jane Eyre* et *Les Hauts de Hurlevent*. La lande, les toiles d'araignées. Les châteaux où d'affreuses marâtres obligeaient les princesses à croquer des pommes empoisonnées. Les vilaines fées maudissant les jeunes filles et les sorciers transformant les princes charmants en bêtes sauvages. Noemí, elle, préférait passer ses week-ends dans une décapotable, à sauter de fête en fête.

Donc, à bien y réfléchir, peut-être ce manoir convenait-il à Catalina. Peut-être toute cette histoire découlait-elle uniquement d'un gros accès de fièvre. Noemí baissa les yeux, passant son pouce le long du verre.

— Laissez-moi vous en remettre un peu, dit Virgil en hôte attentif.

Ce type de vin montait vite à la tête. Noemí, déjà somnolente, sursauta en entendant Virgil. Dont la main frôla la sienne lorsqu'il approcha la carafe. Noemí secoua la tête. Elle connaissait ses limites et les faisait respecter.

— Non, merci, dit-elle en posant le verre et en s'extrayant du fauteuil, plus confortable qu'elle ne l'aurait cru.

— J'insiste.

Elle secoua encore la tête, d'une façon charmeuse qui avait maintes fois fait ses preuves.

— Mon Dieu, non. C'est l'heure de m'enrouler dans les couvertures et de dormir.

Les traits de Virgil s'étaient animés tandis qu'il l'observait avec une attention renouvelée. Une étincelle brillait dans son regard. Comme si un mot ou un geste de Noemí l'avait agréablement surpris. Peut-être s'amusait-il de la voir refuser un autre verre. Ce n'était sans doute pas un homme habitué à essuyer un refus. Peu d'hommes y étaient habitués.

—Dans ce cas, je vous raccompagne à votre chambre, proposa-t-il avec galanterie.

Ils montèrent ensemble le grand escalier, Virgil ouvrant la voie avec une lampe à pétrole peinte à la main ; les dessins de vigne coloraient la lumière en vert et projetaient cette teinte étrange sur les murs et les rideaux de velours. Dans l'une des histoires contées par Catalina, Kubilai Khan exécutait ses ennemis en les étouffant avec des coussins en velours afin de ne pas faire couler le sang. Noemí songea que ce manoir, avec tous ses tapis et ses tissus à glands, offrait de quoi étouffer une armée entière.

Chapitre 4

L e petit déjeuner lui fut servi dans sa chambre, sur un plateau. Dieu merci, elle n'avait donc pas à descendre manger avec toute la famille, même si cette chance ne durerait sans doute pas. Cette bienheureuse solitude lui rendit un peu plus appétissants le porridge, la confiture et les toasts. Le tout servi avec du thé, boisson dont elle avait horreur. Noemí était une buveuse de café noir alors que ce thé l'enrobait d'une vague odeur de fruit.

Après la douche, Noemí s'appliqua du rouge à lèvres et souligna ses yeux au crayon noir. Elle savait quels atouts représentaient ses grands yeux sombres et ses lèvres pleines, atouts dont elle n'hésitait pas à user. Elle prit le temps de sélectionner, parmi ses vêtements, une robe en taffetas acétate pourpre avec une jupe plissée. Ce n'était pas une tenue de journée – Noemí avait célébré l'arrivée de 1950 huit mois plus tôt dans une robe similaire –, mais elle ressentait ce matin-là un besoin d'opulence pour combattre la mélancolie ambiante. Son exploration du manoir se révélerait à coup sûr plus joyeuse si elle était bien habillée.

Malheureusement, la lumière du jour ne dissipa guère cette morosité qui enveloppait High Place. Une fois au rez-de-chaussée, Noemí ouvrit quelques portes grinçantes qui donnaient, invariablement, sur des rideaux tirés et des silhouettes fantomatiques de meubles couverts de draps blancs. Lorsqu'un rayon de soleil parvenait à s'infiltrer dans une pièce, il y éclairait de la poussière en suspension. Dans les couloirs, pour chaque applique munie d'une ampoule, la suivante était vide. La majeure partie du manoir n'était clairement pas utilisée.

Noemí s'était persuadée que les Doyle auraient un piano, même désaccordé, mais elle n'en vit aucun, pas plus qu'elle ne tomba sur une radio ou un vieux gramophone. Elle qui aimait tant la musique, d'Agustín Lara à Maurice Ravel en passant par les rythmes à danser. Quelle misère de ne rien pouvoir écouter.

Elle s'aventura dans la bibliothèque. Une frise en bois avec un motif de feuilles d'acanthe, divisée en sections par des pilastres, courait le long des murs, surplombant de grands meubles à étagères où s'alignaient de vieux volumes reliés de cuir. Noemí en sortit un au hasard, qui s'ouvrit sur des pages moisies sentant la pourriture. Elle le referma d'un coup sec et le remit aussitôt en place.

Les étagères abritaient aussi des collections de magazines tels qu'*Eugénisme : le journal de l'amélioration des races*, ainsi que le *Journal américain de l'eugénisme*.

Quelle surprise, songea Noemí en se remémorant les questions débiles posées par Howard Doyle. Peut-être le vieillard gardait-il en réserve un compas d'épaisseur afin de mesurer le crâne de ses invités.

Un globe terrestre, avec des noms de pays obsolètes, trônait dans un coin tandis qu'un buste en marbre de Shakespeare se dressait près d'une fenêtre. Un grand tapis circulaire occupait le centre de la pièce. En l'observant, Noemí y nota l'image d'un serpent noir se mordant la queue, entouré de petites fleurs et de vignes sur fond pourpre.

Cette bibliothèque était sans doute l'une des pièces les mieux entretenues du manoir, et l'une des plus utilisées à en juger par l'absence de poussière. Pourtant elle avait l'air usée, elle aussi, avec ses rideaux d'un vert pâli par le temps et ses livres attaqués par la moisissure.

Au fond, une porte donnait sur un grand bureau. Les têtes empaillées de trois cerfs en ornaient les murs. Dans un angle, une armoire à fusils avec des portes en verre taillé n'accueillait plus aucune arme : quelqu'un ici s'était adonné à la chasse avant d'y renoncer. Noemí découvrit, posés sur une table en noyer noir, d'autres exemplaires de publications liées à l'eugénisme. Elle ouvrit l'un des magazines à l'endroit marqué d'un signet.

« L'idée selon laquelle les métis – ou *"mestizos"* – du Mexique héritent des pires traits de leurs parents se révèle inexacte. S'ils sont affligés des défauts d'une race inférieure, c'est d'abord dû à un manque de repères sociaux adéquats. Leur tempérament impulsif doit être canalisé dès l'enfance. En parallèle, les *mestizos* présentent des qualités remarquables, parmi lesquelles un corps robuste… »

Soudain, Noemí ne se demandait plus si Howard Doyle possédait un compas d'épaisseur, mais plutôt *combien* il en avait. Peut-être la collection se trouvait-elle dans l'une des armoires de ce bureau, à côté de l'arbre généalogique familial. Noemí aperçut une poubelle près de la table et s'empressa d'y glisser le magazine.

La jeune femme se mit ensuite en quête de la cuisine, Florence lui ayant indiqué l'emplacement la veille. L'endroit se révéla mal éclairé, avec des fenêtres étroites et de la peinture écaillée aux murs. Deux personnes étaient assises sur un long banc : une femme ridée et un homme qui, bien que nettement moins âgé, avait déjà les cheveux gris. Il devait avoir la cinquantaine et elle pas loin de soixante-dix ans. Les deux employés usaient de brosses rondes pour ôter la terre d'un tas de champignons. Ils levèrent la tête à l'arrivée de Noemí, mais ne la saluèrent pas.

— Bonjour, leur dit-elle. Nous n'avons pas été présentés hier. Je m'appelle Noemí.

Ils la scrutèrent sans répondre. Une porte s'ouvrit sur une femme elle aussi grisonnante qui transportait un seau. Noemí reconnut la servante qui avait officié lors du dîner de la veille, à peu près du même âge que l'homme. Celle-ci se contenta de hocher la tête, sans rien dire, vite imitée par le couple qui se concentra de nouveau sur les champignons. Suivaient-ils au pied de la lettre la politique de silence imposée à High Place ?

— Je…

— Nous sommes occupés, dit l'homme.

Les trois domestiques baissèrent leurs visages blêmes, indifférents à la présence de la jeune mondaine. Peut-être Virgil et Florence leur avaient-ils expliqué que Noemí était une personne sans importance dont il était inutile de s'inquiéter.

Noemí se mordit la lèvre et sortit du manoir par la petite porte utilisée par la servante. Comme la veille, il faisait froid et brumeux. Elle regretta aussitôt de ne pas être habillée plus chaudement, avec des poches pour ses cigarettes et son briquet. Elle ajusta le *rebozo* rouge autour de ses épaules.

— Le petit déjeuner vous a plu ?

Noemí pivota et tomba sur Francis, vêtu d'un chandail douillet, qui venait de sortir lui aussi par la porte de la cuisine.

— Assez, répondit-elle. Et vous, comment allez-vous ?

— Ça va.

— C'est quoi, cette cabane ? demanda-t-elle en désignant un bâtiment en bois aux contours rendus imprécis par la brume.

— C'est la remise où nous conservons le générateur et le carburant. Derrière, vous avez le garage. Vous voulez y jeter un coup d'œil ? Au cimetière aussi, peut-être ?

— Avec plaisir.

Le garage ressemblait à une écurie devant accueillir un corbillard et des chevaux noirs, mais seules deux voitures s'y trouvaient.

D'abord le luxueux véhicule de collection dans lequel Noemí avait voyagé avec Francis, puis une voiture plus récente mais d'allure plus modeste. Les promeneurs suivirent le sentier contournant le garage, qui les mena, à travers arbres et brume, jusqu'à un portail en fer forgé à deux battants décoré avec le serpent se mordant la queue déjà vu sur le tapis de la bibliothèque.

Ils poursuivirent leur marche dans la pénombre, entourés d'arbres de plus en plus serrés qui ne laissaient passer que peu de lumière. Noemí s'imagina le cimetière d'autrefois, bien entretenu, avec de jolis arbustes et des parterres de fleurs, alors qu'il était à présent envahi d'herbes hautes menaçant de l'engloutir. Les pierres tombales étaient couvertes de mousse tandis que de nombreux champignons poussaient à côté des sépultures. L'endroit respirait la mélancolie. Même les arbres avaient l'air lugubres, sans que Noemí puisse expliquer pourquoi : un arbre n'exprimait rien en soi.

Elle en conclut que c'était l'ensemble, et non les éléments pris de façon séparée, qui rendait ce cimetière si triste. Cela commençait par le manque d'entretien, auquel s'ajoutaient l'ombre des arbres, puis les mauvaises herbes autour des tombes, puis l'air glacé, ce qui finissait par changer un simple groupe de tombes en un lieu absolument sinistre.

Noemí se sentait navrée pour toutes les personnes enterrées ici, comme elle l'était pour les habitants de High Place. Elle se pencha sur une tombe, sur une autre, et fronça les sourcils.

— Pourquoi celles-ci datent-elles toutes de 1888 ?

— La mine a été gérée par les Espagnols jusqu'à l'indépendance du Mexique, puis abandonnée pendant des décennies car plus personne ne pensait pouvoir en extraire assez d'argent. Mais mon grand-oncle Howard n'était pas de cet avis. Il a fait venir d'Angleterre du matériel moderne ainsi que des ouvriers pour s'en servir. Ça a très bien marché pendant deux ans, après quoi une brusque épidémie a tué la plupart des Anglais, qui ont été enterrés ici.

—Et après? Il a fait venir une nouvelle fournée d'ouvriers anglais?

—Eh bien… non, pas besoin. Il employait aussi beaucoup de Mexicains… mais ils ne sont pas inhumés ici. Sans doute à El Triunfo. Oncle Howard vous en dirait plus que moi.

Donc le cimetière était bel et bien réservé aux Anglais. Noemí estima que c'était plutôt une bonne chose: les familles des ouvriers locaux souhaitaient certainement rendre visite à leurs défunts, fleurir les tombes, ce qui aurait posé de gros problèmes si loin de la ville.

La balade reprit jusqu'à ce que Noemí s'arrête devant la statue en marbre d'une femme debout sur un piédestal, avec une couronne de fleurs dans les cheveux. La main droite de la statue désignait le fronton d'un mausolée portant le nom DOYLE gravé en lettres majuscules, accompagné d'une citation latine: *Et Verbum caro factum est.*

—Qui est-ce?

—La statue est censée représenter ma grand-tante Agnes, qui a succombé peu de temps après son arrivée au Mexique. À l'intérieur sont enterrés tous les Doyle: ma grand-tante, mon grand-père et ma grand-mère, mes cousins…

La voix de Francis baissa au fil de l'énumération, puis se perdit dans un silence gêné. Ce silence – celui du cimetière, du manoir tout entier – énervait Noemí de plus en plus. Elle était habituée au grondement du tramway et des voitures de Mexico, au chant joyeux des canaris et de la fontaine dans la cour intérieure de la maison familiale, sans oublier les aboiements des chiens, la radio que la cuisinière écoutait en préparant le repas…

—C'est trop calme ici, avoua-t-elle en secouant la tête. Ça ne me plaît pas.

—Qu'est-ce qui vous plaît, alors? demanda Francis, curieux.

—Les artefacts méso-américains, la glace à la sapote, les films de Pedro Infante, écouter de la musique, danser, conduire, détailla-t-elle en comptant sur ses doigts.

Elle aurait pu ajouter « badiner », mais Francis s'en rendrait compte par lui-même.

— Je crains de ne guère vous être utile sur ces sujets, dit-il. Quelle voiture conduisez-vous ?

— La plus belle Buick que vous ayez jamais vue. Décapotable, évidemment.

— Évidemment ?

— C'est beaucoup plus drôle de conduire sans la capote. Avec les cheveux qui volent comme ceux d'une star de cinéma. Et puis ça éclaircit les idées, ça en apporte de nouvelles.

Noemí appuya sa démonstration en passant la main dans sa chevelure ondulée. Son père affirmait qu'elle se préoccupait trop de son physique et des fêtes pour prendre les études au sérieux. Comme si une femme ne pouvait pas faire deux choses à la fois.

— Quel genre d'idées ?

— Pour ma thèse, quand j'y pense. Pour mes sorties du week-end. Toutes sortes d'idées, en fait. Je réfléchis mieux en mouvement.

— Vous êtes très différente de votre cousine, lâcha Francis en baissant les yeux.

— M'annoncerez-vous à votre tour que ma peau et mes cheveux sont « bien plus sombres » que les siens ?

— Non. Je ne pensais pas à votre aspect physique.

— Donc ?

— Je vous trouve charmante. (La panique lui tordit le visage avant qu'il tente de se rattraper.) Non pas que votre cousine manque de charme. Mais le vôtre est… spécial.

S'il avait pu voir Catalina à Mexico, songea Noemí. Vêtue d'une belle robe de velours, voletant d'une pièce à l'autre, le sourire aux lèvres, des étoiles dans les yeux. Alors qu'ici, dans cette chambre sentant le renfermé, le regard vague et le corps affaibli par une maladie quelconque… Mais Noemí noircissait sans doute le tableau. Avant de tomber malade, Catalina souriait peut-être comme avant, prenant son mari par la main pour l'emmener dehors compter les étoiles.

— Vous dites ça parce que vous ne connaissez pas ma mère, répondit-elle pour détourner la conversation. Il n'existe pas de femme plus charmante sur terre. En sa présence, je me sens affreusement banale.

Francis hocha la tête.

— Je vous comprends. Virgil est l'héritier de la famille, l'avenir des Doyle.

— Il vous rend jaloux ?

Le jeune homme était maigre, aussi pâle qu'un saint en attente du martyre. Les cernes sous ses yeux, presque des ecchymoses, laissaient suspecter une affection cachée. Virgil Doyle, lui, paraissait taillé dans le marbre. Il respirait la force là où Francis ne projetait qu'une impression de faiblesse ; tous ses traits – sourcils, bouche, pommettes – étaient plus fermes et, au final, bien plus séduisants.

Comment blâmer Francis d'envier cette vitalité ?

— Je ne jalouse ni son aisance en public, ni son physique, ni sa position dans la famille. Par contre, j'aimerais pouvoir partir comme lui. Je n'ai jamais été plus loin qu'El Triunfo, alors que lui a voyagé. Voilà tout. Même s'il revient toujours vite, il a au moins eu cette chance. (Francis ne semblait pas amer. Plutôt las, résigné.) Quand mon père était encore de ce monde, il m'emmenait en ville et j'en profitais pour observer la gare. J'essayais d'y entrer en douce pour consulter les horaires de départ.

Noemí ajusta son *rebozo* en quête de chaleur, mais le cimetière était décidément trop humide. La température n'avait-elle pas baissé au fil de la visite ? Elle frissonna, ce que Francis ne manqua pas de remarquer.

— Je suis vraiment trop bête, dit-il en ôtant son chandail. Tenez, prenez ça.

— Non, merci. Je ne peux pas vous laisser geler sur place juste pour me réchauffer un peu. Ça ira mieux si nous nous remettons en marche.

— D'accord. Enfin prenez-le quand même. Je vous jure que je n'aurai pas froid.

Noemí enfila le chandail et enroúla le *rebozo* autour de sa tête. Elle aurait cru que Francis presserait le pas pour rentrer, mais il n'en fit rien, probablement habitué à la brume et à l'ombre frisquette des arbres.

— Hier, reprit-il, vous avez parlé de tous ces objets en argent dans le manoir. Vous aviez raison, ils proviennent de la mine.

— Elle est fermée depuis longtemps, non ?

Catalina avait évoqué le sujet, provoquant l'ire de Leocadio Taboada : Virgil lui était apparu comme un étranger, un possible coureur de dot. Noemí soupçonnait son père d'avoir malgré tout consenti au mariage car il se sentait encore coupable d'avoir éconduit le premier soupirant dont Catalina s'était éprise.

— Ça a commencé à la révolution, comme tant d'autres choses. Les problèmes se sont accumulés au fil du temps jusqu'à l'arrêt des opérations suite à une inondation du site. C'était en 1915, l'année de naissance de Virgil.

— Donc il a trente-cinq ans, calcula Noemí. Vous êtes beaucoup plus jeune.

— De dix ans, précisa Francis en hochant la tête. Une différence d'âge certaine, mais c'est le seul ami que j'ai eu en grandissant.

— Même en allant à l'école ?

— Nous avons été élevés à High Place.

Noemí tenta d'imaginer le manoir empli de rires d'enfant, avec deux garçons jouant à cache-cache ou se lançant un ballon. Elle échoua piteusement. Le manoir n'aurait pas accepté un tel remue-ménage ; il aurait exigé que les enfants y surgissent tout éduqués.

Francis et Noemí longèrent de nouveau le garage. High Place était bien visible devant eux, la brume s'étant dissipée.

—Je peux vous poser une question ? s'enquit la jeune femme. Pourquoi ce silence obligatoire à table ?

—Mon grand-oncle est vieux, fragile, et surtout très sensible au bruit. Or les sons portent facilement dans le manoir.

—Mais je suppose que sa chambre est au premier étage. Il ne peut quand même pas entendre des gens discuter dans la salle à manger.

—Les sons portent, répéta Francis avec sérieux, les yeux rivés sur la vieille bâtisse. De toute façon, Oncle Howard est chez lui, donc il fixe les règles.

—Personne n'essaie de les contourner ?

Francis prit un air perplexe, comme si une telle possibilité n'était simplement pas envisageable. Noemí était sûre qu'il n'avait jamais bu un verre de trop, jamais tardé à rentrer à la maison, jamais émis une opinion dissonante en présence de sa famille.

—Non, répondit-il sur son ton d'éternel résigné.

Ils pénétrèrent dans la cuisine, où Noemí ôta le chandail et le tendit à son légitime propriétaire. Il ne restait qu'une servante – la plus « jeune » des deux – assise près du poêle ; elle ne leur accorda même pas un regard, trop absorbée par ses tâches.

—Gardez-le, dit Francis, toujours aussi poli. Il est bien chaud.

—Je ne vais quand même pas vous voler vos vêtements…

—J'ai plein d'autres chandails.

—Merci, alors.

Francis lui sourit au moment précis où Florence débarquait dans la cuisine, tenue et visage sévères. Elle les scruta comme de sales gosses qui venaient à coup sûr de piocher dans la boîte de bonbons.

—C'est l'heure du déjeuner, annonça-t-elle.

Ils ne furent cette fois que trois à table, ni Virgil ni son vieux père ne faisant leur apparition. Le repas se conclut rapidement, après quoi Noemí regagna sa chambre. Plus tard dans la journée, les domestiques lui apportèrent son dîner sur un plateau : la première soirée dans la salle à manger avait été une exception, et sans doute le déjeuner aussi. Le plateau était accompagné d'une lampe à pétrole qu'elle posa près du lit. Après manger, elle tenta de se plonger dans le livre qu'elle avait apporté – *Sorcellerie, oracles et magie chez les Azandé* – mais ne cessa d'être distraite. *Les sons portent*, pensa-t-elle en entendant grincer un parquet.

Soudain, son regard fut attiré par une tache de moisissure sur le papier peint, dans un coin de la pièce. Elle songea aussitôt à ces papiers verts, si appréciés à l'époque victorienne, qui contenaient de l'arsenic. Les fameux verts de Scheele et de Paris. De plus, n'avait-elle pas lu quelque part que des champignons microscopiques pouvaient attaquer certains colorants et produire de l'arsine, un gaz hautement toxique ?

De nombreuses personnes très intelligentes s'étaient ainsi empoisonnées toutes seules dans leur chambre, à cause d'un sale champignon dissimulé dans les murs et provoquant des réactions chimiques invisibles. Noemí avait oublié la dénomination du coupable – une série de noms latins défila devant ses yeux –, mais elle se rappelait bien les faits. Avec un grand-père chimiste et un père fabricant de colorants, elle savait par exemple qu'il fallait mélanger du sulfure de zinc et du sulfate de baryum pour produire du lithopone. Et tant d'autres formules du même type.

Bon, le papier peint de la chambre n'était pas vert. Loin de là. Il arborait un vilain rose pâle, couleur de fleur fanée, agrémenté d'affreux médaillons jaunes. Des médaillons ou des cercles, peut-être des couronnes. Finalement, Noemí aurait préféré du vert plutôt que cette horreur. Lorsqu'elle ferma les yeux, les cercles jaunes continuèrent à danser derrière ses paupières, sur fond noir.

Chapitre 5

Catalina était de nouveau assise près de la fenêtre, dans une attitude aussi distante que la première fois. Noemí ne put s'empêcher de penser à une estampe représentant le personnage d'Ophélie accrochée autrefois dans la maison familiale : Ophélie entraînée par le courant, entraperçue à travers un rideau de roseaux. C'était exactement l'image qu'offrait Catalina ce matin-là. Noemí était néanmoins heureuse de la retrouver et de s'asseoir à son côté pour lui fournir les dernières nouvelles de Mexico. Elle lui décrivit une exposition visitée trois semaines plus tôt, sachant que Catalina appréciait l'art, puis elle imita certaines de leurs amies avec une telle perfection que sa cousine finit par sourire et même par rire.

— Tu es vraiment une excellente imitatrice, l'assura Catalina. Tu continues les cours de théâtre ?

— Non. J'envisage de me lancer dans une maîtrise d'anthropologie. Qu'en dis-tu ?

— Toujours de nouvelles idées, notre Noemí. Toujours de nouveaux objectifs.

Un refrain bien connu. Noemí supposait que sa famille n'avait pas tort de poser un regard sceptique sur ses velléités universitaires puisqu'elle en était déjà à son troisième changement d'orientation.

Mais elle voulait réellement faire quelque chose de spécial dans la vie. Sauf qu'elle n'avait pas encore trouvé quoi, même si l'anthropologie lui semblait une meilleure piste que ses tentatives précédentes.

En tout cas, elle n'en voulait pas à Catalina d'exprimer ce genre de doutes car, à l'inverse de Leocadio Taboada, elle n'y mettait aucun reproche. Catalina était une créature de soupirs et de phrasés d'une délicatesse de dentelle ; c'était une rêveuse, donc prête à embrasser les rêves de Noemí.

— Et toi, qu'as-tu à me raconter ? demanda cette dernière. J'ai bien remarqué que tu oubliais de nous écrire. Tu t'imagines vivre dans une lande balayée par les vents et coupée de tout, comme dans *Les Hauts de Hurlevent* ?

Noemí savait que sa cousine avait usé les pages de ce livre à force de le relire. Catalina leva une main pour caresser les rideaux de velours.

— Non. C'est le manoir. Il me prend beaucoup de temps.

— Tu songes à le rénover ? Moi, je te suggère plutôt de le raser et de le reconstruire à neuf. Tu ne trouves pas que c'est un endroit horrible ? Et froid, en plus.

— Humide, surtout. Très humide.

— J'étais trop congelée la nuit dernière pour me préoccuper de l'humidité.

— Sombre et humide. Le manoir est toujours sombre et humide. Et froid, oui.

Le sourire de Catalina s'effaça au fil des mots. Son regard, jusqu'alors perdu dans le vague, se posa sur Noemí avec le tranchant d'une lame ; elle agrippa les mains de sa cousine et se pencha vers elle, parlant bas :

— J'ai besoin que tu me rendes un service, mais sans rien dire à personne. Promets-moi de ne rien dire à personne. S'il te plaît.

— C'est promis.

— Je connais une femme en ville. Marta Duval. Elle a concocté un remède pour moi, mais je n'en ai plus. Il faut absolument que tu ailles la voir pour m'en rapporter. Tu comprends ?

—Oui, bien sûr. Quel genre de remède?

—Aucune importance. Ce qui compte, c'est que tu y ailles sans en parler à personne. Je t'en prie, fais ça pour moi.

—D'accord. Si c'est ce que tu souhaites. (Catalina hocha la tête. Ses ongles s'enfonçaient dans les poignets de Noemí tant elle les serrait fort.) Je vais demander à…

—Chut, ils peuvent t'entendre, l'interrompit Catalina, les yeux aussi brillants que des pierres polies.

—Qui peut m'entendre? s'enquit Noemí d'une voix douce.

Catalina se pencha encore vers elle pour lui murmurer à l'oreille:

—C'est dans les murs.

—Quoi donc?

Noemí avait posé la question par réflexe, ne sachant que dire d'autre à sa cousine dont les yeux ne semblaient même plus la voir, comme s'ils appartenaient à une somnambule.

—Les murs me parlent. Ils me révèlent des secrets. Ne les écoute surtout pas, Noemí, bouche-toi les oreilles. Ce sont des fantômes. De vrais fantômes. Tu les verras tôt ou tard.

Soudain, Catalina lâcha Noemí et se leva, saisissant le rideau de la main droite, regard tourné vers l'extérieur. Noemí faillit lui demander de s'expliquer, mais Florence choisit cet instant pour entrer dans la chambre.

—Le docteur Cummins vient d'arriver. Il va d'abord examiner Catalina, puis il vous rejoindra au salon.

—Je peux rester, ça ne me dérange pas, rétorqua Noemí.

—Lui, ça le dérangera.

Florence s'était exprimée sur un ton catégorique. Noemí aurait pu insister, mais elle préféra quitter la pièce plutôt que de provoquer une dispute. Elle savait quand battre en retraite: insister à ce moment-là ne lui aurait valu qu'un refus empreint d'hostilité. Rien n'empêchait d'ailleurs ses hôtes de la mettre dehors si elle faisait trop d'histoires. Elle était leur invitée, mais sans être franchement la bienvenue.

Le salon en journée, une fois les rideaux ouverts, lui parut bien moins accueillant qu'en soirée. D'une part il y régnait un froid piquant dû à l'absence de feu et, d'autre part, la lumière du jour soulignait le moindre défaut. Le velours des canapés arborait une teinte vert malade tandis que de nombreuses fêlures couraient sur les carreaux émaillés de la cheminée. Une petite peinture à l'huile représentant un champignon sous divers angles subissait – ironie du sort – une attaque de moisissures ; de nombreux points noirs déformaient l'image. Catalina avait raison à propos de l'humidité.

Noemí se frotta les poignets, étudiant les marques laissées par les ongles de Catalina, puis attendit que le médecin la rejoigne. Il prit son temps mais surtout, lorsqu'il fit son apparition, il n'était pas seul. Virgil l'accompagnait. Noemí s'assit sur l'un des canapés ; le médecin s'installa sur l'autre, posant sa sacoche de cuir noir à côté de lui. Virgil choisit de rester debout.

— Je me présente, Arthur Cummins. Vous devez être mademoiselle Noemí Taboada ?

Ses vêtements étaient bien coupés, mais démodés depuis dix ou vingt ans. Tous les visiteurs de High Place paraissaient englués dans le passé. Même si, dans ce genre de petite ville, il s'avérait inutile de renouveler fréquemment sa garde-robe. Virgil était beaucoup plus à la mode. Soit il avait profité de son dernier séjour à Mexico pour effectuer quelques achats, soit il se considérait assez exceptionnel pour mériter un budget vestimentaire digne de son rang. Peut-être l'argent de sa femme lui autorisait-il ce luxe.

— C'est bien moi, confirma Noemí. Merci de prendre la peine de me rencontrer.

— Avec plaisir. Virgil m'a informé que vous aviez quelques questions à me poser.

— En effet. On m'a dit que ma cousine souffrait de tuberculose…

Cummins hocha la tête et répondit aussitôt, sans laisser Noemí finir sa phrase :

— C'est exact. Rien d'inquiétant, néanmoins. Elle a reçu de la streptomycine pour soigner la maladie elle-même, mais elle doit surtout se reposer. Une cure de sommeil, de la détente et une alimentation saine, voilà comment on guérit de ce mal. (Il sortit un mouchoir et entreprit de nettoyer ses verres de lunettes.) Une poche de glace sur la tête, une bonne friction à l'alcool, ce sont des remèdes éprouvés. Soyez certaine que votre cousine sera bientôt sur pied. À présent, si vous voulez bien m'excuser…

Le médecin rangea les lunettes dans sa poche de poitrine, bien décidé à mettre un terme à la conversation. Mais Noemí l'interrompit à son tour :

— Non, je ne vous excuse pas encore. Catalina est vraiment bizarre. Quand j'étais petite, ma tante Brigida a eu la tuberculose et elle ne se comportait pas du tout comme ça.

— Chaque patient est différent.

— Elle a écrit une lettre très étrange à mon père, elle n'y semblait pas elle-même, dit Noemí, luttant pour mettre en mots son ressenti. Elle a changé.

— La tuberculose ne change personne. Par contre, elle peut amplifier certaines tendances préexistantes chez les patients.

— Dans ce cas, Catalina va vraiment mal, car je ne lui ai jamais connu pareille apathie. Sa conduite est anormale.

Cummins ressortit ses lunettes et les chaussa de nouveau. Ce qu'il vit ne dut pas lui plaire puisqu'il fronça les sourcils.

— Vous ne m'avez pas laissé terminer, marmonna-t-il d'une voix sèche, le regard dur. Votre cousine est une femme très anxieuse, portée à la mélancolie, et la maladie n'a fait qu'aggraver cette disposition.

— Catalina n'est pas anxieuse.

— Vous niez donc ses tendances dépressives ?

Noemí se rappela les paroles de son père, qualifiant Catalina de « mélodramatique ». Mais le mélodrame et l'anxiété étaient deux choses bien distinctes. Catalina n'entendait pas des voix lorsqu'elle résidait à Mexico ; son visage n'affichait pas cette expression misérable.

—Quelles tendances dépressives ? demanda Noemí.

—Elle s'est repliée sur elle-même après la mort de sa mère, expliqua Virgil. Elle a connu des périodes de grande tristesse durant lesquelles elle pleurait dans sa chambre et racontait des histoires incompréhensibles. Il se trouve que cet état de fait a empiré.

Virgil s'exprimait pour la première fois. Avec un détachement singulier, comme s'il parlait d'une étrangère et non de sa femme.

—C'est vrai, elle a perdu sa mère, reconnut Noemí. Mais ça s'est produit il y a longtemps, lorsqu'elle n'était encore qu'une petite fille.

—Certains fantômes reviennent parfois nous hanter, rétorqua Virgil.

—Même si la tuberculose n'est plus que rarement fatale, elle peut se révéler très éprouvante pour le patient, enchaîna le médecin. En termes d'isolation comme de symptômes physiques. Votre cousine a notamment souffert de tremblements et de suées nocturnes qui, sachez-le, n'étaient pas beaux à voir. La codéine a permis de la soulager, mais vous ne devez pas vous attendre à la voir cuisiner des gâteaux en poussant la chansonnette.

—Vous me permettrez d'être inquiète. C'est ma cousine, après tout.

—Certes, mais si *vous* commencez aussi à vous agiter, ça ne risque pas d'améliorer la situation, lâcha Cummins en secouant la tête. Bien, à présent il me faut vraiment prendre congé. Virgil, je vous revois la semaine prochaine.

—Docteur, l'interpella Noemí pour tenter de le retenir.

—Non, non, je dois y aller, insista le médecin tel un capitaine de bateau averti d'une soudaine mutinerie.

Il serra la main de Noemí, attrapa sa sacoche et quitta la pièce en coup de vent, laissant son interlocutrice assise sur ce canapé ridicule, mâchoires serrées. Virgil prit la place abandonnée par Cummins et s'adossa dans une attitude distante. Cet homme faisait preuve d'un calme sidérant derrière son visage blême. Avait-il réellement courtisé Catalina ? Ou une autre femme avant elle ? Noemí ne parvenait pas à l'imaginer exprimant de l'affection envers un être vivant.

— Le docteur Cummins est un excellent praticien. (La voix de Virgil ne dénotait qu'une profonde indifférence. Il aurait pu annoncer de même que Cummins était le pire médecin sur terre.) Son père, à l'époque, veillait déjà sur la santé de notre famille. Je peux vous assurer que nous n'avons jamais eu à lui adresser le moindre reproche.

— J'en suis bien persuadée.

— Vous n'en avez pas l'air.

Noemí haussa les épaules, espérant que si elle gardait le sourire et le verbe léger, Virgil se montrerait plus réceptif. Ne semblait-il pas lui-même prendre cette affaire à la légère ?

— Si Catalina est très malade, elle se sentirait sans doute mieux dans un sanatorium proche de Mexico, où l'on s'occuperait d'elle convenablement.

— M'estimez-vous incapable de m'occuper de ma femme ?

— Je n'ai pas dit ça. Mais ce manoir est froid, et le brouillard qui l'entoure n'offre pas un spectacle réjouissant aux yeux d'une convalescente.

— C'est la mission que votre père vous a confiée ? Lui ramener Catalina ?

— Pas du tout, dit Noemí en secouant la tête.

— C'est pourtant l'impression que ça donne. (Le ton de Virgil était aussi froid que le manoir. Mais sans colère apparente.) J'admets que l'endroit où je vis n'est ni le plus moderne ni le plus chic que l'on puisse trouver. Alors qu'autrefois High Place était un phare dans la région, avec une mine produisant tellement d'argent que nos armoires débordaient de soieries, de velours, de grands vins. Ce qui n'est plus le cas aujourd'hui.

» Cependant, cela ne nous empêche pas de prendre soin de nos malades. Mon père est un vieil homme, affligé de gros problèmes de santé, qui bénéficie malgré tout ici de soins adéquats. Il en va évidemment de même pour la femme que j'ai épousée.

— Oui… mais elle pourrait avoir aussi besoin d'un spécialiste d'une autre discipline. Un psychiatre qui…

Virgil, jusqu'ici très sérieux, éclata d'un rire si tonitruant que Noemí sursauta dans son siège. C'était un rire déplaisant, une sorte de défi.

— Un psychiatre, répéta-t-il en dévisageant Noemí. Où comptez-vous en trouver un par ici ? En le faisant apparaître par magie ? Il y a un petit centre médical en ville, dans lequel n'officie qu'un seul médecin. Rien de plus. Le psychiatre le plus proche doit résider à Pachuca, voire à Mexico. Ça m'étonnerait qu'il accepte de se déplacer.

— Le médecin du centre pourrait au moins donner un second avis. Il aurait peut-être d'autres idées pour soigner Catalina.

— Si mon père a fait venir son propre docteur d'Angleterre, ce n'est pas parce qu'il avait toute confiance en la médecine locale. C'est une ville pauvre, avec des habitants mal dégrossis. Les médecins ne courent pas les rues.

— Je me vois quand même obligée d'insister…

— Oui, je ne doute pas que vous allez insister, déclara Virgil en se levant, son incroyable regard bleu toujours rivé sur Noemí. Vous avez l'habitude d'obtenir ce que vous voulez, n'est-ce pas, mademoiselle Taboada ? De votre père. De tous les hommes.

À cet instant précis, il rappela à Noemí un type avec qui elle avait dansé lors d'une fête l'été précédent. Ils s'amusaient comme des fous au rythme des morceaux de *danzón* lorsqu'était venu le moment des slows. Pendant *Some Enchanted Evening*, l'homme l'avait enlacée trop fort et avait tenté de l'embrasser. Elle avait d'abord esquivé le baiser puis, tournant de nouveau la tête vers son partenaire, était tombée sur un visage moqueur.

Noemí soutint le regard de Virgil, lequel lui renvoyait cette même moquerie amère.

—Que voulez-vous dire? lui demanda-t-elle par bravade.

—Catalina m'a rapporté de quelle manière vous forcez vos soupirants à se plier à vos quatre volontés. Je n'ai pas l'intention de me battre avec vous. Allez donc chercher votre second avis, si vous parvenez à dénicher quelqu'un pour vous le donner.

Sur ces paroles cassantes, il quitta la pièce à son tour.

Noemí se sentit assez contente d'avoir réussi à l'asticoter. Il avait sans doute cru —comme ce bon docteur Cummins— qu'elle prendrait leurs déclarations pour argent comptant.

Cette nuit-là, elle rêva qu'une fleur dorée poussait sur le mur de sa chambre, sauf que... ce n'était pas vraiment une fleur. Les vrilles n'étaient pas non plus celles d'une vigne. À côté de cette... non-fleur apparaissaient une centaine d'autres formes dorées.

Des champignons, pensa-t-elle, reconnaissant enfin les silhouettes bulbeuses. La rêveuse s'approcha du mur, curieuse, attirée par la luminescence, puis passa les mains sur les champignons. Qui se désintégrèrent aussitôt, semblant partir en fumée avant de tomber par terre telle de la poussière. Les mains de Noemí en étaient couvertes.

Elle s'essuya sur sa chemise de nuit, mais les traces dorées s'incrustaient dans ses paumes et sous ses ongles. La poussière était partout autour d'elle, tourbillonnant, éclairant la pièce d'une douce lumière jaune. Au-dessus d'elle, les particules formaient un ciel étoilé au plafond. À terre, la même image se dessinait sur le tapis.

Noemí frotta le tapis du pied, remuant la poussière qui s'éleva de nouveau avant de redescendre.

Soudain, la rêveuse sentit une présence dans la pièce. Elle leva les yeux, mains sur la chemise de nuit, et aperçut une silhouette debout près de la porte. Une femme vêtue d'une vieille robe en dentelle jaunie par les ans. À la place de sa tête, rien qu'une lueur dorée, la même que les champignons. La lueur gagna en intensité puis pâlit. C'était comme observer une luciole durant une nuit d'été.

Non loin de Noemí, le mur se mit à frémir, à battre au rythme imposé par la femme dorée. Les lames du parquet entrèrent elles aussi en mouvement. La chambre palpitait tel un énorme cœur. Les filaments dorés apparus en même temps que les champignons formaient à présent une grande toile le long du mur et ne cessaient de se répandre. Noemí comprit tout à coup que la robe de l'intruse n'était pas en dentelle, mais tissée de ces filaments.

La femme leva une main gantée, désigna Noemí et ouvrit la bouche ; néanmoins, n'ayant comme bouche que cette lueur dorée, aucun mot n'en sortit.

Jusqu'alors, Noemí n'avait pas eu peur. Mais la tentative de cette femme pour parler la remplit d'une terreur sans nom. Une terreur qui lui descendit le long de la colonne vertébrale, se communiqua à ses jambes, à ses pieds, la forçant à reculer et à presser ses mains contre sa propre bouche.

Sauf qu'elle n'avait plus de bouche elle non plus. Sauf que ses pieds ne bougeaient pas, soudés au tapis. La femme dorée s'avança, prit le visage de Noemí entre ses mains ; elle émit ensuite un son évoquant le crissement des feuilles sous les pas, la pluie tombant sur un étang, le bourdonnement des insectes dans la nuit noire. Noemí voulut se couvrir les oreilles pour y échapper, mais elle n'avait plus de mains.

La rêveuse ouvrit enfin les yeux, le corps en sueur. L'espace d'un instant, elle fut incapable de dire où elle se trouvait, puis se rappela être en visite à High Place. Elle tendit la main en direction du verre posé sur la table de chevet, faillit le renverser en l'attrapant. Elle avala toute l'eau d'un coup avant de tourner la tête vers le fond de la pièce.

La chambre était plongée dans l'obscurité. Aucune lueur n'y brillait, dorée ou pas. Noemí ressentit pourtant le besoin de se lever et d'aller tâter le mur pour s'assurer que rien d'étrange ne se dissimulait derrière le papier peint.

Chapitre 6

Noemí estima que Francis représentait sa meilleure chance d'obtenir une voiture. Florence ne condescendrait même pas à lui donner l'heure et Noemí gardait un très mauvais souvenir de sa dernière conversation avec Virgil. Surtout des allégations sur la manière dont elle menait les hommes par le bout du nez. Cela la gênait d'être si mal perçue; au contraire, elle voulait qu'on l'apprécie. Ce qui expliquait peut-être toutes ces fêtes, le rire cristallin, les belles coiffures, le sourire travaillé. Elle pensait que les hommes avaient le droit de se montrer sévères, comme son père, ou froids, comme Virgil, mais que les femmes devaient savoir se faire apprécier pour éviter les ennuis. Une femme mal perçue devenait une salope, or toutes les portes se fermaient devant les salopes.

Assurément, elle ne se sentait guère appréciée dans ce manoir. Mais Francis s'était montré plutôt amical envers elle. Noemí le dénicha aux alentours de la cuisine, l'air encore plus las que les jours précédents, pâle comme l'ivoire. Pourtant, une sorte d'énergie brillait dans son regard. Il lui sourit avec une expression attachante. Certes pas à la hauteur de son cousin – terriblement *séduisant*–, même si, au final, peu d'hommes se hissaient au niveau de Virgil à cet égard. Voilà sans doute ce qui avait attiré Catalina.

Ce beau visage. Cette allure mystérieuse, apte à vous détourner des chemins raisonnables.

« *Une certaine dignité dans le dénuement, c'est tout ce que cet homme a à offrir* », avait asséné le père de Noemí.

À quoi s'ajoutait un vieux manoir plein de coins et de recoins qui finissait par vous donner des cauchemars. Comme la ville paraissait loin !

Noemí échangea d'abord avec Francis quelques salutations banales, après quoi elle prit le jeune homme par le bras, d'un geste expert, afin de l'entraîner dans une petite balade.

— J'ai un service à vous demander, lui dit-elle. J'aimerais emprunter une voiture pour me rendre en ville. J'ai du courrier à poster. Entre autres pour donner des nouvelles à mon père.

— Vous voulez que je vous y emmène ?

— Je peux me débrouiller seule.

Francis fronça les sourcils, hésitant.

— Je ne sais pas ce que Virgil en penserait…

— Eh bien, ne lui dites pas, répondit Noemí en haussant les épaules. Quoi ? Vous croyez que je ne sais pas conduire ? Je peux vous montrer mon permis.

Francis se passa une main dans les cheveux.

— La question n'est pas là. La famille tient beaucoup à ces deux voitures.

— Et moi, je tiens à me véhiculer par mes propres moyens. Je n'ai pas besoin d'un chaperon. De toute façon, vous seriez très mauvais dans ce rôle.

— Pourquoi donc ?

— Un homme ne peut pas jouer les chaperons, voyons. Il faut au moins une vieille tante casse-pieds. Je peux vous en prêter une pour le week-end. En échange, vous me prêtez une voiture. Allez, faites un geste. C'est une question de vie ou de mort.

Francis gloussa tandis qu'ils traversaient la cuisine. Au passage, il récupéra des clés pendues à un crochet. Lizzie, l'une des domestiques, pétrissait de la pâte à pain sur une table couverte de farine ; elle ne parut même pas noter le passage du couple. Les employés de High Place étaient presque invisibles, comme dans l'un des contes de Catalina. *La Belle et la Bête*, si Noemí se rappelait bien. Des serviteurs invisibles qui préparaient les repas et disposaient les couverts en argent sur la table. Quelle coutume ridicule. Noemí connaissait le nom de tous les gens à l'œuvre dans la maison de Mexico, lesquels n'hésitaient pas à discuter et se faire entendre. Presque par miracle, elle avait enfin eu vent des prénoms des employés de High Place, grâce à Francis qui avait répondu à ses questions : Lizzie, Charles et Mary, importés d'Angleterre des décennies auparavant à l'instar de la porcelaine contenue dans les armoires.

Une fois en vue du garage, Francis lui tendit les clés.

— Vous ne vous perdrez pas ? lui demanda-t-il en se penchant sur la vitre alors qu'elle s'apprêtait à démarrer.

— Je devrais m'en sortir.

De fait, il fallait le vouloir pour se perdre : l'unique route ne faisait que monter et descendre la montagne. Noemí la descendit donc en direction de la ville. Elle se sentit de mieux en mieux au fil du trajet, au point de baisser la vitre pour profiter de l'air vivifiant des hauteurs. En définitive, la région n'était pas déplaisante, loin de là. Tout s'éclairait dès que l'on s'éloignait du manoir. C'était lui qui défigurait le paysage.

Noemí gara la voiture sur la place principale, supposant que la poste et le centre médical se situeraient à proximité. Pari gagnant puisqu'un petit immeuble vert et blanc se proclamait en façade « centre médical ». À l'intérieur se trouvaient trois chaises vertes alignées sous une série d'affiches décrivant telle ou telle maladie. Le guichet d'accueil était désert. À côté, une porte fermée s'ornait d'une plaque indiquant en gros le nom du médecin : Julio Eusebio Camarillo.

Noemí s'assit et attendit son tour. Quelques minutes plus tard, la porte s'ouvrit sur une femme tenant par la main un garçonnet sachant à peine marcher. Puis le praticien apparut à son tour et hocha la tête en direction de Noemí.

— Bonjour. En quoi puis-je vous être utile ?

— Bonjour, je m'appelle Noemí Taboada. Vous êtes le docteur Camarillo ?

Elle éprouvait le besoin de demander car elle le trouvait vraiment jeune. La peau très sombre, des cheveux courts avec la raie au milieu et une petite moustache qui ne lui donnait pas l'air plus sérieux, au contraire, comme un gosse essayant d'imiter son docteur. Il ne portait même pas de blouse blanche, juste un chandail brun-beige.

— C'est bien moi. Entrez donc.

Dans le bureau, sur le mur du fond, Noemí aperçut en effet le diplôme de l'Université nationale avec le nom du jeune médecin écrit en lettres élégantes. La pièce disposait aussi d'une armoire ouverte sur un fouillis de pilules, tampons en coton et autres bouteilles. Un grand agave poussait dans un pot jaune.

Le docteur s'assit dans son fauteuil tandis que Noemí prenait place sur une chaise en plastique semblable à celles du vestibule.

— Je ne crois pas que nous nous connaissions, dit Camarillo.

— Je ne suis pas de la région, confirma-t-elle en posant son sac à main sur ses genoux. En fait, je suis venue rendre visite à ma cousine. Elle est malade et j'ai pensé que vous pourriez l'examiner. Elle souffre de tuberculose.

— La tuberculose ? À El Triunfo ? (Le médecin paraissait sidéré.) Je n'en ai jamais entendu parler.

— Ce n'est pas exactement en ville. C'est à High Place.

— Le manoir des Doyle, dit-il d'une voix moins assurée. Vous êtes de la famille ?

— Non. Enfin si, par alliance. Virgil Doyle a épousé ma cousine Catalina. C'est elle que j'aimerais vous voir examiner.

Camarillo prit un air confus.

— Le docteur Cummins ne s'en occupe pas ? C'est leur médecin de famille, pourtant.

— Je voudrais un second avis.

Noemí lui décrivit ensuite le comportement étrange de Catalina et la crainte qu'elle ait besoin de soins psychiatriques. Camarillo l'écouta sans l'interrompre, puis réfléchit en faisant rouler un stylo entre ses doigts.

— Le problème, c'est que je ne suis pas sûr d'être bien accueilli à High Place si je m'y présente. Les Doyle ont toujours eu leur propre praticien. Ils ne se mêlent pas aux habitants de la ville. Quand la mine était encore ouverte, les ouvriers mexicains vivaient dans un camp, là-haut. Arthur Cummins – le père – les prenait en charge. Plusieurs épidémies ont éclaté durant cette période. Beaucoup de mineurs mouraient, Cummins était surchargé de travail, mais il n'a jamais demandé d'aide en ville. Les Doyle ont une piètre opinion de la médecine locale.

— De quelles épidémies s'agissait-il ?

Camarillo tapota le bord de la table avec son stylo.

— Difficile à dire. De grosses fièvres, très dures à traiter. Avec des patients délirants, pris de convulsions et s'attaquant les uns les autres. La maladie surgissait mystérieusement, tuait des gens, disparaissait puis revenait quelques années plus tard.

— J'ai visité le cimetière anglais, dit Noemí. Il y a beaucoup de tombes.

— Mais ce ne sont que les victimes anglaises, justement. Vous devriez aller jeter un coup d'œil au cimetière local. On raconte que durant la dernière épidémie, au début de la révolution, les Doyle ne prenaient même plus la peine de renvoyer les corps en ville, préférant les balancer dans une fosse commune.

— C'est vrai, cette horreur ?

— Qui sait ?

Le jeune médecin avait prononcé ces derniers mots avec dégoût. Il n'affirmait pas croire à cette rumeur, mais laissait entendre qu'il ne voyait guère de raisons de l'écarter.

— Vous devez être originaire d'El Triunfo pour savoir tout ça.

— Pas loin. Ma famille vendait des fournitures aux ouvriers de la mine. Quand le site a fermé, elle a déménagé à Pachuca. J'ai fait mes études à Mexico puis je suis revenu ici. Pour aider la population.

— Alors vous devriez aider ma cousine, plaida Noemí. Vous viendrez au manoir ?

Le docteur Camarillo lui adressa un sourire, mais secoua la tête, contrit.

— Je vous le répète, ça risque de m'attirer des ennuis avec Cummins et les Doyle.

— Qu'est-ce qu'ils pourraient bien vous faire ? Vous êtes le médecin de la ville, non ?

— Ce centre est un établissement public auquel le gouvernement fournit la gaze, les pansements et l'alcool pour les frictions. Mais El Triunfo est une ville pauvre. La plupart des habitants sont des éleveurs de chèvres. Quand les Espagnols géraient la mine, ces gens gagnaient leur vie en fabriquant du suif pour les mineurs. Mais c'est fini. Il ne nous reste qu'une belle église et un gentil curé qui organise des quêtes en faveur des plus démunis.

— Je suppose que ce curé est votre ami et que les Doyle mettent la main à la poche.

— C'est Cummins qui donne l'argent. Mais tout le monde sait d'où il vient.

Noemí présumait que la famille Doyle n'avait plus beaucoup d'argent à distribuer, vu que la mine était fermée depuis plus de trente ans. Néanmoins, si leur compte en banque n'était pas épuisé, même des dons modestes suffisaient à marquer les esprits dans une petite ville isolée.

Que faire à présent ? Noemí réfléchit à toute allure et décida de mettre en pratique les cours de théâtre considérés par son père comme du pur gaspillage.

— Alors vous refusez de m'aider, dit-elle en serrant son sac à main de toutes ses forces. Vous avez peur des Doyle ! Et vous nous abandonnez, ma cousine et moi, à notre triste sort…

Elle se leva lentement, les lèvres tremblantes. En général, les hommes paniquaient en la voyant ainsi, effrayés qu'elle puisse fondre en larmes l'instant d'après. Les hommes avaient si peur des larmes. Si peur de se retrouver avec une femme hystérique sur les bras.

Camarillo se fendit aussitôt d'un geste d'apaisement.

— Je n'ai jamais dit ça, lâcha-t-il.

— Ah oui? (La voix de Noemí dégoulinait d'espoir. Elle lui sourit, charmeuse, comme lorsqu'elle persuadait un policier de ne pas lui mettre une amende pour excès de vitesse.) Docteur, ce serait vraiment merveilleux si vous acceptiez de me porter secours.

— Même si je rendais visite à votre cousine, je ne suis pas psychologue.

Noemí sortit un mouchoir de son sac et le serra entre ses doigts, histoire de rappeler à Camarillo les larmes prêtes à jaillir. Elle poussa un gros soupir.

— Je pourrais retourner chercher un spécialiste à Mexico, mais je ne veux pas laisser Catalina seule, surtout si c'est inutile. Je me trompe peut-être sur son état. Vous m'épargneriez un long trajet aller et retour en me donnant votre avis. Surtout que le train ne circule pas tous les jours. Alors, vous voulez bien m'aider? Vous viendrez?

Noemí plongea son regard dans celui de Camarillo. Il la dévisagea à son tour d'un air sceptique, mais finit par hocher la tête.

— D'accord. Je passerai lundi vers midi.

— Merci infiniment. (Elle se pencha avec vivacité pour lui serrer la main. Puis se souvint de son autre obligation en ville.) Sinon, vous connaissez une certaine Marta Duval?

— Vous comptez faire la tournée des soignants?

— Pourquoi dites-vous ça?

— Marta Duval est notre guérisseuse attitrée.

— Savez-vous où je peux la trouver? Ma cousine lui a déjà pris un remède.

— Ah bon? Ce n'est guère étonnant, remarquez. Marta a surtout une clientèle féminine. Et le thé à la molène reste très populaire contre la tuberculose.

— C'est efficace?

— Au moins pour la toux.

Le docteur Camarillo dessina un plan sur son bloc-notes et tendit la feuille à Noemí. Elle décida de marcher puisque ce n'était pas très loin, ce qui s'avéra une bonne idée car les rues sinueuses n'auraient pas convenu à la voiture. L'enchevêtrement était tel que Noemí dut demander son chemin malgré les indications de Camarillo.

Elle s'adressa à une femme qui faisait la lessive devant sa porte, frottant une chemise sur une antique planche à laver. La lavandière posa son savon Zote le temps d'indiquer à Noemí qu'elle devait prendre la rue qui montait encore un peu. La pauvreté devenait criante en s'éloignant de l'église et de la place centrale. Les murs des maisons étaient à présent de brique nue ; tout paraissait gris et sale, avec chèvres et poules maigrichonnes enfermées dans des enclos branlants. Certaines bâtisses abandonnées n'avaient plus ni porte ni fenêtres, les voisins ayant sans doute récupéré les matériaux utilisables. Francis avait dû faire exprès de passer par les plus belles artères lorsqu'il avait traversé la ville en partant de la gare. Pourtant, même alors, Noemí avait jugé la ville délabrée.

La maison de la guérisseuse était toute petite, mais sortait du lot grâce à une couche de peinture blanche et à un meilleur état général. Une vieille femme en tablier bleu, les cheveux noués en une longue natte, était assise dehors à côté de la porte sur un tabouret à trois pieds. Elle décortiquait des cacahouètes munie de deux bols posés près d'elle, un pour les coques brisées et un pour les graines. Elle ne leva pas la tête à l'approche de Noemí, poursuivant sa tâche en fredonnant une mélodie.

— Excusez-moi, je cherche Marta Duval.

La mélodie s'interrompit.

— Vous avez de sacrées belles chaussures, dit la vieille.

Noemí baissa les yeux vers sa paire de talons hauts noirs.

— Merci bien.

— J'en vois pas souvent passer de ce genre-là. (Elle cassa une autre cacahouète, jeta ce qu'il fallait dans les bols, puis se leva.) C'est moi, Marta.

Ses yeux étaient à moitié couverts de cataracte.

Marta rentra chez elle en portant un bol dans chaque main. Noemí la suivit à l'intérieur, dans une petite cuisine qui servait aussi de salle à manger. Une image du Sacré-Cœur était accrochée à un mur tandis qu'une étagère accueillait des figurines de saints en plâtre, des bougies et de petites bouteilles remplies d'herbes. Au plafond pendaient des bouquets de fleurs séchées, de la lavande, de l'épazote et des branches de rue officinale.

Noemí connaissait ces histoires de guérisseuses préparant toutes sortes de remèdes à base d'herbes pour les maux de tête, la fièvre ou même pour tenir le mauvais œil à distance, mais Catalina ne s'était encore jamais tournée vers cet attirail. Noemí avait commencé à se passionner pour l'anthropologie en lisant *Sorcellerie, oracles et magie chez les Azandé*, dont elle avait tenté sans succès de discuter avec Catalina. La seule mention du mot « sorcellerie » effrayait sa cousine, or il n'y avait qu'une faible marge entre une guérisseuse telle que Duval et une « sorcière », entre concocter de petits remèdes et chasser les esprits en plaçant une croix de rameaux sacrés sur la tête de quelqu'un.

Non, Catalina n'était pas femme à porter un bracelet d'*ojo de venado* au poignet. Comment avait-elle atterri dans cette maison, à commercer avec Marta Duval ?

La vieille posa les bols sur la table et tira une chaise. Lorsqu'elle s'assit, un soudain battement d'ailes surprit Noemí. Un perroquet vint s'installer sur l'épaule de son hôte.

—Asseyez-vous, dit Marta en donnant une graine de cacahouète à l'oiseau. Qu'est-ce qui vous amène ?

Noemí prit place en face d'elle.

—Vous avez donné un remède à ma cousine et il lui en faudrait plus.

—C'était quoi ?

—Je ne sais pas très bien. Elle s'appelle Catalina, ça vous dit quelque chose ?

—La fille de High Place.

La guérisseuse offrit une autre graine au perroquet, qui dressa la tête pour mieux observer la visiteuse.

—C'est elle. Catalina. Comment la connaissez-vous ?

—On se connaît pas vraiment. Votre cousine allait à l'église de temps en temps, et quelqu'un là-bas a dû lui parler de moi, parce qu'elle est venue me voir en disant qu'elle avait du mal à dormir. Après, elle est revenue deux ou trois fois. La dernière fois, elle était très agitée mais n'a pas voulu préciser pourquoi. Elle m'a demandé de poster une lettre pour elle, avec une adresse à Mexico.

—Pourquoi ne pas la poster elle-même ?

—J'en sais rien. Elle m'a dit : « Si on ne se revoit pas d'ici vendredi, postez ça. » C'est ce que j'ai fait. Elle refusait de parler de ses problèmes. Elle m'a juste expliqué qu'elle faisait des cauchemars, alors j'ai essayé de l'aider là-dessus.

Des cauchemars, pensa Noemí, se rappelant le sien. Aucun doute que ce manoir savait en provoquer. La jeune femme plaça les mains sur son sac.

—En tout cas, ce que vous lui avez donné a dû marcher car elle en veut plus.

—Elle en veut plus, répéta la vieille en soupirant. Je lui ai pourtant dit que c'était pas un thé qui la soulagerait. Pas sur le long terme.

—Ce qui signifie ?

—Cette famille est maudite. (La vieille gratta la tête du perroquet, qui ferma les yeux.) On vous a pas raconté l'histoire?

—Celle des épidémies? hasarda Noemí.

—La maladie, oui. Une affreuse maladie. Mais c'est pas tout. Mlle Ruth, elle les a tués.

—Qui est Mlle Ruth?

—C'est une histoire célèbre par ici. Je peux vous la raconter en échange d'une petite contribution.

—Vous ne perdez pas le nord, vous. Alors que je vais déjà payer pour le remède.

—Faut bien manger. En plus, c'est une bonne histoire et personne la connaît aussi bien que moi.

—Donc vous êtes à la fois guérisseuse et conteuse.

—Faut bien manger, mademoiselle, redit la vieille en haussant les épaules.

—D'accord. J'achète l'histoire. Vous avez un cendrier?

Noemí sortit ses cigarettes et son briquet. Marta prit un bol en étain qu'elle plaça devant son invitée. La jeune femme appuya ses coudes sur la table et alluma une cigarette; elle en offrit une à la vieille, qui en sortit deux du paquet avec un grand sourire mais n'en alluma aucune, les rangeant dans la poche de son tablier. Peut-être préférait-elle les fumer plus tard. Ou les vendre.

—Par où commencer? Ruth, bien sûr. Ruth était la fille de Doyle, son enfant chérie. En ce temps-là, les Doyle avaient beaucoup de domestiques. Pour servir le thé, polir l'argenterie. La plupart étaient des villageois qui vivaient au manoir mais descendaient parfois en ville pour le marché. Ils parlaient de toutes les belles choses qu'ils voyaient à High Place et surtout de la jolie Mlle Ruth.

» Elle devait épouser son cousin Michael. La famille avait commandé une robe à Paris, avec des peignes en ivoire pour sa coiffure. Sauf qu'une semaine avant le mariage, Ruth a pris un fusil et a tué son fiancé, sa mère, son oncle et sa tante. Elle a tiré aussi sur son père, mais il a survécu. Elle ne s'en est pas prise à Virgil, son frère encore bébé, parce que Mlle Florence s'était cachée avec lui. À moins que Ruth ait eu pitié du gamin.

Noemí n'avait pas vu une seule arme au manoir : la famille s'était débarrassée du fusil meurtrier. Il ne restait que de l'argenterie dans les armoires, ce qui donna à Noemí l'étrange idée que Ruth avait peut-être employé des balles en argent.

—Une fois le massacre terminé, poursuivit Marta, elle a retourné le fusil contre elle et s'est suicidée.

La vieille cassa une nouvelle cacahouète. *Quelle affaire morbide !* pensa Noemí. Mais elle sentait que Marta n'avait pas tout dit. Que son hôte faisait juste une pause.

—C'est pas fini, hein ?

—Non.

—Vous allez me raconter la suite ?

—Faut bien manger, mademoiselle.

—Je paie, pas de problème.

—Vous êtes pas trop radine ?

—Pas du tout.

Noemí posa le paquet de cigarettes sur la table. Marta tendit une main ridée et en sortit une autre cigarette qui rejoignit les deux précédentes dans son tablier. Elle sourit de nouveau.

—Après ça, les domestiques sont partis. Il n'y avait plus là-haut que les Doyle et quelques employés de confiance qui servaient la famille depuis longtemps. Plus personne de chez eux ne se montrait en ville. Et puis, un beau jour, Mlle Florence est apparue à la gare, partant soudain en vacances alors qu'elle n'avait jamais mis les pieds hors du manoir. Elle est revenue mariée à un jeune homme, un certain Richard.

» Il ne ressemblait pas aux Doyle. Il aimait discuter, descendre en ville avec sa voiture et boire un verre. Il avait vécu à Londres, New York, Mexico, et donnait l'impression que le manoir des Doyle n'était pas son coin préféré sur terre. Il aimait discuter, oui, d'ailleurs à un moment il a commencé à parler de drôles de choses…

— Quelles choses ?

— Des histoires de fantômes. D'esprits et de mauvais œil. C'était un solide gaillard, ce M. Richard, mais ça n'a pas duré longtemps. Il a beaucoup maigri, s'est habillé de plus en plus mal, jusqu'à ce qu'il arrête de venir en ville. On l'a retrouvé au fond d'un ravin. Ça ne manque pas par ici, vous avez dû le remarquer. En tout cas, voilà, il est mort à vingt-neuf ans. En laissant un fils derrière lui.

Francis, songea aussitôt Noemí. Francis aux traits pâles, avec sa chevelure soyeuse et son doux sourire. Personne au manoir n'avait évoqué cette triste saga, mais ce n'était pas le genre d'affaire qui rendait les gens expansifs.

— C'est une histoire tragique, dit-elle. Pourtant, de là à croire à une malédiction…

— Je suppose que vous parleriez de coïncidence, hein ? Bien sûr que oui. N'empêche, tout ce que les Doyle touchent finit par pourrir.

Pourrir. Un mot horrible, qui semblait coller à la langue, au point que Noemí eut soudain envie de se ronger les ongles, elle qui prenait tant soin de ses mains. Ce manoir était vraiment bizarre. Les Doyle et leurs domestiques étaient encore plus bizarres. Mais les croire tous maudits ? Allons donc.

— C'est forcément une coïncidence, affirma-t-elle en secouant la tête.

— Possible.

— Vous pouvez me préparer le remède pour Catalina ?

— Pas tout de suite. Je dois d'abord rassembler les ingrédients, ce qui me prendra un peu de temps. Mais ça résoudra pas le vrai problème. Je vous l'ai dit : le problème, c'est le manoir, le manoir maudit. J'ai conseillé à votre cousine de filer par le premier train. J'avais cru qu'elle m'écouterait.

—Oui, je comprends, dit Noemí. Bon, il coûte combien, ce remède ?

—Le remède et l'histoire.

—Exact.

La vieille annonça une somme. Noemí ouvrit son sac à main et en extirpa quelques billets. Malgré sa cataracte, Marta Duval n'eut aucun mal à suivre l'argent des yeux.

—Ça va prendre une semaine. Revenez me voir à ce moment-là. Mais je promets rien. (Elle tendit la main. Noemí y plaça les billets, que la vieille plia et enfouit à leur tour dans son tablier.) Vous m'offrez une dernière cigarette ?

—J'espère qu'elles vous plairont, dit Noemí en s'exécutant. Ce sont des Gauloises.

—C'est pas pour moi.

—Pour qui, alors ?

—Saint Luc l'évangéliste, dit Marta en désignant l'une des figurines en plâtre sur l'étagère.

—Des cigarettes pour un saint ?

—Il adore ça.

—Eh bien, il a des goûts de luxe.

Noemí s'interrogea sur la probabilité de trouver un magasin en ville vendant des cigarettes plus ou moins similaires aux Gauloises. Son stock était en chute libre.

La guérisseuse sourit et Noemí lui refila un dernier billet. Au diable l'avarice. Il fallait bien manger, non ? Cette femme ne croulait peut-être pas sous la clientèle. Marta parut ravie du don et sourit d'autant plus.

—Je dois y aller, dit Noemí. Ne laissez pas saint Luc tout fumer d'un coup.

La vieille ricana avant de raccompagner son invitée sur le seuil. Les deux femmes se serrèrent la main, puis Marta fronça les sourcils.

—Vous dormez bien ? demanda-t-elle.

—Pas mal.

—Vous avez des cernes sous les yeux.

—Il fait plutôt froid, là-haut. Ça me réveille la nuit.

—J'espère que c'est juste ça.

Noemí repensa à son mauvais rêve, à la lueur dorée. Un sale cauchemar qu'elle n'avait pourtant pas pris le temps d'analyser. Même si son amie Roberta ne jurait que par Jung, Noemí n'adhérait pas à cette analogie entre rêve et rêveur, aussi prenait-elle rarement la peine d'interpréter ses songes. À présent, elle se souvenait d'une phrase de Jung : « *Tout le monde porte une part d'ombre.* » Les derniers mots de la guérisseuse planèrent au-dessus de Noemí, telle cette fameuse ombre, sur le chemin la ramenant à High Place.

Chapitre 7

Ce soir-là, Noemí fut de nouveau convoquée à l'affreuse table du dîner, avec la nappe de damas blanc, les chandeliers et surtout les Doyle : Florence, Francis et Virgil. Le patriarche semblait résolu à souper dans sa chambre.

Noemí mangea peu, plongeant rarement la cuillère dans son bol ; elle voulait se nourrir de discussions, pas de soupe. Au bout d'un moment, incapable de se retenir, elle laissa échapper un gloussement. Trois paires d'yeux se tournèrent dans sa direction.

— On doit vraiment se taire jusqu'au bout ? lâcha-t-elle. On pourrait peut-être s'accorder deux ou trois phrases ?

Sa voix résonna tel du verre délicat au milieu des gros meubles, des lourdes draperies et des non moins lourdes expressions des autres convives. Elle ne voulait pas gêner, mais sa nature insouciante ne supportait pas une telle solennité. Elle tenta un sourire, espérant en obtenir un en retour afin d'introduire un peu de légèreté dans cette cage en argent.

— Comme je vous l'ai déjà expliqué, nous ne parlons pas pendant le dîner, rétorqua Florence en s'essuyant doucement les lèvres avec sa serviette. Mais je constate que vous mettez un point d'honneur à piétiner toutes les règles de cette demeure.

— C'est-à-dire ?

— Vous avez pris une voiture pour aller en ville.

— J'avais besoin de poster quelques lettres.

Ce qui n'était même pas un mensonge puisqu'elle avait en effet écrit une courte lettre à sa famille. Elle avait aussi pensé envoyer un mot à Hugo Duarte avant de changer d'avis. Noemí ne formant pas un « couple » avec lui au sens strict du terme, elle craignait qu'une telle lettre soit assimilée à un engagement plus profond.

— Charles peut se charger du courrier.

— Merci, mais j'aime m'en charger moi-même.

— La route est en mauvais état, insista Florence. Que feriez-vous si la voiture s'embourbait ?

— Je suppose que je rentrerais au manoir à pied. (Noemí posa sa cuillère.) Vous savez, conduire jusqu'en ville ne pose vraiment aucun problème.

— Vous *croyez* que ça n'en pose pas. La montagne est dangereuse.

Les mots n'étaient pas hostiles en eux-mêmes, mais la réprobation de Florence s'accrochait à chaque syllabe comme de la mélasse. Noemí se sentit soudain dans la peau d'une fillette réprimandée pour une bêtise, ce qui la poussa à dresser le menton et défier Florence du regard, à l'instar des bonnes sœurs de son enfance. D'ailleurs cette femme ressemblait un peu à la mère supérieure avec son air d'accablement outré. L'espace d'un instant, Noemí crut que Florence allait lui demander de sortir son rosaire.

— Je pensais m'être clairement expliquée à votre arrivée. Vous devez me consulter pour tout ce qui concerne le manoir, que ce soit ses habitants ou ses possessions. En l'espèce, je vous avais bien précisé que Charles vous conduirait en ville à la demande, ou sinon Francis.

— Je ne crois pas...

— Et vous avez fumé dans votre chambre. N'essayez pas de le nier. Alors que vous saviez que c'était interdit.

Florence dévisagea Noemí, qui l'imagina renifler les draps et chercher des traces de cendres au fond des verres. Un vrai chien

88

de chasse lancé derrière sa proie. Noemí se prépara à protester, à indiquer qu'elle n'avait fumé que deux fois, voulant chaque fois ouvrir la fenêtre, et que ce n'était quand même pas sa faute si les battants étaient coincés.

—C'est une pratique vulgaire, ajouta Florence. Comme le sont certaines filles.

Noemí dévisagea Florence à son tour. Comment cette mégère osait-elle l'attaquer ainsi ? La jeune femme allait répliquer, mais Virgil la devança :

—Ma femme m'a raconté que votre père est un homme assez strict, dit-il à Noemí avec son calme habituel. Il aime que les choses soient faites à sa manière.

—C'est vrai. Ça lui arrive.

—Florence gère High Place depuis des décennies. Comme nous ne recevons guère de visiteurs, vous devez vous douter qu'elle apprécie, elle aussi, que les choses soient faites à sa manière. De plus, ne trouvez-vous pas détestable qu'un invité ne se plie pas aux règles de la maison qui l'accueille ?

Ça sentait l'embuscade. Virgil et Florence avaient sans doute prévu de la prendre entre deux feux. Faisaient-ils subir le même sort à Catalina ? Noemí l'imaginait entrer dans la salle à manger, émettre une suggestion sur la nourriture ou la décoration, et se faire poliment, froidement réduire au silence. Pauvre Catalina, si gentille, si obéissante, si facile à humilier.

Noemí venait de perdre un appétit déjà en berne ; elle préféra siroter son verre de vin douceâtre au lieu de poursuivre l'affrontement. Au final, Charles entra pour les informer que Howard souhaitait les voir après dîner. Les quatre convives se levèrent de table et se dirigèrent vers l'escalier, telle une cour en route pour les appartements du roi.

La chambre de Howard Doyle était immense, décorée avec un nombre impressionnant de ces meubles en bois sombre qui abondaient dans le manoir. D'épais rideaux de velours empêchaient le moindre rai de lumière extérieure de pénétrer dans la pièce.

Mais la chambre abritait surtout une magnifique cheminée, avec un manteau en bois gravé de ce que Noemí prit d'abord pour des cercles avant de comprendre qu'il s'agissait une fois de plus – comme au cimetière et dans la bibliothèque – de serpents se mordant la queue. Le patriarche, vêtu d'une robe de chambre verte, trônait dans un canapé face à la cheminée.

Howard paraissait encore plus âgé qu'à leur première rencontre. Il rappela à Noemí les momies des catacombes de Guanajuato, exhibées debout sur deux rangées pour le confort visuel des touristes. Résultant d'un phénomène de momification naturelle, elles avaient été sorties de terre lorsque les familles n'étaient plus parvenues à payer la taxe d'inhumation. Howard présentait le même aspect creux, flétri, comme s'il avait été embaumé de son vivant, réduit à un sac d'os et de moelle.

Les trois autres visiteurs passèrent devant Noemí pour serrer la main du vieillard avant de s'écarter.

— Vous voilà, lui dit Howard. Venez donc vous asseoir avec moi.

Noemí obéit, s'installant à côté du patriarche en lui adressant un petit sourire poli. Florence, Virgil et Francis s'éloignèrent, s'asseyant pour leur part dans des fauteuils situés à l'autre bout de la pièce. Noemí se demanda si Howard opérait toujours ainsi, choisissant quel chanceux parmi ses courtisans aurait droit à une audience privée tandis que le reste de la famille se tenait à l'écart. Bien des années auparavant, cette chambre grouillait peut-être de parents et d'amis, chacun espérant que Howard Doyle pointerait le doigt vers lui pour l'inviter à s'asseoir quelques instants. Noemí n'avait-elle pas vu de nombreux portraits et photographies sur les murs du manoir ? Certes les peintures étaient anciennes et pouvaient représenter des gens qui n'avaient pas vécu à High Place, mais le mausolée laissait supposer une famille étendue, à tout le moins l'espoir de générations futures demeurant au manoir.

Le regard de Noemí se posa sur les deux grandes peintures à l'huile qui surplombaient la cheminée. Elles dépeignaient deux jeunes femmes blondes aux traits assez semblables pour qu'un simple coup d'œil les assimile à la même personne. Puis les différences apparaissaient : cheveux lisses et blond vénitien pour l'une, boucles aux reflets de miel pour l'autre. Des joues un peu plus rondes sur le visage de gauche. L'une des femmes portait la même bague d'ambre que Howard.

— Elles sont de votre famille ? demanda Noemí, intriguée par cette ressemblance, ces traits communs à tous les Doyle.

— Ce sont mes deux épouses, répondit le vieillard. Agnes est morte peu de temps après notre arrivée dans la région. La maladie l'a emportée alors qu'elle attendait un enfant.

— Je suis vraiment navrée.

— Cela remonte à bien longtemps. Malgré tout, son souvenir demeure. Son esprit est toujours présent à High Place. À côté, sur la droite, vous avez ma seconde épouse, Alice. Elle s'est montrée fertile. Le rôle d'une femme est de perpétuer la lignée familiale. De ses enfants, ma foi, il ne reste que Virgil, mais elle a su accomplir son devoir.

Noemí contempla de nouveau Alice Doyle, cheveux blonds cascadant sur son dos, le visage sévère, la main droite tenant une rose entre deux doigts. À sa gauche, Agnes paraissait tout aussi austère, serrant un bouquet dans ses mains, l'anneau d'ambre accrochant un rayon de lumière. Les deux femmes, vêtues de soie et de dentelle, regardaient droit devant elles avec... détermination ? confiance ?

— Elles étaient belles, n'est-ce pas ? lança le vieil homme avec fierté, comme un éleveur ayant reçu un prix à la foire pour une truie ou une jument.

— Oui, très belles. Mais...

— Mais quoi, très chère ?

— Rien. C'est juste… qu'elles se ressemblent tellement.

— Je présume que ce n'est guère étonnant. Alice était la petite sœur d'Agnes. Elles étaient orphelines, sans le sou, mais il s'agissait néanmoins de mes cousines. Alors je les ai recueillies. Quand je suis arrivé ici, Agnes et moi venions de nous marier, et Alice nous a accompagnés.

— Donc vous avez épousé deux fois l'une de vos cousines, dit Noemí. La seconde étant la sœur de la première.

— Y voyez-vous un tel scandale ? Catherine d'Aragon fut d'abord mariée au frère d'Henri VIII. Albert et la reine Victoria étaient cousins.

— Dois-je comprendre que vous vous imaginez en roi ?

Howard sourit et se pencha pour tapoter la main de Noemí. Le toucher de sa peau évoquait celui d'un parchemin.

— Rien d'aussi grandiose, répondit-il.

— Sinon, je ne me sens pas scandalisée, précisa Noemí par politesse.

— Au final, j'ai à peine connu Agnes, ajouta Howard en haussant les épaules. Nous étions mariés depuis moins d'un an lorsque j'ai dû organiser ses funérailles. Le manoir n'était même pas fini et la mine avait commencé à produire quelques mois auparavant. Puis les années ont passé et Alice a grandi. Il n'existait aucun parti potable pour elle dans cette région du monde. Une décision naturelle s'est imposée. Comme prédestinée, diraient certains. Vous avez sous les yeux son portrait de mariage. Vous voyez, là ? La date est visible sur l'arbre au premier plan : 1895. Une excellente année. La mine a donné beaucoup d'argent. Un fleuve d'argent.

Le peintre avait en effet inséré à cet endroit l'année du mariage et les initiales de la jeune épousée : AD. Le portrait d'Agnes comportait les mêmes indications, cette fois sur une colonne de pierre : 1885 et AD. Noemí se demanda si la famille avait juste sorti le trousseau d'Agnes de la naphtaline pour le passer à sa petite sœur. Elle visualisa Alice découvrant le linge portant ses initiales, puis s'observant dans le miroir, une vieille robe pressée contre sa poitrine. Doyle à jamais. Ce n'était pas «scandaleux», mais quand même diablement étrange.

—Mes belles, très belles femmes, soupira le vieillard, la main toujours posée sur celle de Noemí. Avez-vous entendu parler de la «carte de la beauté» du docteur Galton? Il a parcouru les îles Britanniques pour étudier les femmes qui s'y trouvaient, les cataloguant en trois catégories: séduisantes, banales ou repoussantes. Londres a obtenu la meilleure note et Aberdeen la moins bonne. L'exercice pourrait être assimilé à un simple amusement, mais il relevait néanmoins d'une certaine logique.

—Encore le côté esthétique, commenta Noemí en retirant doucement sa main de sous les doigts de Howard.

Elle se leva comme pour mieux admirer les deux portraits. La jeune femme n'appréciait ni le toucher du vieillard ni l'odeur légèrement déplaisante qui émanait de lui. Peut-être celle d'une pommade qu'on lui avait appliquée.

—Oui, l'esthétique, confirma-t-il. Il ne faut surtout pas considérer le sujet sous son aspect frivole. Lombroso n'a-t-il pas étudié les faciès masculins afin d'identifier des traits communs à tous les criminels? Nos corps dissimulent de nombreux secrets et savent exprimer beaucoup sans prononcer un mot.

Noemí scruta de nouveau les deux épouses de Howard, leurs traits graves, leur menton pointu, leur longue chevelure. Que pensaient-elles «exprimer», dans leur robe de mariée, tandis que le pinceau de l'artiste les figeait sur la toile? S'estimaient-elles heureuses, malheureuses, stoïques, désespérées? Impossible à deviner. Cent histoires différentes pourraient être racontées sans s'approcher de la vérité.

—Vous avez mentionné Gamio lors de notre première rencontre, dit Howard en s'appuyant sur sa canne pour se lever à son tour.

Il vint se placer à côté de Noemí, qui s'était donc éloignée en vain ; il la frôla, lui toucha le bras.

— Vous avez raison, reprit-il. Gamio pense que la sélection naturelle a profité aux indigènes de ce continent, leur permettant de s'adapter à des facteurs biologiques et géographiques que les étrangers ne supportent pas. Pour transplanter une fleur, ne faut-il pas tenir compte de la terre dans laquelle elle pousse ? Gamio était bel et bien sur la bonne voie.

Le vieil homme posa les deux mains sur sa canne et hocha la tête, regard levé vers les peintures. Noemí priait pour que quelqu'un se décide à ouvrir une fenêtre. L'atmosphère de la chambre était étouffante et les conversations des trois autres Doyle se résumaient à des murmures. Parlaient-ils vraiment, d'ailleurs ? Leurs voix rappelaient des bourdonnements d'insectes.

— Je m'interroge sur le fait que vous ne soyez pas mariée, mademoiselle Taboada. Vous avez pourtant l'âge adéquat.

— Mon père se pose exactement la même question, lâcha Noemí.

— Quels mensonges lui servez-vous pour vous justifier ? Que vous êtes trop occupée ? Que des jeunes gens vous intéressent, mais que vous n'avez pas encore trouvé celui qui enflammera votre cœur ?

Cela résumait en effet assez bien ses arguments et, peut-être, si Howard avait prononcé ces mots avec une certaine légèreté, Noemí aurait pu trouver ça drôle et en rire avec lui. Elle lui aurait alors parlé de son père, de sa mère, des querelles incessantes avec son frère, de ses nombreux et turbulents cousins.

Mais Howard Doyle s'était exprimé d'une voix sévère, avec une vilaine lueur au fond des yeux. Une lueur libidineuse ? D'une main, il remit une boucle en place dans la chevelure de Noemí, comme pour lui rendre service. Sauf qu'il n'y avait aucune gentillesse dans ce geste. Le vieillard était encore grand malgré son âge ; Noemí n'aimait pas avoir à lever les yeux vers lui, n'aimait pas qu'il se penche sur elle. Il ressemblait à un gros insecte qui aurait enfilé une robe de chambre en velours ; ses lèvres dessinèrent un sourire tandis qu'il se penchait encore plus vers la jeune femme.

Howard Doyle puait. Noemí tourna la tête et posa une main sur le manteau de la cheminée. Elle croisa le regard de Francis, un regard de pigeon, d'oiseau effrayé : les yeux ronds et écarquillés. Difficile d'admettre qu'il appartenait à la même famille que cet atroce vieillard.

— Mon fils vous a-t-il déjà montré la serre ? demanda Howard en reculant d'un pas, ses yeux revenus à la normale.

— J'ignorais qu'il y en avait une ici, répondit Noemí, surprise.

Elle n'avait certes pas ouvert chaque porte du manoir ni parcouru le domaine de long en large. Elle y avait renoncé après sa première tentative d'exploration de High Place. L'endroit était trop inhospitalier.

— Une petite, et pas en bon état, comme beaucoup de choses ici, précisa Howard. Mais il y a un beau vitrail au plafond. Je suis sûr que ça vous plaira. *Virgil*, je viens de dire à Noemí que tu lui montrerais la serre.

La voix du vieillard, soudain tonitruante, avait retenti dans la pièce pour interpeller son fils. Sidérée d'une telle force, Noemí se demanda si elle n'avait pas vu les murs trembler.

Virgil se contenta de hocher la tête ; saisissant l'invitation, il se leva et s'approcha d'eux.

— Père, j'en serais ravi.

— Parfait.

Howard serra l'épaule de son fils, puis traversa la pièce pour rejoindre Florence et Francis. Il s'installa dans le fauteuil que Virgil venait de quitter.

— Mon père vous a-t-il embêtée avec ses théories sur les meilleurs représentants des genres féminin et masculin ? (Virgil sourit.) Évidemment, les Doyle sont au sommet de l'échelle dans les alentours. J'essaie que ça ne me monte pas trop à la tête.

Noemí s'étonna de ce sourire chaleureux, pourtant bienvenu après l'attitude très ambiguë du patriarche.

— Il me parlait de beauté, répondit-elle sur un ton déjà plus charmeur.

— De beauté. Bien sûr. J'admets qu'il a été autrefois un grand connaisseur du sujet, même si, à présent, il peine à manger sa bouillie et à rester éveillé après 21 heures.

Noemí leva une main pour dissimuler son propre sourire. Virgil tendit le bras et suivit de l'index le tracé d'un serpent gravé sur la cheminée. Son expression redevint plus sérieuse.

— Je vous présente mes excuses pour l'autre fois. Je me suis montré grossier. Et aujourd'hui, Florence s'est énervée à cause de la voiture. Mais ne le prenez surtout pas mal. Comment pourriez-vous intégrer toutes nos petites manies du jour au lendemain ?

— Je m'en sors…

— La situation actuelle est stressante. La santé de mon père est très fragile et voici Catalina souffrante à son tour. Autant dire que mon humeur s'en ressent. Je ne veux surtout pas que vous pensiez ne pas être la bienvenue ici. Car nous apprécions votre présence. Vraiment.

— Merci beaucoup.

— Néanmoins, je ne suis pas sûr que vous m'ayez pardonné.

Exact, mais cela soulageait quand même Noemí de constater que les Doyle n'étaient pas tous lugubres du matin au soir. Peut-être Virgil disait-il la vérité et se montrait-il plus joyeux quand sa femme n'était pas malade.

— Pas encore, en effet. Mais si vous persistez dans la bonne voie, j'effacerai peut-être un ou deux blâmes de votre carnet de notes.

— Vous tenez donc des scores ? Comme lors d'une partie de cartes ?

— Une demoiselle doit garder trace de certaines choses, et pas seulement sur un carnet de bal, répondit-elle sur le ton cordial qu'elle affectionnait.

— J'ai cru comprendre – à en croire Catalina – que vous vous intéressiez autant à la danse qu'aux plaisirs du jeu.

— Cela soulève-t-il votre indignation ?

— Vous pourriez être surprise de ma réponse, dit-il sans cesser de sourire.

— J'adore les surprises, mais seulement lorsqu'elles s'accompagnent d'une belle révérence.

Noemí songea que cet homme méritait un sourire pour ses efforts. En échange, il lui adressa un regard reconnaissant qui semblait dire : *Voyez, nous pourrions devenir amis.* Virgil lui offrit alors son bras pour rejoindre le reste de la famille, avec qui ils discutèrent encore quelques minutes avant que Howard se déclare trop fatigué pour continuer, chacun regagnant ensuite sa chambre.

Noemí fit un drôle de cauchemar, très différent des précédents, même si elle en avait déjà subi quelques-uns dans ce manoir.

Elle rêva que la porte s'ouvrait sur Howard Doyle, qui s'avançait lentement, chaque pas faisant craquer le parquet et trembler les murs comme si un éléphant s'introduisait dans la chambre. Elle ne pouvait pas bouger. Un fil invisible l'attachait au lit. Malgré ses yeux fermés, elle voyait l'intrus. D'en haut, depuis le plafond, puis en contre-plongée depuis le sol, la perspective ne cessant d'évoluer.

Puis elle se vit elle-même, endormie. Elle vit Howard s'approcher du lit et ôter les couvertures. Tout cela, elle le voyait avec ses yeux fermés tandis que le vieillard tendait la main pour lui toucher le visage, suivre la ligne du cou du bout d'un ongle, et commencer à déboutonner la chemise de nuit. L'air était glacé mais Howard Doyle la déshabillait.

Elle sentit aussi une présence derrière elle. Comme on sentait une zone plus froide dans une maison. La présence avait une voix ; elle se pencha vers Noemí et murmura à son oreille : *Ouvrez les yeux.*

Une voix féminine. Noemí se souvint d'une femme dorée, dans un autre rêve, mais ce n'était pas la même. Cette voix paraissait jeune.

Ses yeux demeuraient fermés, ses mains posées à plat sur le drap, et le vieillard la dominait de toute sa hauteur, se régalant du corps endormi. Il sourit dans la pénombre, révélant des dents blanches dans une bouche pourrissante.

Ouvrez les yeux, l'exhorta la voix.

Une lueur – celle de la lune peut-être – éclaira la carcasse décharnée de Howard, sauf que ce n'était plus lui qui étudiait les courbes de Noemí, ses seins, son pubis. Il s'agissait à présent de Virgil Doyle, qui avait adopté le sourire lubrique de son père et la contemplait tel un spécimen de papillon cloué par une épingle.

Il posa une main sur la bouche de la dormeuse, la poussant en arrière contre le lit, un lit soudain moelleux, pâteux comme de la cire. Noemí s'enfonçait dans un lit de cire. Ou peut-être de boue, de terre. Une couche faite de terre.

Elle sentit en même temps un désir brûlant parcourir son corps, la faisant remuer des hanches, onduler tel un serpent. Et Virgil ondulait lui aussi, se collant à elle, aspirant ses soupirs frissonnants. Elle refusait cet assaut, ces doigts pétrissant sa chair, pourtant elle n'aurait su dire pourquoi elle s'y refusait. Non, en réalité elle le désirait. Elle désirait être prise ainsi, dans la terre, dans la nuit, sans préambule ni excuses.

La voix dans son oreille resurgit, terriblement insistante : *Ouvrez les yeux*.

Ce qu'elle fit. Elle se réveilla dans le froid, ayant repoussé les couvertures jusqu'à ses pieds. L'oreiller gisait à terre. La porte de la chambre était fermée. Noemí pressa les mains contre sa poitrine, contre son cœur battant. Puis elle passa les doigts sur les boutons de sa chemise de nuit. Tous bien en place.

Évidemment.

Le manoir était silencieux. Personne n'errait dans les couloirs, personne ne se glissait dans les chambres des femmes endormies pour les espionner. Néanmoins, Noemí mit longtemps à retrouver le sommeil et, une ou deux fois, entendant une latte craquer, elle se dressa dans son lit, l'oreille tendue en quête de bruits de pas.

Chapitre 8

Noemí se campa devant le manoir en attendant l'arrivée du médecin. Virgil ayant accepté qu'elle demande un second avis, elle avait donc informé Florence de la visite du praticien et de l'autorisation donnée par Virgil. Mais elle ne croyait pas qu'un membre de la famille se fendrait d'accueillir le docteur Camarillo, aussi avait-elle décidé de se placer en sentinelle.

Bras croisés, tapant du pied par terre, elle s'imagina soudain dans l'un des contes de Catalina. La princesse enfermée dans la tour, attendant que le chevalier vole à son aide et tue le méchant dragon. Camarillo, lui, allait occire la maladie avec un bon diagnostic et un traitement approprié.

Noemí se forçait à rester positive, à garder espoir, car High Place était un endroit bien trop propice à l'angoisse. L'atmosphère sinistre devait être combattue sans relâche pour ne pas y succomber.

Le médecin se montra ponctuel ; il gara sa voiture près d'un arbre et en descendit, ôtant son chapeau tout en scrutant le manoir. Il n'y avait guère de brume ce jour-là, comme si ciel et terre avaient décidé de nettoyer l'air en l'honneur du visiteur. Même si cela n'en rendait le manoir que plus triste et solitaire. Noemí songea que la maison de Camarillo devait être très différente. Peut-être l'une des bâtisses un peu miteuses mais colorées qui s'alignaient dans la rue principale, avec un petit balcon, des volets en bois et une cuisine décorée de vieux *azulejos*.

— Voici donc High Place, dit Camarillo. Je finissais par me demander si je le verrais un jour.

— Vous n'êtes jamais venu ?

— Pour quelle raison ? Quand je pars chasser, je ne dépasse pas le camp des mineurs, enfin ce qu'il en reste. Il y a pas mal de chevreuils dans le coin. Des pumas aussi. Il faut faire attention quand on se promène dans la montagne.

— Je l'ignorais, avoua Noemí.

Elle se rappela les conseils insistants de Florence. La maîtresse de maison s'était-elle inquiétée d'une possible rencontre avec un puma ? Ou juste du risque de perdre sa belle voiture ?

Camarillo prit sa sacoche et pénétra dans le manoir avec Noemí. Elle avait craint que Florence se rue aussitôt dans l'escalier pour s'interposer, mais la mère de Francis ne se matérialisa nulle part sur le chemin menant à la chambre de la malade.

Catalina était seule et plutôt de bonne humeur, assise au soleil, vêtue d'une robe bleue à la fois simple et élégante. Elle accueillit le médecin avec un sourire.

— Bonjour. C'est donc moi, Catalina.

— Docteur Camarillo. Ravi de faire votre connaissance.

Catalina leva une main dans sa direction.

— Noemí, il a l'air si jeune ! Il doit être à peine plus vieux que toi.

— De même que *toi*, tu es à peine plus vieille que moi.

— Tu plaisantes ? Tu n'es encore qu'une petite fille.

Cela ressemblait tant à la Catalina heureuse et badine de Mexico que Noemí ressentit une certaine honte à l'idée d'avoir fait venir Camarillo pour rien. Néanmoins, au fil des minutes, cette exubérance laissa place à une agitation plus brouillonne. En observant sa cousine, Noemí songea qu'elle n'arrivait pas à mettre le doigt sur le *problème*, mais qu'il y en avait clairement un.

— Dites-moi, comment dormez-vous ? Pas de frissons la nuit ?

— Non. Je me sens vraiment mieux, vous savez. Vous n'auriez pas dû vous déplacer pour si peu.

La gaieté de Catalina apparaissait à présent forcée, trop tonique pour être honnête. Elle ne cessait de frotter son alliance du bout du doigt.

Camarillo hocha la tête, puis poursuivit sur un ton serein tout en prenant des notes :

— Vous a-t-on prescrit de la streptomycine et de l'acide para-aminosalicylique ?

— Oui, certainement, lança Catalina trop vite pour avoir réellement écouté la question.

— Marta Duval vous a également fourni un remède. Du thé ou des herbes, peut-être ?

Catalina lui décocha un étrange regard.

— Hein ? Pourquoi parler de ça ?

— J'essaie juste d'appréhender l'ensemble de votre traitement. Elle vous a donné une sorte de remède, donc ?

— Il n'existe pas de remède, marmonna Catalina.

Elle dit aussi autre chose, sauf que ce n'était pas de vrais mots, plutôt un babillage d'enfant. Puis Catalina se serra le cou à deux mains, comme pour s'étrangler elle-même, mais d'une prise lâche. C'était un geste défensif. Celui d'une femme cherchant à se protéger. Le geste sidéra ses visiteurs, au point que Camarillo faillit lâcher son stylo. Catalina leur évoquait tout à coup un chevreuil des montagnes avide de filer vers un endroit sûr.

— Que se passe-t-il ? s'enquit enfin le médecin après un long silence.

— Les bruits, dit Catalina.

Elle glissa les mains le long de son cou pour se les plaquer sur la bouche. Camarillo tourna la tête vers Noemí, assise près de lui.

— Quels bruits ? demanda la jeune femme à sa cousine.

— Je suis fatiguée. J'aimerais rester seule. (Catalina mit cette fois les mains sur ses genoux, puis ferma les yeux comme pour faire disparaître les deux importuns.) Je ne comprends pas pourquoi vous me dérangez ainsi alors que je devrais être en train de dormir!

— Madame, si vous permettez…

— Ça suffit, je suis épuisée, dit Catalina, les mains tremblantes. C'est déjà très fatigant d'être malade, et encore pire quand on vous impose de ne rien faire. N'est-ce pas paradoxal? Vraiment… c'est… Je suis fatiguée. Si fatiguée!

Catalina reprit son souffle. Puis, soudain, elle ouvrit grands les yeux, avec sur le visage une expression d'une intensité dramatique. Celle d'une femme possédée.

— Il y a des gens dans les murs, dit-elle. Des gens et des voix. Il m'arrive de les voir, ceux qui hantent les murs. Ils sont morts.

Elle tendit les mains vers Noemí, qui s'en saisit, impuissante, ne sachant comment réconforter sa cousine. Catalina secoua la tête et laissa échapper une sorte de sanglot.

— Ça vit dans le cimetière. Dans le cimetière, Noemí. Tu dois chercher dans le cimetière.

L'instant d'après, Catalina était debout et s'approchait de la fenêtre. Serrant l'un des rideaux, elle dirigea son regard vers l'extérieur. Ses traits se détendirent peu à peu. Comme si une tempête avait frappé avant de s'éloigner. Noemí se demandait que faire, à l'instar du médecin, tout aussi ébahi.

— Désolée, dit Catalina d'une voix atone. Désolée, je ne sais plus ce que je dis.

Elle toussa en pressant de nouveau ses mains contre sa bouche. Florence et Mary, la plus âgée des domestiques, entrèrent alors munies d'un plateau sur lequel se trouvaient une tasse et une théière. Les deux femmes étudièrent Noemí et Camarillo d'un œil désapprobateur.

— Ce sera encore long? demanda Florence. Elle doit se reposer.

— Je m'apprêtais à partir, répondit le médecin.

Il récupéra son chapeau et son carnet, ayant bien saisi, par ces quelques mots et l'attitude de Florence, qu'il n'était rien d'autre qu'un intrus dans ces murs. Florence avait le don de vous rabattre le caquet avec une concision de télégramme.

— Catalina, j'ai été enchanté de vous rencontrer, ajouta-t-il.

Noemí quitta la chambre à sa suite. Pendant deux bonnes minutes, ni l'un ni l'autre n'ouvrit la bouche tant ils étaient secoués.

— Alors, qu'en pensez-vous ? hasarda finalement Noemí pendant qu'ils descendaient l'escalier.

— Concernant la tuberculose, il faudrait faire une radio des poumons pour savoir où elle en est. Surtout que je ne suis pas expert en la matière. Quant à l'autre sujet… je vous répète que je n'ai rien d'un psychologue. Je ne devrais pas spéculer sur…

— Allez-y, crachez le morceau, l'interrompit Noemí, exaspérée. J'ai besoin que vous me disiez *quelque chose.*

Ils s'arrêtèrent en bas des marches. Camarillo soupira.

— Je pense que vous aviez raison et qu'elle a besoin d'un psychiatre. Les malades de la tuberculose que j'ai côtoyés ne présentaient pas ce type de comportement. Vous trouverez peut-être quelqu'un de compétent à Pachuca, si vous ne voulez pas emmener votre cousine à Mexico.

Noemí ne se voyait emmener Catalina nulle part. À moins qu'elle tente d'expliquer ses craintes à Howard ? C'était lui, après tout, le vrai maître de maison. Mais elle n'aimait pas le vieillard ; il lui hérissait le poil. De plus, Virgil pourrait lui en vouloir de ne pas passer par son entremise. Florence ne serait d'aucune aide, évidemment. Peut-être Francis ?

— Je crains de vous laisser dans une situation encore plus confuse qu'auparavant, dit Camarillo.

— Non, mentit-elle. Non, vous m'avez été très utile.

Elle était découragée et se sentait idiote d'avoir tant attendu du jeune médecin. Ce n'était pas un chevalier en armure ni un sorcier capable de ranimer Catalina d'un coup de baguette magique. Elle n'aurait pas dû espérer que sa venue réglerait le problème.

Camarillo tergiversait, cherchant sans doute un bon mot pour lui remonter le moral.

— Vous savez où me trouver en cas de besoin. Surtout n'hésitez pas.

Noemí hocha la tête, puis le regarda monter dans sa voiture et s'éloigner. Elle se rappela que, malheureusement, certains contes de fées finissaient dans le sang. Les deux belles-sœurs de Cendrillon se mutilaient les pieds. La marâtre de la Belle au bois dormant était jetée dans un tonneau plein de serpents. L'illustration de cette scène, à la dernière page d'un livre de Catalina, revint à l'esprit de Noemí dans toute son horreur colorée. Des serpents jaune et vert, leurs queues dépassant du tonneau dans lequel tombait la belle-mère.

La jeune femme s'appuya quelques instants contre un arbre, bras croisés. Lorsqu'elle se décida à rentrer au manoir, Virgil l'attendait dans l'escalier, main sur la rampe.

— Un homme est venu vous voir.

— C'était le docteur du centre médical. Vous aviez dit qu'il pouvait passer.

— Je ne vous reproche rien, dit-il en descendant les dernières marches pour faire face à Noemí.

À son expression intriguée, la jeune femme supposa qu'il voulait savoir ce que Camarillo avait dit, sans pour autant la questionner directement. Or elle n'avait pas l'intention de le lui révéler tout de suite.

— Alors, vous me faites visiter la serre ? demanda-t-elle avec diplomatie.

— Bien sûr.

Celle-ci s'avéra très petite, tel un court post-scriptum à la fin d'une lettre bizarre. Le manque d'entretien était criant, avec de nombreuses vitres sales, voire brisées ; la pluie pouvait entrer en toute liberté. De la moisissure parsemait les jardinières, mais quelques fleurs offraient malgré tout leurs pétales. Noemí leva les yeux vers le vitrail. Elle y découvrit avec stupeur un immense serpent enroulé sur lui-même, le corps vert et les yeux jaunes. L'œuvre était splendide : la bête semblait prête à jaillir du verre, crocs en avant.

— Oh ! lâcha-t-elle en posant le bout des doigts sur ses lèvres.

— Un problème ? s'enquit Virgil en s'approchant d'elle.

— Non, rien. C'est… ce serpent. Je l'ai vu partout dans le manoir.

— L'ouroboros.

— Un symbole héraldique ?

— Nous n'avons pas de blason familial. Mais c'est notre symbole, en effet. Mon père a un sceau portant ce dessin.

— Quelle est sa signification ?

— Le serpent qui se mord la queue. L'infini, au-dessus et au-dessous de nous.

— D'accord. Pourquoi votre famille l'a-t-elle adopté ? Il est vraiment partout.

— Ah oui ? dit Virgil en haussant les épaules.

Noemí inclina la tête pour mieux voir celle du serpent.

— Je n'avais jamais vu ce genre de vitrail dans une serre. En général, on y trouve plutôt du verre transparent.

— C'est ma mère qui l'a imaginé.

— Je parie qu'on a utilisé de l'oxyde de chrome pour la couleur verte. Avec aussi, à mon avis, un peu d'oxyde d'uranium là, vous voyez ? Ça donne l'impression de briller. (Elle désigna la tête du serpent, les yeux jaunes, cruels.) Le vitrail a été fabriqué ici ou vous l'avez fait venir d'Angleterre pièce par pièce ?

— Je crains d'être assez ignorant à ce sujet.

— Florence en saurait plus ?

— Vous êtes une petite curieuse. (Difficile de dire s'il l'entendait comme une qualité ou un défaut.) La serre, donc… Elle est vieille, ça j'en suis sûr. C'était l'endroit préféré de ma mère.

Virgil longea une grande table au centre de la serre, chargée de pots contenant des plantes jaunies. Au bout, un cageot rempli de terre abritait quelques belles roses ; Virgil caressa doucement les pétales du dos de la main.

— Ma mère prenait soin de chaque fleur, reprit-il. Elle taillait les pousses inutiles ou trop faibles. Après sa mort, personne ne s'est occupé des plantes. Voilà tout ce qu'il en reste.

— Je suis navrée.

Virgil ne quittait pas les roses des yeux ; il arracha un pétale fané.

— Ce n'est rien. Je ne me souviens pas d'elle. J'étais encore bébé quand elle est morte.

Alice Doyle, qui partageait ses initiales avec sa sœur. Alice Doyle, blonde, pâle, qui existait autrefois en chair et en os, pas seulement sur un portrait au mur. Un jour, elle avait dessiné l'esquisse du serpent qui surplombait à présent Noemí : la courbe du corps écailleux, la forme des yeux, celle de la gueule redoutable.

— Ce fut une mort violente, précisa Virgil. L'histoire des Doyle a souvent été placée sous le signe de la violence. Mais nous sommes résistants. Et cette affaire commence à dater. Ce n'est rien, vraiment.

Votre sœur lui a tiré dessus, pensa Noemí, incapable néanmoins de se représenter la scène. C'était un acte d'une telle monstruosité qu'elle ne pouvait en accepter la réalité, encore moins l'idée que cela se soit produit dans ce manoir. Quelqu'un, ensuite, avait dû éponger le sang, brûler les draps souillés, remplacer les tapis irrémédiablement tachés. Puis la vie avait repris son cours. Mais de quelle manière ? Comment surmonter pareille horreur ?

Pourtant, Virgil n'en semblait guère perturbé.

— Quand mon père vous a parlé de beauté, je suppose qu'il a aussi évoqué les types supérieurs et inférieurs, dit Virgil Doyle en scrutant Noemí. Il adore développer ses théories.

— Desquelles parlez-vous ?

—Principalement du fait que nous ayons tous une nature prédestinée.

—Une affreuse perspective, non ?

—Certes, mais une bonne catholique comme vous doit bien croire au péché originel...

—Peut-être suis-je une mauvaise catholique. Qu'en savez-vous ?

—Catalina récite son rosaire. Elle allait à la messe toutes les semaines avant de tomber malade. J'imaginais que vous faisiez pareil, à Mexico.

De fait, l'oncle aîné de Noemí était curé, et elle-même était censée assister à la messe dans une robe noire discrète, avec une mantille en dentelle épinglée dans les cheveux. D'ailleurs elle possédait un petit rosaire – comme tout le monde –, une croix dorée au bout d'une chaîne de même facture, mais elle le portait rarement et n'avait plus songé au péché originel depuis les sessions de catéchisme préparatoires à sa première communion. Un réflexe idiot faillit lui faire toucher son cou là où la croix aurait dû se trouver.

—Donc vous croyez en une nature humaine prédestinée ? demanda-t-elle.

—J'ai beaucoup voyagé et, durant mes voyages, j'ai vu des gens prisonniers de leurs vices. Visitez n'importe quel quartier défavorisé : vous y verrez les mêmes visages, les mêmes expressions et, en définitive, les mêmes personnes. Certaines corruptions ne peuvent faire l'objet de campagnes d'hygiène. Il y a des êtres sains et d'autres qui ne le sont pas, point final.

—Ridicule, rétorqua Noemí. Tous ces discours eugénistes me retournent l'estomac. Être sain ou non par essence... On croirait que vous parlez de chiens ou de chats.

—Pourquoi ne pas traiter les êtres humains comme ces animaux ? Nous sommes tous des organismes cherchant à survivre, propulsés par un instinct fondamental : nous reproduire et assurer la multiplication de l'espèce. Vous n'aimez pas discuter de la nature humaine? C'est pourtant le travail d'une anthropologue.

— Ce genre de sujet ne m'intéresse pas.

— Qu'est-ce qui vous intéresse, alors? s'enquit Virgil avec un sourire froid. Je sais très bien de quoi vous voulez parler. Allez-y, je vous en prie.

Noemí aurait voulu aborder l'affaire de façon plus subtile, plus charmeuse, mais il était trop tard. Virgil l'avait piégée et ne lui laissait plus le choix.

— Catalina.

— Qu'avez-vous à dire?

Noemí s'appuya contre la table, mains posées sur le bois éraflé.

— Le docteur Camarillo estime qu'elle a besoin d'un psychiatre.

— Oui, il faudra peut-être en arriver là un jour, admit Virgil.

— Un jour?

— La tuberculose est une maladie grave. Je ne peux pas transporter Catalina sans risques. De plus, vu sa pathologie, il est peu probable qu'une unité psychiatrique accepterait de l'admettre. Mais la question se posera si la situation empire. Pour l'instant, les soins d'Arthur semblent lui suffire.

— Lui suffire? s'étrangla Noemí. Elle entend des voix. Elle dit qu'il y a des gens dans les murs.

— Je ne l'ignore pas.

— Ça n'a pas trop l'air de vous inquiéter.

— Vous pensez décidément tout savoir, mademoiselle.

Virgil croisa les bras et s'éloigna d'un pas rapide. Noemí lâcha un juron en espagnol avant de le suivre, ses bras frôlant des feuilles cassantes et des fougères mortes. Il se retourna brusquement. Baissa les yeux vers elle.

— Elle allait beaucoup plus mal avant. Vous auriez dû la voir il y a trois ou quatre semaines. Plus fragile qu'une poupée de porcelaine. Mais son état s'améliore.

— Vous n'en savez rien.

—Arthur le sait, riposta Virgil avec calme. Demandez-le-lui.

—Votre médecin n'arrête pas de me couper la parole.

—Le vôtre, très chère, est à peine assez vieux pour se raser. Si j'en crois ma femme.

—Vous êtes allé la voir ?

—En effet. Ce qui m'a permis d'apprendre que nous avions eu un visiteur.

Noemí secoua la tête, même si Virgil avait raison sur la jeunesse de Camarillo.

—Et alors ? Qu'est-ce que l'âge vient faire là-dedans ?

—Disons que je ne suis pas d'humeur à écouter un gamin frais émoulu de l'école.

—Alors pourquoi l'avoir fait venir ?

Virgil l'étudia de haut en bas.

—Je n'ai rien fait. C'est vous qui avez insisté. Tout comme vous insistez pour tenir cette conversation malsaine.

Il voulut de nouveau tourner les talons mais, cette fois, elle lui saisit le bras, le forçant à la regarder. Ses yeux étaient d'un bleu de glace ; un court instant, un rayon de lumière s'y accrocha, les chargeant de reflets dorés.

—Très bien, lança-t-elle. Dans ce cas j'insiste… non, *j'exige* que vous rameniez Catalina à Mexico. (La diplomatie avait échoué, ils le savaient tous les deux, alors autant jouer franc-jeu.) Cet horrible manoir lui gâche la vie. S'il le faut, je…

—Vous ne me ferez pas changer d'avis, l'interrompit-il. Au final, je vous rappelle que c'est ma femme.

—C'est ma cousine.

La main de Noemí était encore agrippée à la veste de Virgil. D'un geste lent, il desserra la prise de la jeune femme, observant au passage les doigts fins comme s'il analysait leur longueur ou la forme des ongles.

—Je sais que c'est votre cousine. Je sais aussi que vous n'aimez pas cet endroit et que vous attendez avec impatience de rentrer chez vous, loin de cet « horrible manoir ». Ne vous gênez surtout pas.

— Vous me mettez dehors ?

— Non. Mais ce n'est pas vous qui donnez les ordres ici. Tant que vous vous en souviendrez, tout se passera bien.

— Quel grossier personnage !

— Vous exagérez.

— Je devrais m'en aller sur-le-champ.

Virgil avait gardé un ton serein durant tout l'échange, ce qui énervait Noemí au même titre que le petit sourire moqueur dont il ne s'était jamais départi. Il parvenait à se montrer à la fois poli et dédaigneux.

— Possible. Mais je ne pense pas que vous partirez. Votre nature vous commande de rester. C'est le sang, le devoir envers la famille. Ce que je respecte.

— C'est peut-être surtout dans ma nature de ne pas céder facilement.

— Je veux bien le croire. Ne m'en voulez pas, Noemí, vous verrez que tout est pour le mieux.

— Je croyais que nous avions conclu une trêve, dit-elle.

— Ce qui suggérerait que nous étions en guerre. Est-ce le cas ?

— Non.

— Donc tout va bien, conclut-il en quittant la serre.

Virgil avait une manière d'éluder les questions qui rendait Noemí folle de rage. Elle comprenait à présent pourquoi son père avait détesté correspondre avec lui. Elle imaginait sans peine les lettres : un amoncellement de phrases louvoyantes qui ne menaient à rien.

Noemí balaya d'un revers de main le premier pot de fleurs venu ; il se brisa au sol à grand fracas, répandant son stock de terre. Elle regretta aussitôt son geste. Casser tous les pots un à un ne changerait pas la donne. Elle s'agenouilla et étudia plusieurs morceaux de céramique, perdant vite espoir de les recoller.

Bordel de bordel. Elle se redressa, puis poussa les débris sous la table du bout du pied.

Virgil n'avait pas tort : Catalina était son épouse, donc il était en droit de décider à sa place. Après tout, les Mexicaines n'avaient même pas le droit de vote. Que Noemí pouvait-elle dire ? Que pouvait-elle faire ? Éventuellement demander à son père d'intervenir, de la rejoindre au manoir. Un homme inspirerait plus de respect. Mais non. Noemí tiendrait parole : elle ne céderait pas facilement.

Elle resterait au manoir, donc. S'il s'avérait impossible de convaincre Virgil, peut-être le répugnant patriarche des Doyle se laisserait-il amadouer. Noemí devrait aussi pouvoir entraîner Francis dans son camp. De toute façon, partir maintenant reviendrait à trahir Catalina.

Ayant gardé les yeux baissés, Noemí aperçut une mosaïque incrustée dans le sol de la serre. Reculant de quelques pas, elle vit le dessin se déployer tout autour de la table. Encore l'un de ces fameux serpents. L'ouroboros se dévorant lui-même. L'infini, au-dessus et au-dessous de nous, avait dit Virgil.

Chapitre 9

Le mardi, Noemí s'aventura de nouveau dans le cimetière. Une promenade inspirée par Catalina : *« Tu dois chercher dans le cimetière »*, lui avait dit sa cousine. Noemí ne s'attendait pas à y dénicher une quelconque information, mais pensait en profiter pour fumer en paix, Florence lui refusant ce plaisir même dans la solitude de sa chambre.

La brume couvrait le cimetière d'un voile romantique. Noemí se rappela que Mary Shelley donnait rendez-vous à son futur époux dans un cimetière pour une rencontre illicite entre deux tombes. Catalina lui avait raconté cette histoire juste après s'être extasiée sur *Les Hauts de Hurlevent*. Sir Walter Scott comptait aussi au nombre de ses auteurs préférés. Sans oublier les films : elle avait adoré la romance tourmentée de *María Candelaria*.

Autrefois, Catalina s'était fiancée au benjamin de la famille Inclán, avant de rompre avec le jeune homme. Quand Noemí l'avait interrogée sur cette rupture – son fiancé semblant bien sous tous rapports –, sa cousine avait répondu qu'elle en attendait plus. Le grand amour. De grands sentiments. Catalina n'avait jamais perdu sa passion adolescente pour les récits de femmes rejoignant leurs fougueux amants à la lumière de la lune. Jamais jusqu'à présent. Car il n'y avait plus rien de passionné dans le regard de Catalina. En revanche, elle paraissait bel et bien perdue.

Noemí se demanda si High Place avait brisé ses illusions ou si celles-ci étaient destinées à sombrer de toute façon. La réalité du mariage soutenait difficilement la comparaison avec les belles histoires d'amour des livres. Noemí pensait même qu'il s'agissait d'un jeu de dupes. Les hommes se montraient polis et attentionnés lorsqu'ils courtisaient une femme, l'invitant à des fêtes, lui offrant des fleurs, sauf qu'après les noces, les fleurs fanaient vite. Un homme marié n'envoyait pas de lettres d'amour à sa femme. Voilà pourquoi Noemí passait d'un soupirant à l'autre : elle craignait toujours que son admirateur du moment finisse par se lasser d'elle. De plus, elle appréciait les plaisirs de la chasse, la joie qui coulait dans ses veines lorsque son numéro de charme fonctionnait. Mais, au final, elle trouvait les garçons de son âge sans intérêt, ne sachant parler que de leurs fêtes de la semaine précédente et de celles prévues la semaine suivante. Des hommes trop simples, trop ennuyeux. Pourtant, la perspective de s'attacher à quelqu'un de plus solide la rendait nerveuse. Elle se sentait prise entre deux feux, le désir d'une relation pérenne et l'envie de ne jamais changer, de vivre une jeunesse éternelle.

Noemí contourna un petit groupe de tombes où la mousse recouvrait noms et dates. S'appuyant contre une pierre tombale penchée, elle fouilla ses poches en quête du paquet de cigarettes. Elle perçut un mouvement sur un tertre non loin, une forme à moitié dissimulée par la brume et un tronc d'arbre.

— Il y a quelqu'un ? lança-t-elle.

Ce serait bien sa veine de tomber sur un puma.

La brume l'empêchait de mieux voir. Noemí plissa les yeux, se hissa sur la pointe des pieds. Elle crut un instant distinguer un halo autour de la forme mystérieuse, une couleur jaune ou dorée, comme un reflet...

« *Ça vit dans le cimetière* », avait affirmé sa cousine. Sur le coup, cette affirmation ne l'avait pas effrayée. Mais là, seule avec juste un paquet de cigarettes et un briquet pour se défendre, elle se sentait vulnérable. Quelle *créature* pouvait bien vivre dans un cimetière ?

Limaces, vers et scarabées, rien d'autre, pensa-t-elle en refermant les doigts sur le briquet comme sur un talisman. La forme, grise et floue dans la brume, demeura parfaitement immobile. Sans doute une statue qu'un jeu de lumière avait fait paraître en mouvement.

Bien sûr : un simple jeu de lumière, le mouvement ainsi que le halo. Noemí se remit en marche, avide de rebrousser chemin le plus vite possible.

Elle entendit un bruissement d'herbe et tourna aussitôt la tête. La forme avait disparu. Ce n'était donc pas une statue.

Elle perçut aussi un bourdonnement désagréable, le bruit d'une étrange ruche. Un bruit puissant. Non, pas puissant, mais clair. Qui semblait se déplacer, rebondir tel un écho sur les murs d'une pièce vide.

« *Ça vit dans le cimetière.* »

Il fallait vite rentrer au manoir. Ce chemin-là, sur la droite.

La brume était plus épaisse qu'au moment où Noemí avait pénétré dans le cimetière. Était-ce bien le chemin de droite ou plutôt celui de gauche ? Elle n'avait aucune envie de suivre un mauvais sentier au bout duquel elle croiserait un puma ou tomberait dans un ravin.

« *Ça vit dans le cimetière.* »

À droite, oui. Le bourdonnement provenait aussi de cette direction. Des guêpes, des abeilles ? À bien y réfléchir, des abeilles ne la piqueraient pas : elle ne comptait pas s'attaquer à leur ruche pour voler le miel.

Mais ce bruit… désagréable. Au point de donner envie de filer dans l'autre direction. Un bourdonnement de mouches ? Des mouches aussi vertes que des émeraudes, leurs corps gras perchés sur une charogne. De la viande crue, saignante. De… pourquoi Noemí pensait-elle à des choses pareilles ? Pourquoi restait-elle sans bouger, main dans la poche autour du briquet, les yeux écarquillés, l'oreille aux aguets ?

« *Tu dois chercher dans le cimetière.* »

À gauche. À travers la brume, encore plus dense de ce côté-là, presque poisseuse.

Une brindille se brisa sous une chaussure. Une voix s'éleva, chaude et plaisante dans l'air glacé du cimetière :

—En balade ? demanda Francis.

Il portait un pull à col roulé, une veste de marine et une casquette assortie. Un panier pendait à sa main droite. Noemí l'avait toujours trouvé peu consistant, mais là, dans la brume, il lui apparaissait merveilleusement réel et solide.

—Je suis si contente de vous voir que je pourrais vous embrasser, lança-t-elle.

Francis rougit jusqu'aux oreilles, ce qui n'était guère seyant, et même assez ridicule chez un homme un peu plus vieux que Noemí. Ce serait plutôt à elle de jouer la jeune fille timide. Mais le pauvre Francis côtoyait évidemment peu de femmes aux alentours.

Elle s'imagina l'emmener à une fête à Mexico. Sans doute s'y trouverait-il totalement libéré ou pétrifié, l'un ou l'autre extrême.

—Je crains de n'avoir rien fait pour le mériter, bredouilla-t-il.

—Bien sûr que si. Je n'arrivais plus à m'y retrouver dans cette brume. Je me voyais déjà tourner en rond et finir au fond d'un ravin. Vous savez où est le portail ?

—Évidemment. Le chemin n'est pas dur à suivre si vous regardez par terre. Il y a des tas de repères pour vous guider.

—J'avais l'impression d'avoir un voile devant les yeux, avoua Noemí. J'entendais aussi comme un bourdonnement d'abeilles. J'avais peur de me faire piquer.

Francis hocha la tête et baissa les yeux vers son panier. Rassurée par sa présence, Noemí l'observa avec curiosité.

—Qu'avez-vous donc là-dedans ? lui demanda-t-elle en montrant le panier.

—J'ai cueilli des champignons.

—Des champignons ? Dans un cimetière ?

—Oui. Il y en a plein.

—D'accord… Tant que vous ne comptez pas me les servir en salade.

—Ça vous poserait problème ?

—Ils ont poussé sur des choses mortes !

—C'est plus ou moins ce que font tous les champignons, me semble-t-il.

—Je n'arrive pas à croire que vous vous baladiez dans la brume afin de cueillir des champignons poussant sur des tombes. C'est vraiment sinistre. On dirait un voleur de cadavres sorti d'un roman à deux sous du siècle dernier.

Catalina, elle, aurait adoré ça. D'ailleurs, peut-être venait-elle aussi faire sa cueillette dans le coin. À moins qu'elle se contente de marcher, sourire mélancolique aux lèvres, tandis que le vent jouait dans ses cheveux. Livres, clarté lunaire et mélodrame.

—Moi ? s'étonna Francis.

—Oui, vous. À mon avis, c'est un crâne que vous transportez. Comme dans les histoires de Horacio Quiroga. Faites-moi voir ça.

Un mouchoir rouge dissimulait le contenu du panier. Noemí l'écarta et découvrit, en effet, des champignons. Orange vif, avec des plis complexes, comme du velours. Elle en saisit un petit entre le pouce et l'index.

—*Cantharellus cibarius*, annonça Francis. Des girolles, en somme. Non seulement c'est délicieux, mais ça ne pousse même pas dans le cimetière. Je le traversais juste pour rentrer au manoir. Ici, les habitants les appellent *duraznillos*. Humez-les pour voir.

Noemí se pencha sur le panier.

— Ils ont une odeur sucrée.

— En plus ils sont beaux. Savez-vous que certaines cultures font un usage intensif des champignons ? Dans votre pays, les Indiens zapotèques pratiquaient la chirurgie dentaire en fournissant aux patients un champignon qui les endormait. Quant aux Aztèques, ils en utilisaient pour avoir des visions.

— *Teonanácatl*, confirma Noemí. La chair des dieux.

— Vous connaissez le sujet ? demanda-t-il, soudain enthousiaste.

— Pas vraiment. Juste un souvenir de mes cours d'histoire. Je pensais devenir historienne avant de me tourner vers l'anthropologie. Enfin c'est mon projet actuel.

— J'en prends bonne note. En tout cas, j'aimerais bien mettre la main sur ces petits champignons noirs qu'affectionnaient tant les Aztèques.

— Je n'aurais pas cru que c'était votre genre, dit-elle en rendant le champignon orange à Francis.

— Que voulez-vous dire ?

— Quand vous en prenez, vous avez l'impression d'être soûl et vous vous sentez sexuellement excité. Du moins si l'on en croit les chroniqueurs espagnols. Vous aimeriez en croquer avant de sortir avec une fille ?

— Non, pas du tout, bredouilla encore Francis.

Noemí aimait flirter. Elle était même très douée pour ça. Mais le rouge qui monta de nouveau aux joues de Francis lui apprit qu'il était novice dans cet exercice. Avait-il seulement dansé une fois à un bal ? Elle le voyait mal se rendre en ville pour participer à une soirée festive, encore moins voler des baisers dans la pénombre d'une salle de cinéma de Pachuca, d'autant plus qu'il admettait n'avoir jamais voyagé si loin. Comment savoir ? Peut-être Noemí l'embrasserait-elle avant de quitter High Place, pour le simple plaisir de le choquer.

En attendant, elle se rendait compte qu'elle appréciait sa compagnie et n'avait donc pas envie de le torturer plus que nécessaire.

—Je plaisante, dit-elle. Ma grand-mère était mazatèque, un peuple qui utilisait lui aussi ce type de champignons lors de cérémonies. Mais il s'agissait de communion, pas d'excitation sexuelle. Les Mazatèques disaient que les champignons leur parlaient. Je comprends que le sujet éveille votre curiosité.

—Merci. Le monde produit des merveilles en quantité incroyable. Vous pourriez passer toute une vie à explorer jungles et forêts sans découvrir un dixième de leurs secrets.

C'était presque drôle de voir Francis si passionné. Noemí n'éprouvait aucun attrait pour les études naturalistes, mais la ferveur du jeune homme donnait envie de l'accompagner plutôt que de s'en moquer. Il avait l'air tellement plus vivant lorsqu'il parlait ainsi.

—Vous vous intéressez à toutes les plantes? lui demanda-t-elle. Ou limitez-vous votre travail aux champignons?

—Toutes les plantes. J'ai d'ailleurs constitué quelques beaux herbiers. Mais les champignons ont ma préférence. (Il semblait de plus en plus joyeux.) Je les dessine, dans la mesure de mes moyens. Et je fais des sporées.

—Des quoi?

—Des sporées. Vous posez les lamelles du champignon sur un papier et vous attendez qu'elles y laissent une trace. Ça permet de les identifier. Les illustrations botaniques sont vraiment des œuvres de toute beauté. Avec des couleurs splendides. Si j'osais…

—Osez donc, l'invita-t-elle en constatant qu'il ne finissait pas sa phrase.

Il serra fort le mouchoir rouge entre ses doigts.

—Peut-être pourrais-je vous montrer les sporées? Ça ne paraît guère alléchant, mais si vous vous ennuyez trop au manoir, elles vous offriraient malgré tout une petite distraction.

—Avec plaisir, répondit-elle.

Francis parut soudain incapable d'aligner deux mots. Il regarda par terre comme si la prochaine phrase allait pousser par miracle entre ses pieds.

Puis il sourit avant de reposer délicatement le mouchoir sur les champignons. La brume s'était éclaircie pendant leur discussion. Noemí apercevait de nouveau les tombes, les arbres, les buissons.

—Je viens de recouvrer la vue, s'exclama-t-elle. Je vois même le soleil!

—Vous allez pouvoir retrouver votre chemin sans moi, dit-il sur un ton déçu. Mais n'hésitez pas à me tenir compagnie encore un peu… enfin… si vous n'êtes pas trop occupée.

Quelques minutes plus tôt, Noemí rêvait de quitter le cimetière, mais l'endroit était redevenu calme et paisible. Même les dernières volutes de brume s'intégraient à cette paix. Elle avait du mal à croire s'être angoissée à ce point. La forme énigmatique n'était sans doute que Francis ramassant des champignons.

—Je vais déjà prendre le temps de fumer une cigarette, dit-elle.

Elle en alluma une aussitôt et tendit le paquet à Francis, qui secoua la tête.

—Ma mère voudrait vous parler de ça, précisa-t-il d'un air grave.

—Compte-t-elle me répéter que c'est une pratique vulgaire?

Noemí prit une bouffée et souffla en levant la tête. Elle aimait cette posture qui soulignait la finesse de son cou et lui donnait l'impression d'être une star de cinéma. Hugo Duarte et ses autres soupirants trouvaient cela absolument charmant.

Certes il y avait là une certaine vanité, mais Noemí n'y voyait pas un péché. Elle ressemblait un peu à Katy Jurado si elle prenait la bonne pose, ce dont elle ne se privait pas. Pourtant, elle avait abandonné le théâtre. Elle se rêvait à présent en Ruth Benedict ou en Margaret Mead.

— Possible, admit Francis. La famille prône un comportement sain. Pas de cigarettes, pas de café, pas de musique forte. Par contre des douches froides, des rideaux fermés, pas un mot plus haut que l'autre et…

— Pourquoi tout ça ? l'interrompit-elle.

— C'est ainsi depuis toujours à High Place, dit-il d'une voix atone.

— Ce cimetière me semble plus joyeux. Peut-être devrions-nous remplir une flasque de whisky et venir faire la fête ici, sous ce grand pin. Je vous enverrais des ronds de fumée dans la figure, nous chercherions ensemble des champignons hallucinogènes. Et si par hasard ils vous faisaient éprouver de l'excitation à mon égard, je n'y verrais aucun inconvénient.

C'était une blague. De toute évidence. Noemí avait employé cette intonation particulière de la femme offrant à son interlocuteur une grande performance scénique. Mais Francis comprit la tirade de travers, pâlissant à vue d'œil au lieu de rougir.

— Ma mère ne voudrait pas, dit-il en secouant la tête. Suggérer que nous pourrions… C'est mal, très mal…

Sa voix s'éteignit peu à peu, mais il en avait assez dit. Il paraissait réellement écœuré.

Noemí l'imagina tout raconter à sa mère en lui murmurant à l'oreille le mot « vulgaire », après quoi ils hocheraient tous les deux la tête, accablés. Car s'il existait des types supérieurs et inférieurs, Noemí n'appartenait clairement pas à la première catégorie ; elle n'était pas la bienvenue à High Place, où elle ne récolterait jamais que du mépris.

— L'avis de madame votre mère n'a aucun intérêt pour moi, Francis.

Elle jeta son mégot de cigarette, l'écrasa en deux coups de talon rageurs, puis s'éloigna d'un pas vif.

— Je rentre, assena-t-elle. Vous êtes trop rasoir.

Noemí s'arrêta pourtant quelques mètres plus loin, croisa les bras et se retourna brusquement.

Il l'avait suivie. Il était juste derrière elle.

— Laissez-moi tranquille. Je n'ai plus besoin qu'on me montre le chemin.

Francis s'agenouilla et cueillit avec précaution un champignon que Noemí avait piétiné dans sa marche déterminée vers le portail du cimetière. Il arborait un blanc satiné ; le chapeau s'était détaché du pied, deux éléments que le jeune homme tenait à présent dans la paume de sa main.

— Un ange de la mort, marmonna-t-il.

— Hein ?

— C'est une amanite. Un champignon vénéneux. Il donne une sporée blanche, ce qui permet de le distinguer de sa variante comestible. (Francis remit le champignon par terre, puis se redressa avant d'épousseter son pantalon.) Je dois vous paraître ridicule. Un idiot qui s'accroche aux jupes de sa mère. Eh bien, vous avez raison. Je n'ose rien faire qui pourrait la mettre en colère. Ni elle ni mon grand-oncle Howard. Surtout pas Oncle Howard.

Lorsque leurs regards se croisèrent, Noemí comprit que le mépris de Francis ne s'adressait pas à elle mais à lui-même. Elle se sentit aussitôt coupable. Catalina lui avait souvent répété qu'elle pouvait blesser les gens si elle ne maîtrisait pas sa langue de vipère.

« *Malgré toute ton intelligence, tu oublies parfois de réfléchir* », lui avait dit sa cousine. Triste vérité. Voilà qu'elle s'en prenait à Francis, qu'elle se faisait des idées sur lui, alors qu'il ne l'avait nullement agressée.

— Je suis vraiment désolée, répondit-elle. C'est moi qui suis ridicule. Je raconte n'importe quoi.

Elle espérait avoir mis assez de légèreté dans ses paroles pour que Francis comprenne qu'elle ne voulait pas lui faire de peine, qu'un sourire suffirait à évacuer cette querelle stupide.

Il hocha lentement la tête sans paraître convaincu. Noemí lui effleura la main, encore pleine de poussière après la cueillette.

— Je suis *vraiment* désolée, dit-elle le plus sérieusement du monde.

Francis la contempla d'un air solennel, puis referma ses doigts sur ceux de Noemí et tira doucement comme pour l'attirer à lui. Mais il la relâcha l'instant d'après. Il recula d'un pas et ôta le mouchoir rouge du panier pour le lui tendre.

— Je crains de vous avoir salie, annonça-t-il.

Noemí baissa les yeux vers sa main noircie de terre.

— Oui, apparemment.

Elle s'essuya avant de rendre le mouchoir à son propriétaire. Francis le fourra dans l'une de ses poches et posa le panier à côté de lui.

— Vous devriez rentrer, dit-il en détournant le regard. Je n'ai pas fini ma cueillette.

Difficile de deviner si c'était vrai ou s'il était encore en colère et souhaitait juste le départ de Noemí. Difficile aussi de lui en vouloir s'il se sentait vexé.

— D'accord. Ne laissez pas la brume vous avaler.

Elle regagna rapidement le portail et l'ouvrit d'un geste. Puis elle regarda en arrière, distinguant au loin la silhouette de Francis perdue dans le brouillard. C'était forcément lui la forme étrange aperçue plus tôt. Même si elle ne parvenait pas à s'en persuader totalement.

Une autre sorte d'ange de la mort, peut-être ? Noemí regretta aussitôt cette pensée morbide. Que lui arrivait-il depuis qu'elle avait mis les pieds dans le cimetière ?

Elle rebroussa chemin jusqu'à High Place. Entrant par la cuisine, elle trouva Charles occupé à épousseter par terre avec un vieux balai. Noemí le salua d'un sourire au moment où Florence faisait elle aussi son apparition. Elle portait une robe grise, un collier de perles à deux rangées ; ses cheveux étaient montés en chignon.

—Vous voilà enfin, lança-t-elle. Où étiez-vous donc ? Je vous cherchais partout. (Florence pencha la tête.) Vous avez de la boue plein les chaussures. Ôtez-les tout de suite.

—Désolée.

Noemí baissa les yeux à son tour, vit ses talons hauts souillés de terre et de brins d'herbe. Elle les enleva et les prit en main.

—Charles, nettoyez-moi ça, ordonna Florence.

—Je peux m'en occuper, rétorqua Noemí.

—Laissez-le faire.

Charles appuya son balai contre le mur et s'approcha de Noemí, mains ouvertes.

—Mademoiselle, dit-il simplement.

Noemí laissa échapper un petit hoquet et lui donna les chaussures. Il récupéra ensuite une brosse sur une étagère, puis s'assit sur un tabouret au fond de la pièce et se mit à la tâche.

—Votre cousine vous a réclamée, déclara Florence.

—Elle va bien ? demanda Noemí, inquiète.

—Très bien. Elle s'ennuyait et désirait un peu de compagnie.

—Je monte la voir tout de suite.

Noemí fit quelques pas rapides sur le sol froid qui lui gelait les pieds à travers ses bas.

—Inutile, dit Florence. Elle fait la sieste à présent. (Noemí avait déjà rejoint le couloir ; elle se tourna vers Florence, qui haussa les épaules.) Vous la verrez plus tard.

—Certainement.

Mais la jeune femme se reprocha d'avoir été absente lorsque Catalina avait besoin d'elle.

Chapitre 10

D'ordinaire, le matin, Florence ou l'une des domestiques apportait à Noemí le plateau du petit déjeuner. Elle avait tenté d'engager la conversation avec les employées, mais celles-ci ne lui répondaient que par monosyllabes. En fait, chaque fois que Noemí croisait Lizzie, Charles ou Mary quelque part dans High Place, ils baissaient la tête et poursuivaient leur chemin comme si elle n'existait pas.

Le manoir, toujours si calme avec ses rideaux fermés, évoquait une vieille robe doublée de plomb. Tout y semblait lourd, même l'air ambiant, tandis qu'une odeur de renfermé hantait les couloirs. Un temple ou une église n'aurait pas donné plus envie de parler à voix basse et de mettre un genou en terre. Noemí supposait que les domestiques s'étaient adaptés à cet environnement et œuvraient le plus discrètement possible, telles des nonnes forcées de prêter vœu de silence.

Mais ce matin-là, foin de la routine symbolisée par Florence ou Mary tapant une seule fois à la porte avant d'entrer. Il y eut pas moins de trois petits coups secs, après quoi personne ne pénétra dans la chambre. Lorsque les trois coups se répétèrent, Noemí ouvrit la porte elle-même et découvrit Francis, plateau en main.

—Bonjour, dit-il.

Elle lui sourit, surprise.

—Salut. Le manoir manque de personnel aujourd'hui ?

—J'ai proposé à ma mère de vous apporter le petit déjeuner car il faut qu'elle s'occupe d'Oncle Howard. Il a eu mal à la jambe la nuit dernière, ce qui le met toujours de très mauvaise humeur. Où dois-je installer ça ?

—Là-bas, dit Noemí en s'écartant et en montrant la table.

Francis posa le plateau avec d'infinies précautions. Puis il mit les mains dans ses poches et se racla la gorge.

—Je me demandais si ça vous intéresserait de jeter un coup d'œil aux sporées tout à l'heure. Enfin… si vous n'avez rien de mieux à faire.

Noemí y vit une chance en or d'obtenir cette nouvelle course en ville dont elle avait besoin : quelques paroles aimables et Francis se plierait à ses quatre volontés.

—Laissez-moi d'abord vérifier avec ma secrétaire, dit-elle d'un air espiègle. J'ai un planning très chargé, figurez-vous.

Francis lui sourit à son tour.

—Alors peut-être pourrions-nous nous retrouver à la bibliothèque ? Dans une heure, mettons ?

—Parfait.

Cette virée à la bibliothèque ressemblait à une sortie, ce qui ravissait Noemí car elle en manquait cruellement. Elle enfila donc une jolie robe à pois et encolure carrée ; à son grand désespoir, elle avait égaré le boléro assorti, et n'aurait pas refusé des gants blancs comme touche finale. Néanmoins, considérant l'endroit où Noemí « sortait », ce léger faux pas vestimentaire ne devrait pas finir en une de la presse mondaine.

Tout en se coiffant, elle s'interrogea sur les dernières nouvelles de Mexico. Sans doute son frère se comportait-il encore comme un gros bébé à cause de sa fracture du pied. Roberta, elle, devait continuer à psychanalyser son cercle d'amis. Et Hugo Duarte avait assurément trouvé une autre fille à emmener aux récitals et aux fêtes. L'idée dérangea Noemí quelques instants : elle admettait que Hugo était excellent danseur et un bon cavalier avec qui se montrer en ville.

En descendant l'escalier, elle s'amusa à imaginer une fête à High Place. Pas de musique, évidemment. Il faudrait danser en silence. Tout le monde serait habillé en gris ou en noir, comme pour des funérailles.

Le couloir menant à la bibliothèque accueillait de nombreuses photos des Doyle alors que l'étage était plutôt réservé aux peintures. Mais la pénombre empêchait de bien observer les images. Il aurait fallu une lampe de poche ou une bougie... Soudain, une idée jaillit dans la tête de Noemí. Elle entra dans la bibliothèque, ouvrit grands les rideaux, fit de même dans le bureau. La lumière du jour passant par les portes des deux pièces illumina un pan de mur et permit enfin à la jeune femme d'étudier les photos.

Tous les visages lui parurent à la fois étranges et familiers, échos de Florence, de Francis, de Virgil. Noemí reconnut Alice dans une pose similaire à celle du tableau trônant au-dessus de la cheminée de Howard Doyle. Il y avait aussi Howard lui-même, beaucoup plus jeune, sans rides.

Une femme aux cheveux blonds retenus par une épingle, mains sur les genoux, regardait droit devant elle en ouvrant de grands yeux. Sur la photo, elle semblait avoir à peu près l'âge de Noemí. Elle serrait les lèvres avec une expression triste ou peut-être mécontente. Noemí se pencha sur la photo, leva la main comme pour la caresser du bout des doigts.

—J'espère ne pas vous avoir trop fait attendre, lui dit Francis, une boîte en bois sous un bras et un livre sous l'autre.

—Non, pas du tout. Savez-vous de qui il s'agit ?

Francis se tourna vers la photo. S'éclaircit la voix.

—C'est... c'était ma cousine Ruth.

—J'ai entendu parler d'elle.

Noemí n'avait jamais contemplé le visage d'une meurtrière ; ce n'était pas son genre de lire les pages des faits divers dans les journaux. Elle se rappela Virgil expliquant que les gens étaient prisonniers de leurs vices et que les traits du visage reflétaient les natures profondes. Mais la femme de la photo semblait juste contrariée, pas animée d'instincts criminels.

— Qu'avez-vous donc appris ? demanda Francis.

— Qu'elle avait tué plusieurs personnes avant de mettre fin à ses jours.

Noemí se redressa pour faire face à Francis. Il posa la boîte par terre d'un air distant.

— Son cousin Michael.

Francis montra la photo d'un jeune homme se tenant très droit, la chaîne d'une montre de gousset étincelant sur sa poitrine. Raie au milieu, une paire de gants dans la main gauche et des yeux privés de couleur par l'effet sépia.

Le doigt de Francis dériva ensuite vers la photo d'Alice, qui ressemblait tant à Agnes.

— Sa mère, dit-il.

Puis il désigna deux autres clichés placés côte à côte, une femme aux longs cheveux blonds et un homme en veste sombre.

— Dorothy et Leland, annonça Francis. Son oncle et sa tante. Mes grands-parents.

Après quoi il se tut. Car tout avait été dit, la liste des morts égrenée. Michael et Alice, Dorothy, Leland, Ruth elle-même, tous ayant trouvé place dans le beau mausolée, leurs cercueils recouverts de toiles d'araignées et de poussière. Noemí songea à sa vision d'une fête sans musique, les invités en tenue de deuil, mais cela ne l'amusait plus du tout.

— Pourquoi a-t-elle fait ça ?

— Je n'étais pas né à cette époque, rétorqua Francis en détournant le regard.

— On a bien dû vous dire quelque chose, vous…

—Je n'étais pas né, répéta Francis avec irritation. Comment savoir? Cet endroit peut rendre fou n'importe qui.

Sa voix résonna dans cet espace de papier peint délavé et de cadres dorés; elle rebondit sur les murs et revint encore plus vibrante, donnant la chair de poule. L'effet acoustique surprit Noemí et parut aussi déranger Francis. Il rentra les épaules comme s'il voulait rapetisser.

—Désolé, lâcha-t-il. Je ne devrais pas parler si fort. Le son porte beaucoup ici, surtout quand on dit des grossièretés.

—Non, c'est moi qui suis grossière. Je comprends que vous n'ayez pas envie de parler d'une telle affaire.

—Une autre fois, peut-être.

Sa voix était redevenue d'une douceur de velours, à l'instar du silence qui emplissait de nouveau le couloir. Noemí se demanda si les coups de feu avaient résonné ainsi dans tout le manoir, générant une cascade d'échos avant de sombrer dans ce même silence pesant. *Tu as des idées horribles*, se tança-t-elle. *Pas étonnant que tu fasses des cauchemars.*

—D'accord, montrez-moi plutôt vos images, dit-elle à Francis pour laisser cet échange sinistre derrière eux.

Une fois dans la bibliothèque, le jeune homme exposa sur la table les trésors contenus dans la boîte en bois: des feuilles de papier marquées de grosses taches marron, noires ou pourpres. Leur disposition rappela à Noemí les tests de Rorschach dont son amie Roberta –l'admiratrice de Jung– était friande. Ces images-là étaient encore plus intéressantes car elles ne poussaient pas à y trouver un sens caché; elles racontaient une histoire aussi claire que leur nom écrit sur un tableau noir.

Francis montra ensuite ses herbiers, visiblement conçus avec amour. Fougères, roses, marguerites, toutes séchées et identifiées avec une belle calligraphie qui fit honte à Noemí, pourvue d'une écriture hésitante. La mère supérieure aurait probablement loué Francis pour sa méticulosité et son esprit d'organisation.

Noemí choisit d'ailleurs de l'en informer, lui expliquant que les bonnes sœurs de son école auraient été folles de lui.

— J'ai toujours eu du mal avec le Saint-Esprit, expliqua-t-elle. Les symboles m'échappent totalement. Il y a une colombe, peut-être aussi un nuage et de l'eau bénite, mais j'ai oublié le reste.

— Le feu qui transforme tout ce qu'il touche, ajouta Francis.

— Voilà. Vous auriez fait un malheur chez les nonnes.

— Je suis sûr qu'elles vous aimaient bien.

— Non. C'est ce qu'elles *prétendaient*, comme tout le monde, parce qu'elles y étaient obligées. Personne n'affirme haut et fort détester Noemí Taboada. Pas avec un petit-four à la main. Mieux vaut attendre de pouvoir chuchoter son avis dans un endroit discret.

— Donc, à Mexico, vous passez votre temps dans des fêtes en partant du principe que la plupart des invités ne vous aiment pas ?

— Très cher, je passe surtout mon temps à boire du bon champagne, rétorqua-t-elle.

— Oui, bien sûr. (Il lui adressa un sourire amusé, puis baissa les yeux vers ses sporées.) Vous devez avoir une vie terriblement excitante.

— Peut-être. Je m'amuse bien, en tout cas.

— Que faites-vous lorsque vous ne festoyez pas ?

— Eh bien, je suis mes cours à l'université, ce qui me prend une bonne partie de la journée. Mais vous parlez sans doute de mon temps libre. J'aime beaucoup la musique. Je vais souvent à des concerts de l'orchestre philharmonique. Chávez, Revueltas, Lara, il y a tant de bons compositeurs à écouter ! D'ailleurs, moi-même, je me débrouille au piano.

— Vraiment ? s'exclama-t-il, l'air stupéfait. C'est fantastique.

— Précisons que je ne joue pas *dans* l'orchestre philhar-monique.

— Ça me semble quand même très intéressant.

— Vous vous trompez. C'est très ennuyeux. Des années passées à faire des gammes, encore et encore. (Il ne fallait jamais se vanter ni se montrer passionnée. C'était d'un commun.) Au final, je suis une fille atrocement ennuyeuse !

— Pas du tout, s'empressa-t-il de rectifier.

— Merci, mais ce n'est pas ce que vous êtes censé dire. Pas de cette manière, en tout cas : vous paraissez bien trop honnête. Ne vous a-t-on rien appris ?

Francis haussa les épaules comme pour s'excuser, incapable de répondre par un trait d'esprit. Il était timide et un peu bizarre. Mais Noemí l'appréciait d'une façon différente des garçons hardis qu'elle fréquentait d'ordinaire, tel Hugo Duarte, dont les qualités se résumaient à bien danser et à ressembler à Pedro Infante. Le sentiment y gagnait en chaleur, en sincérité.

— Vous devez me prendre pour une enfant gâtée, dit-elle en adoptant une voix triste parce qu'elle voulait vraiment que *lui* l'apprécie.

— Pas du tout, répéta-t-il avec cette même honnêteté désarmante.

Puis il se pencha en avant et tripota les feuilles de sporées. Noemí se pencha à son tour, souriante, et posa les coudes sur la table pour attirer l'attention de Francis. Leurs regards se croisèrent.

— Vous allez vite changer d'avis parce que j'ai un service à vous demander, lui dit-elle, n'ayant pas oublié son objectif premier.

— Lequel ?

— Je dois me rendre en ville demain, mais votre mère refuse que je prenne la voiture. Donc j'aimerais que vous me déposiez là-bas et que vous me récupériez, disons, deux heures plus tard.

— Vous voulez… que je vous dépose en ville ?

— C'est ça.

Francis baissa les yeux.

— Ma mère n'acceptera jamais. Elle exigera que vous ayez un chaperon.

— *Vous* comptez me chaperonner *moi*? s'indigna Noemí. Je ne suis plus une gamine.

— Je sais.

Francis contourna lentement la table et s'approcha de Noemí, puis fit semblant d'inspecter un herbier. Ses doigts caressèrent une fougère.

— On m'a demandé de garder un œil sur vous, avoua-t-il dans un murmure. Ils pensent que vous êtes inconsciente.

— Je suppose que vous partagez cet avis, rétorqua-t-elle, moqueuse. Vous estimez que j'ai besoin d'une baby-sitter.

— Je pense en effet que vous pouvez faire preuve d'une certaine inconscience. Mais c'est un détail que je saurai mettre de côté. (Il se pencha vers elle comme pour lui révéler un secret.) Il faudrait partir tôt demain matin, vers 8 heures, avant que tout le monde se lève. N'en parlez surtout à personne.

— Promis. Merci beaucoup.

— Ce n'est rien.

Cette fois, Francis contempla longuement Noemí puis, tout à coup, contourna de nouveau la table pour regagner sa place initiale. Il semblait vraiment sur les nerfs.

Un cœur qui saigne, songea Noemí. L'image s'imposa à son esprit: le cœur représenté sur les cartes de *Lotería*, bien rouge, avec ses veines et ses artères. Quelle phrase allait avec, déjà? *Ne m'attends pas, mon cœur, je reviendrai par le dernier bus.* Noemí avait passé tant d'après-midi paresseux à jouer au bingo mexicain, avec des dessins remplaçant les nombres. Chacun avait une phrase associée, qu'il fallait réciter en le posant sur le carton.

Ne m'attends pas, mon cœur.

Pourrait-elle trouver un jeu de *Lotería* en ville? Cela lui donnerait quelque chose à faire avec Catalina, leur rappelant de surcroît des jours plus heureux.

La porte de la bibliothèque s'ouvrit soudain sur Florence, Lizzie la suivant de près munie d'un seau et d'un chiffon. Florence parcourut la pièce du regard, glissant avec froideur sur Noemí avant de s'arrêter sur son fils.

— Mère, vous deviez nettoyer la bibliothèque aujourd'hui ? dit Francis en se redressant et en fourrant les mains dans ses poches.

— Tu sais ce que c'est. Il faut sans cesse remettre l'ouvrage sur le métier, sinon tout s'effondre. Si quelques-uns se complaisent dans l'oisiveté, les autres doivent faire leur devoir.

— Assurément, approuva Francis en rassemblant ses affaires.

— Je vais surveiller Catalina pendant que vous faites le ménage, proposa Noemí.

— Elle se repose. Mary est avec elle, de toute façon. Nul besoin de vos services.

— J'aimerais quand même me rendre utile, lança la jeune femme par défi.

Pas question de laisser Florence dire que l'invitée ne voulait rien faire.

— Alors suivez-moi.

Noemí lança un dernier sourire à Francis en quittant la pièce. Puis Florence l'entraîna dans la salle à manger afin de lui montrer les armoires pleines d'argenterie.

— Puisque ces objets semblaient vous plaire, vous n'avez qu'à les astiquer.

La collection rassemblée par les Doyle était assez prodigieuse. La moindre étagère débordait de plateaux, théières, coupes et chandeliers qui attendaient sagement que l'on s'occupe d'eux. Une personne seule n'avait aucune chance de venir à bout d'une telle tâche, mais Noemí tenait à faire ses preuves devant Florence.

— Donnez-moi un chiffon et de la pâte à polir. Je m'y mets tout de suite.

La pièce étant très sombre, Noemí dut allumer plusieurs lampes et bougies pour espérer voir ce qu'elle faisait. Après quoi elle astiqua, passant la pâte dans chaque courbe et fissure, frottant au chiffon force fleurs et vignes en émail. Le nettoyage d'un bol à sucre s'avéra particulièrement complexe mais, dans l'ensemble, elle s'en tira plutôt bien.

Lorsque Florence réapparut dans la salle à manger, bon nombre d'objets trônaient sur la table, brillant de mille feux. Noemí œuvrait alors sur une paire de tasses bizarres en forme de champignons, avec une base décorée de toutes petites feuilles et même d'un scarabée. Peut-être Francis saurait-il dire si ces tasses étaient inspirées d'une véritable espèce de champignon.

— Vous vous donnez du mal, admit Florence.

— Oui, quand ça me prend.

Florence s'approcha de la table et passa les doigts sur les objets que Noemí avait astiqués. Elle prit une tasse pour l'inspecter de plus près.

— Si vous cherchez un compliment, il faudra vous donner encore plus de mal.

— Je me contenterai de votre respect.

— Vous en avez besoin ?

— Pas vraiment.

Florence reposa la tasse et, joignant les mains, admira l'argenterie avec une forme de vénération. Noemí reconnut que toute cette richesse étalée faisait son petit effet, même si, finalement, elle restait enfermée dans les armoires. Pourquoi posséder tant d'argenterie si l'on ne s'en servait pas ? Les habitants de la ville étaient pauvres : ils ne laisseraient pas des monceaux d'argent prendre ainsi la poussière au fond de leurs placards.

— La plupart de ces chefs-d'œuvre ont été fabriqués avec l'argent de notre mine, expliqua Florence. Si vous saviez quelles quantités de minerai elle produisait ! C'était fabuleux ! Mon oncle a apporté ici toutes les machines et tout le savoir-faire nécessaires pour arracher ce trésor à la terre. La famille Doyle est célèbre. Vous ne comprenez sans doute pas à quel point votre cousine est chanceuse de porter ce nom. Être une Doyle, c'est être *quelqu'un*.

Noemí songea aux alignements de vieux portraits dans les couloirs, aux pièces poussiéreuses qui composaient le manoir. Que signifiait donc être «quelqu'un» lorsque l'on portait le nom des Doyle? Catalina n'était-elle «personne» avant de s'installer à High Place? Noemí devait-elle elle-même se considérer comme appartenant à une masse indistincte de gens sans intérêt?

Florence gratifia la jeune femme d'un regard dur, ayant visiblement noté l'expression sceptique engendrée par ses propos.

— De quoi parliez-vous avec mon fils? demanda-t-elle brusquement, joignant encore une fois les mains. Dans la bibliothèque. De quoi parliez-vous?

— De sporées.

— C'est tout?

— En gros, oui. Pour ce que je me rappelle.

— Vous avez parlé de la ville, aussi?

— Possible.

Si Howard lui faisait penser à un gros insecte, Florence lui évoquait plutôt une plante carnivore prête à dévorer une mouche. Le frère de Noemí possédait autrefois une dionée attrape-mouche qui avait mis sa petite sœur très mal à l'aise.

— Ne donnez pas de drôles d'idées à mon fils. Ça ne pourrait que le faire souffrir. Francis est bien ici. Il n'a pas besoin qu'on lui farcisse le crâne avec des histoires de fêtes, de musique et d'alcool, toutes ces frivolités dont vous vous délectez à Mexico.

— Je vais donc m'évertuer à ne discuter avec lui que de sujets validés par vos soins. Peut-être d'ailleurs serait-il plus simple de prétendre qu'il n'existe aucune ville à la surface du globe.

Même si Florence l'intimidait, Noemí n'avait pas envie qu'on lui fasse la leçon comme à une fillette.

— Vous êtes d'une insolence rare, lâcha Florence. Vous croyez sans doute bénéficier d'une grâce spéciale parce que mon oncle vous trouve mignonne. Mais ça n'a rien d'une grâce. Au contraire, c'est un handicap.

Florence se pencha sur la table, vers un grand plateau de service rectangulaire orné de décorations florales. Le reflet de son visage dans la plaque d'argent s'allongea et se déforma. Elle passa un doigt sur les fleurs bordant le plateau.

—Dans ma jeunesse, reprit-elle, je pensais que le monde extérieur était plein de merveilles et de promesses. J'ai même quitté High Place un moment, ce qui m'a permis de rencontrer un fringant jeune homme. J'ai cru qu'il m'emmènerait loin d'ici, qu'il changerait ma vie, qu'il me changerait moi. (Les traits de Florence s'adoucirent un court instant.) Mais on n'échappe pas à sa nature profonde. J'étais faite pour vivre et mourir à High Place. Alors laissez Francis tranquille. Il a accepté son sort. C'est mieux ainsi. (Le regard bleu de Florence se posa sur Noemí.) Je m'occupe de ranger l'argenterie. Je n'ai plus besoin de vos services.

La conversation s'acheva brutalement. Noemí regagna sa chambre, songeant aux contes de fées de Catalina. Il était une fois une princesse qui vivait en haut d'une tour. Il était une fois un prince qui l'aidait à s'en échapper. Noemí s'assit sur le lit et médita sur certains maléfices qui n'étaient jamais rompus.

Chapitre 11

Noemí entendait un cœur battre aussi fort qu'un tambour, un cœur qui l'appelait. Le bruit la réveilla.

Elle sortit avec précaution de sa chambre afin de trouver où il se cachait. Elle le sentait dans la paume de sa main lorsqu'elle tâtait un mur ; elle sentait le papier peint réagir comme un muscle froissé, le sol sous ses pieds devenir meuble et humide. C'était une plaie. Elle marchait sur une énorme plaie, entre des murs de plaies. Le papier peint pelait, révélant des organes malades au lieu de briques ou de planches de bois. Veines et artères encrassées par toutes sortes d'excès.

Noemí suivait les battements du cœur ainsi qu'une ligne rouge sur la moquette. Une ligne sanglante. Une entaille. Puis elle s'arrêta net au milieu du couloir lorsqu'une femme lui rendit son regard.

Ruth, la fille de la photo. Ruth en robe de chambre blanche, le visage pâle comme la mort, ses cheveux formant un halo doré. Elle ressemblait à une statue d'albâtre dans la pénombre du manoir. Une statue qui tenait un fusil et dévisageait Noemí.

Après quoi les deux femmes progressèrent côte à côte. Leurs gestes étaient identiques, leurs respirations synchronisées. Ruth se remit une boucle de cheveux en place et Noemí fit de même.

Autour d'elles, les murs émettaient une vague phosphorescence qui leur permettait d'avancer. La moquette était spongieuse sous leurs pas. Noemí remarqua d'étranges traces sur ces murs de chair : des moisissures, comme si le manoir n'était qu'un énorme fruit trop mûr.

Le cœur, lui, battait de plus en plus vite.

Le cœur pompait du sang, tressaillait, gémissait, et battait si fort que Noemí craignait de devenir sourde.

Ruth ouvrit une porte. Noemí serra les dents car le vacarme venait de là. Le cœur.

Dans la pièce, Noemí découvrit un homme allongé sur un lit. Sauf que ce n'était pas vraiment un homme, mais un corps gonflé, comme s'il s'était noyé avant de remonter à la surface, un corps pâle sillonné de veines bleutées, avec des tumeurs parsemant ses jambes, ses mains, son ventre. C'était une pustule, pas un homme, une horrible pustule vivante : sa poitrine se soulevait au rythme de sa respiration.

Cet « homme » n'aurait pas dû être en vie, pourtant il l'était. Lorsque Ruth pénétra dans la chambre, il se redressa et tendit les bras vers elle comme pour l'étreindre. Noemí resta sur le seuil tandis que Ruth s'approchait du lit.

L'homme allongea les bras au maximum, doigts tremblants, vers la jeune femme qui s'était arrêtée au pied du lit et l'observait.

Ruth leva son arme. Noemí baissa les yeux ; elle ne voulait surtout pas voir ça. Le coup de feu retentit atrocement dans la pièce, suivi d'un cri étouffé puis d'un râle.

Il est mort, pensa Noemí. *Il est forcément mort.*

Elle vit Ruth rebrousser chemin, passer à côté d'elle, ressortir dans le couloir et tourner la tête dans sa direction.

— Je ne regrette rien, dit Ruth.

Qui plaça ensuite la gueule du fusil sous son menton et pressa la détente.

Du sang. Du sang noir éclaboussant les murs. Ruth s'effondra à terre, son corps pliant telle la tige d'une fleur. Mais le suicide n'effraya pas Noemí. Au contraire, elle sentait que les événements devaient suivre leur cours ainsi ; elle en éprouva du soulagement, se fendit même d'un sourire.

Un sourire qui se figea lorsqu'elle aperçut une nouvelle silhouette au bout du couloir. C'était la lueur dorée, la femme sans visage ; son corps flou, liquide, se précipita vers Noemí, la bouche –alors qu'elle n'avait pas de bouche– grande ouverte sur un cri horrible prêt à jaillir. La femme dorée exigeait une proie à dévorer.

À présent, Noemí avait peur. Noemí était terrorisée. Elle leva les bras dans le fol espoir d'arrêter…

Une main ferme lui saisit l'épaule, la faisant bondir en arrière.

Une voix prononça son nom. Celle de Virgil. Noemí jeta un coup d'œil derrière elle, puis se tourna vers Virgil, essayant de comprendre ce qui lui arrivait.

Elle se tenait debout au milieu d'un couloir. Virgil était en face d'elle, tenant une lampe à pétrole d'un vert laiteux.

Noemí le dévisagea sans un mot. La créature dorée s'était évaporée en une fraction de seconde ! À la place se dressait Virgil, vêtu d'une robe de chambre en velours tissée de motifs de vignes.

Elle-même ne portait qu'une chemise de nuit. Où était la robe de chambre assortie ? Elle se sentit soudain vulnérable, glacée. Elle frotta ses bras nus pour les réchauffer.

—Que se passe-t-il ? demanda-t-elle.

—Noemí, répéta-t-il d'une voix aussi douce qu'un tissu de soie. Vous avez fait une crise de somnambulisme. Je sais qu'il ne faut pas réveiller un somnambule, que ça risque de lui causer un choc, mais je craignais que vous finissiez par vous blesser. Je vous ai fait peur ?

Elle mit de longues secondes à comprendre la question.

—Non, c'est… c'est impossible, dit-elle en secouant la tête. Ça ne m'est plus arrivé depuis des années. Depuis que j'étais enfant.

—Peut-être que vous ne vous en rendiez pas compte.

—Ça m'étonnerait.

—Je vous ai suivie quelques minutes sans savoir si je devais vous réveiller ou pas.

—Ce n'était pas du somnambulisme.

—Alors je me suis bien trompé et vous vous promeniez juste dans le noir en pleine nuit, rétorqua-t-il d'une voix sèche.

Noemí se trouva soudain affreusement stupide, à regarder cet homme d'un air bête, ne portant rien d'autre qu'une chemise de nuit. Elle n'avait aucune envie de se disputer avec Virgil. Pour quoi faire? Il avait raison, point final, et elle désirait regagner sa chambre au plus vite. Le couloir était si sombre, si froid; elle y voyait à peine. Pour ce qu'elle en savait, ils auraient pu se tenir tous les deux sur le ventre d'une bête sauvage.

D'ailleurs n'y avait-il pas une histoire de ventre dans son cauchemar? Non. Une cage faite d'organes. Des murs de chair. Voilà ce dont il s'agissait. Si elle touchait le mur à présent, allait-il onduler sous ses doigts? Elle fit mine de se recoiffer pour s'occuper les mains.

—D'accord. Je faisais peut-être une crise.

Un râle s'éleva, le même que dans son rêve, lointain mais indéniable. Elle sursauta violemment, manquant de se cogner à Virgil.

—C'est quoi? l'interrogea-t-elle en scrutant chaque extrémité du couloir.

—Mon père est malade. Une vieille blessure qui a mal guéri et se rappelle à son bon souvenir. On dirait qu'il passe une mauvaise nuit.

Virgil s'était exprimé sans l'ombre d'une émotion. Il régla la flamme de la lampe pour éclairer un peu plus; Noemí put enfin distinguer les murs, les fleurs du papier peint tachées de moisissure.

Pas de veines. Pas d'artères.

De plus, Francis lui avait parlé des problèmes de Howard plus tôt dans la journée. Se trouvait-elle dans cette partie du manoir, non loin de la chambre du patriarche? Si loin, en revanche, de sa propre chambre? Elle avait cru ne s'être éloignée que de quelques mètres pendant sa crise, pas avoir traversé le manoir d'un bout à l'autre.

— Vous devriez appeler un médecin, suggéra-t-elle à Virgil.

— Comme je viens de vous le dire, c'est une ancienne blessure qui se réveille de temps en temps. Nous y sommes habitués. Nous le signalerons au docteur Cummins lors de sa visite hebdomadaire, mais mon père est simplement un vieil homme. Je suis navré qu'il vous ait effrayée.

Vieux, en effet. Howard Doyle était arrivé au Mexique en 1885. Même s'il était jeune à l'époque, près de soixante-dix ans s'étaient écoulés. Quel âge avait-il exactement? Quatre-vingt-dix? Presque cent? Il était déjà «vieux» à la naissance de Virgil.

Noemí se frotta encore les bras.

— Vous avez froid, constata Virgil en posant la lampe par terre.

Une fois les mains libres, il dénoua sa robe de chambre.

— Ça va aller, dit Noemí.

— Mettez ça.

Il ôta le vêtement et le plaça sur les épaules de la jeune femme. Trop large pour elle: Virgil était grand. D'ordinaire, les hommes plus grands qu'elle ne la gênaient pas – il suffisait souvent de les étudier de haut en bas pour les troubler –, mais elle ne se sentait guère en confiance à cet instant, sous le coup de son rêve ridicule. Noemí croisa les bras et plongea son regard dans les méandres de la moquette. Virgil ramassa la lampe à pétrole.

— Je vous raccompagne.

— Pas la peine.

— Bien sûr que si. Il fait noir et vous pourriez vous cogner.

Une fois de plus, il avait raison. Les rares appliques en état de marche projetaient un peu de lumière autour d'elles, mais laissaient de grandes zones dans l'ombre. Si la lampe de Virgil brillait d'une étrange lueur verdâtre, elle avait au moins le mérite de la puissance. Désormais, Noemí était sûre que le manoir était hanté. Elle qui n'avait jamais cru aux esprits frappeurs remuant leurs chaînes la nuit, elle acceptait à présent chaque histoire de fantômes et de démons que Catalina avait pu lui raconter au fil des ans.

Virgil chemina sans mot dire. Malgré le silence pesant du manoir, et même si chaque craquement du parquet lui arrachait une grimace, Noemí préférait d'ailleurs ne pas avoir à lui parler. Impossible de tenir une conversation normale dans un moment pareil.

Je suis une vraie gamine, songea-t-elle. Comme son frère se moquerait d'elle s'il la voyait! Elle l'imaginait déjà expliquer à tout le monde que Noemí avait croisé *el coco*, le croque-mitaine. Néanmoins, penser à son frère, à sa famille et à Mexico lui fit du bien. Ces souvenirs la réchauffèrent plus que l'habit de Virgil.

Lorsque Noemí ouvrit la porte de sa chambre, elle se sentait déjà beaucoup mieux. Elle était redevenue elle-même.

— Si vous voulez, vous pouvez la garder, dit Virgil en montrant la lampe.

— Non, merci. Ou alors c'est vous qui allez vous cogner dans le noir. Donnez-moi juste une minute.

Elle passa la main sur la commode installée près de la porte et y récupéra l'affreux candélabre à chérubin. Ne lui restait plus qu'à gratter une allumette.

— Et la lumière fut. Vous voyez? Tout va bien.

Noemí entreprit d'ôter la robe de chambre. Virgil l'interrompit en lui posant une main sur l'épaule, après quoi il passa lentement les doigts sur le revers de la robe.

— Vous êtes très jolie dans mes vêtements, dit-il de sa voix soyeuse.

Une remarque légèrement déplacée. En plein jour, en présence d'autres personnes, cela aurait pu passer pour une blague. Mais la nuit, et avec cette intonation, l'indécence n'était pas loin. Noemí ne trouva cependant rien à répondre. *Ne soyez pas si bête*, aurait-elle pu dire. Ou même : *Vos vêtements ne me plaisent pas*. Sauf qu'aucune réplique ne franchit ses lèvres. De plus, ce commentaire n'était pas si déplaisant. Elle n'allait quand même pas se mettre en colère en plein milieu d'un couloir sombre pour *presque rien*.

—Bonne nuit donc, dit Virgil en lâchant sans hâte le revers avant de reculer d'un pas.

Il leva la lampe à hauteur de regard et sourit à Noemí. Virgil était séduisant et ce sourire l'était aussi : charmeur sans excès. Mais il y avait une tension dans ses traits qu'il ne parvenait pas à dissimuler. Une tension désagréable. Noemí se souvint tout à coup de son rêve, de l'homme alité étirant ses bras en avant ; Virgil avait les mêmes yeux bleus avec des reflets dorés. Elle détourna subitement la tête.

—Vous ne me souhaitez pas bonne nuit ? demanda Virgil d'un air amusé. Vous ne me remerciez pas non plus ? Ce n'est pas très poli.

Elle se força à lui faire face.

—Merci, lâcha-t-elle.

—Vous feriez mieux de fermer votre porte à clé, Noemí. Pour éviter de vous balader de nouveau dans le manoir.

Il baissa la flamme de la lampe. Ses yeux étaient bleus, parfaitement bleus, lorsqu'il lui lança un dernier regard avant de s'éloigner dans le couloir. La lueur verte s'éloigna elle aussi puis disparut en plongeant le manoir dans l'obscurité.

Chapitre 12

La lumière du jour modifiait du tout au tout la perception de certains événements. Après sa crise de somnambulisme, Noemí avait passé une très mauvaise nuit, la peur la poussant à s'enfouir sous ses couvertures jusqu'au menton. Mais une fois le soleil levé, elle contempla le ciel par la fenêtre et trouva juste l'épisode embarrassant tandis qu'elle se grattait le poignet gauche.

Sa chambre, bien éclairée grâce aux rideaux grands ouverts, lui paraissait toujours aussi vieillotte mais ne ressemblait pas à l'antre d'un monstre. Quant aux fantômes, quelle drôle d'idée ! Noemí revêtit un chemisier crème à manches longues ainsi qu'une jupe fendue bleu marine ; elle enfila une paire de chaussures plates et descendit au rez-de-chaussée bien avant son heure habituelle. Ne sachant comment passer le temps, elle déambula de nouveau dans la bibliothèque, s'arrêtant devant une enfilade de traités de botanique. Elle songea que Francis devait y avoir gagné sa science des champignons au fil de pages elles-mêmes dévorées par la moisissure. Puis elle ressortit dans le couloir et caressa du bout des doigts les cadres argentés des photos. Jusqu'à ce que Francis descende à son tour.

Le jeune homme ne se montra guère bavard en chemin, aussi Noemí se contenta-t-elle de quelques remarques sans importance, jouant avec une cigarette qu'elle n'avait pas encore allumée : elle détestait fumer l'estomac vide.

Francis la déposa près de l'église. Sans doute au même endroit que Catalina lorsqu'elle venait en ville.

— Je vous récupère à midi, ça ira ?

— Ce sera parfait.

Francis hocha la tête et s'éloigna.

Noemí se dirigea aussitôt vers la maison de la guérisseuse. La femme qui faisait sa lessive dehors la dernière fois n'était pas là, ses cordes à linge totalement vides. La ville semblait encore à moitié endormie. Mais Marta Duval était déjà à l'œuvre, disposant des *tortillas* au soleil pour les faire sécher, sans doute en vue de préparer des *chilaquiles*.

— Bonjour, lança Noemí.

— Salut, répondit la vieille en souriant. Vous arrivez pile au bon moment.

— Le remède est prêt ?

— Tout à fait. Venez.

Noemí suivit Marta dans la cuisine et s'assit à table. Le perroquet demeura invisible, laissant les deux femmes seules. La guérisseuse s'essuya les mains sur son tablier avant d'ouvrir un tiroir ; elle en sortit une petite bouteille qu'elle plaça devant Noemí.

— Une cuillère à soupe avant de se coucher, ça devrait suffire. Je l'ai fait plus fort que l'autre fois. Mais en prendre deux cuillerées ne serait pas dramatique.

Noemí souleva la bouteille et en étudia le contenu.

— Ça l'aidera à dormir ?

— Bien sûr. Même si ça ne résoudra pas ses problèmes.

— Parce que le manoir est maudit…

— Le manoir, la famille. (Marta Duval haussa les épaules.) Aucune différence. Tout est maudit, là-bas.

Noemí reposa la bouteille et la caressa du bout du doigt.

— Savez-vous pourquoi Ruth Doyle a tué sa famille ? Des rumeurs courent sur le sujet ?

— Un bon nombre, comme d'habitude dans ces cas-là. Il vous reste des cigarettes ?

— Je vais bientôt être à sec si je ne les rationne pas.

— Vous ne comptiez pas en racheter ?

— Je doute que cette marque soit disponible par ici, rétorqua Noemí. Votre saint a des goûts de luxe. À part ça, où est le perroquet ?

Noemí sortit le paquet de Gauloises et en tendit une à Marta, qui la posa près de la statuette de saint Luc.

— Il est encore dans sa cage, sous le tissu. Je vais vous parler de Benito. Vous voulez du café ? Pas de bonnes histoires sans boisson.

— Avec plaisir.

Noemí n'avait toujours pas faim et pensait qu'un café lui ouvrirait l'appétit. Bizarre : son frère affirmait qu'elle engloutissait les petits déjeuners comme si la nourriture risquait de manquer dans le courant de la journée, sauf que, depuis deux jours, elle touchait à peine au plateau du matin. D'ailleurs elle ne mangeait guère plus le soir. Elle se sentait un peu malade. Ou prête à tomber malade, comme lorsqu'elle anticipait l'arrivée d'un rhume. En l'espèce, elle espérait bien se tromper.

Marta Duval mit une bouilloire sur le feu et fouilla les tiroirs jusqu'à dénicher une petite boîte en étain. Lorsque l'eau parvint à ébullition, la vieille femme en versa dans deux grandes tasses elles aussi en étain, ajouta les doses de café puis posa les boissons sur la table. La maison sentait fort le romarin, odeur qui se mélangea à celle du café chaud.

— Moi, je le bois noir. Du sucre ?

— Non, merci, déclina Noemí.

Marta se rassit et entoura sa tasse de ses mains.

— Vous voulez la version courte ou la version longue ? La longue nécessite de revenir pas mal en arrière. Car parler de Benito, c'est aussi parler d'Aurelio. Enfin si vous désirez l'histoire complète.

—Ma foi, je n'ai plus beaucoup de cigarettes mais j'ai tout mon temps.

La guérisseuse sourit et avala une gorgée de café. Noemí l'imita.

—La réouverture de la mine a été un sacré événement. Doyle avait amené ses ouvriers anglais, sauf qu'ils n'étaient pas assez nombreux pour tout faire. Certains supervisaient le boulot d'extraction tandis que les autres construisaient le manoir, mais soixante Anglais ne pouvaient pas en même temps faire tourner une mine et bâtir High Place.

—Qui dirigeait la mine avant?

—Les Espagnols. Mais ça remontait à loin. Les gens d'ici étaient contents de la réouverture. Ça promettait du boulot, à tel point que d'autres ouvriers sont venus des quatre coins de l'Hidalgo. Pourtant, tout ce beau monde a vite déchanté. Le travail était dur et Doyle l'était encore plus.

—Il traitait mal ses employés?

—Comme des chiens, paraît-il. Ceux chargés du manoir étaient plus épargnés. Et ils ne bossaient pas au fond d'un trou. Mais Doyle était impitoyable avec les Mexicains de la mine. Il n'arrêtait pas de leur crier dessus. Son frère aussi.

Noemí se rappela Francis lui montrant le portrait de Leland dans le couloir. Les traits du frère de Howard ne lui revinrent pas en mémoire. Même si, de toute façon, les membres de la famille se ressemblaient tous. Ce que Noemí appelait à présent le « look Doyle ». Comme la « mâchoire Habsbourg » de Charles II d'Espagne en mieux, la difformité du souverain relevant d'un sévère cas de prognathisme.

—Il voulait que le manoir soit construit aussi vite que possible, poursuivit Marta. Il voulait un grand jardin à l'anglaise avec des rosiers. D'ailleurs il avait fait venir d'Europe des caisses de terre pour s'assurer que les fleurs prendraient. Le travail était donc lancé à la fois à la mine et au manoir quand la maladie est apparue. Elle a frappé d'abord les ouvriers du manoir, puis les mineurs. Très vite, tout le monde a souffert de vomissements et de fortes fièvres. Doyle avait son propre médecin, amené du pays natal comme une caisse de terre, mais le cher homme n'a rien pu faire. Les cadavres se sont empilés. Beaucoup de mineurs. Certains ouvriers du manoir aussi, et même la femme de Doyle, mais surtout des mineurs.

— C'est à ce moment-là qu'ils ont créé le cimetière anglais, hasarda Noemí.

— Oui, à ce moment-là, approuva Marta en hochant la tête. Après, la maladie a disparu et d'autres gens ont été engagés. Des gars de l'Hidalgo pour la plupart, mais aussi de nouveaux Anglais qui avaient appris qu'un des leurs tenait une mine. Soit ils venaient de sites déjà en activité, soit ils cherchaient simplement fortune, attirés par l'odeur du profit. Il paraît que le Zacatecas est le véritable État de l'argent au Mexique, mais l'Hidalgo n'a pas grand-chose à lui envier.

» Beaucoup d'ouvriers, donc. Et beaucoup d'employés de maison dans le manoir enfin fini. La mine se portait bien. Doyle était toujours un patron difficile, mais il payait rubis sur l'ongle et donnait un peu de minerai aux ouvriers, ce qui a toujours été la tradition par ici. Les choses ont recommencé à mal tourner à l'époque du second mariage de Doyle.

Noemí se rappela cette fois le portrait de mariage de la seconde femme de Howard, en 1895. Alice, qui ressemblait tant à Agnes. Alice la petite sœur. À bien y réfléchir, c'était bizarre qu'Agnes ait été immortalisée par une belle statue au cimetière et pas Alice. Pourtant, Howard avouait avoir à peine connu Agnes alors qu'il avait vécu longtemps avec Alice et qu'elle lui avait donné des enfants. Sa seconde épouse comptait-elle encore moins pour lui que la première ? À moins que la statue ait été commandée sur un coup de tête, par pur caprice. Noemí tenta de se remémorer une éventuelle plaque sur la statue ; elle n'avait rien vu de tel, mais n'y avait pas non plus regardé de très près.

— La maladie est revenue, dit Marta. Pire que la première fois. Les gens tombaient comme des mouches. D'abord les frissons, puis la fièvre, puis la mort.

— C'est là qu'il y a eu des fosses communes ? demanda Noemí, se souvenant des paroles du docteur Camarillo.

La guérisseuse fronça les sourcils.

— Des fosses communes ? Non. Les locaux ramenaient leurs défunts en ville. Mais de nombreux morts n'avaient aucune famille aux alentours. Ceux-là ont été enterrés au cimetière anglais. Sans croix ni pierre tombale, ce qui a peut-être lancé la rumeur des fosses. Être jeté dans un trou quelconque, sans couronne ni messe, ça vaut pas beaucoup mieux.

Quelle affreuse perspective, en effet. Des ouvriers anonymes, enterrés à la hâte, dont le sort est resté inconnu de tous... Noemí posa sa tasse de café et se gratta encore le poignet.

— Mais ce n'était pas le seul problème à la mine, annonça Marta. Car Doyle avait décidé de ne plus donner de minerai d'argent aux ouvriers en plus de leur paie. Un certain Aurelio bossait alors sur le site. Il faisait partie des gens qui n'appréciaient pas du tout cette évolution. Mais au lieu de maugréer dans sa barbe, comme les autres, il se plaignait ouvertement.

— À qui ?

— À ses camarades. En leur rappelant l'évidence. Qu'ils vivaient dans un camp dégueulasse. Que le docteur anglais n'avait jamais guéri personne et qu'il leur faudrait un meilleur toubib. Qu'ils crevaient en ne laissant presque rien à leurs gosses et à leurs veuves, pendant que Doyle se remplissait les poches en leur piquant leur part. Au bout du compte, il a proposé à tous les mineurs de se mettre en grève.

— Ils l'ont fait ?

— Oui, ils l'ont fait. Au début, Doyle a pensé pouvoir les intimider et les ramener au boulot. Son frère est allé au camp avec des hommes de main armés de fusils pour les effrayer, mais

Aurelio et les autres ont répliqué en leur lançant des pierres. Le frère de Doyle s'en est tiré de justesse. Peu après, Aurelio a été retrouvé mort. Mort naturelle, prétendument, sauf que personne n'y a cru. Le meneur de la grève qui mourait brusquement, comme par hasard ? Et puis quoi encore ?

— Il y avait quand même une épidémie en cours, souligna Noemí.

— C'est vrai. Mais les gens qui ont vu le corps ont décrit un visage affreux. Il paraît qu'on peut mourir de peur, hein ? Eh bien, d'après eux, Aurelio était mort de peur. Des yeux exorbités, une bouche grande ouverte, comme quelqu'un qui aurait croisé le diable en personne. En tout cas, ça a terrorisé tout le monde et la grève s'est arrêtée.

Francis avait en effet mentionné des grèves et la fermeture de la mine, mais Noemí n'avait pas songé utile de lui demander des précisions. Il faudrait y remédier lorsqu'elle aurait fini d'interroger Marta.

— Vous avez dit qu'Aurelio connaissait un certain Benito. Qui était-ce ?

— Patience, jeune fille, vous me faites perdre le fil. À mon âge, ça devient dur de tout remettre dans le bon ordre. (La guérisseuse s'interrompit le temps d'avaler plusieurs gorgées de café.) Où en étais-je ? Ah oui. La mine a repris son activité. Doyle s'est remarié et sa nouvelle femme lui a donné une fille – Ruth – ainsi qu'un garçon bien des années plus tard. Son frère, Leland, a eu des enfants lui aussi. Une fille et un garçon. Le garçon s'est fiancé avec Mlle Ruth.

— Encore une relation entre cousins, soupira Noemí.

L'histoire de Charles II et de la « mâchoire Habsbourg » n'était peut-être pas une si mauvaise comparaison, après tout. Or les Habsbourg avaient plutôt mal fini.

— Pas vraiment une relation, justement. C'était bien là le problème. D'où Benito. Lui, c'était le neveu d'Aurelio et il travaillait au manoir. Ça se passait des années après la grève, donc le lien avec

Aurelio n'a pas dérangé Doyle. Ou alors il n'en savait rien. En tout cas, Benito s'occupait des plantes, celles qui poussaient dans la serre puisque les Doyle avaient renoncé à leur idée de jardin anglais.

» Benito avait beaucoup en commun avec son oncle. Il était drôle, intelligent, et capable de se fourrer dans la merde jusqu'au cou. L'oncle avait organisé une grève, lui a fait encore pire : tomber amoureux de la fille du patron. Un amour réciproque, malheureusement.

— Je suppose que le père n'a pas été ravi…

Il avait probablement pris Ruth entre quatre yeux pour lui parler d'eugénisme. Les types supérieurs et inférieurs. Noemí l'imaginait devant la cheminée, sermonnant sa fille qui gardait les yeux baissés. Le pauvre Benito n'avait pas eu la moindre chance. Même s'il était étonnant de voir Howard Doyle, pourtant versé dans les théories de la reproduction, privilégier les mariages consanguins. Peut-être souhaitait-il imiter Darwin, qui avait épousé sa cousine germaine.

— Il paraît qu'il a été à deux doigts de tuer sa propre fille, marmonna Marta.

Noemí se le représenta cette fois refermant les mains sur le cou gracile de la jeune femme. Des doigts rudes qui s'enfonçaient dans la chair, une victime incapable de supplier faute de pouvoir respirer. *Papa, non.* Une image tellement puissante que Noemí dut fermer les yeux et se retenir d'une main à la table.

— Ça va ? s'inquiéta Marta.

— Oui, répondit-elle en rouvrant les yeux. Ça va. Juste un peu fatiguée. (Noemí but une gorgée de café. Le liquide chaud et amer lui fit du bien.) Continuez.

— J'ai plus grand-chose à dire. Ruth a été punie, Benito a disparu.

— On l'a tué ?

La vieille se pencha en avant, ses yeux blanchis par la cataracte rivés sur Noemí.

— Pire que ça : il s'est *volatilisé* du jour au lendemain. Certains disent qu'il s'est enfui avant que Doyle s'en prenne à lui, d'autres que Doyle s'est chargé de l'affaire en personne.

» Cet été-là, Ruth devait se marier avec son cousin Michael. La disparition de Benito n'a rien changé au programme. Chez les Doyle, le programme ne changeait jamais. C'était pendant la révolution, ce qui obligeait la mine à tourner avec des équipes réduites, mais elle tournait quand même. Il fallait que les machines fonctionnent. Qu'elles pompent l'eau pour que la mine ne soit pas noyée. Il pleut tellement par ici.

» Au manoir, quelqu'un continuait à laver les draps et à épousseter les meubles. Donc, si une guerre civile modifiait à peine le quotidien du site, un pauvre employé manquant ne risquait pas de tout chambouler. Howard Doyle a commandé des tas de babioles pour le mariage comme si tout était normal. Comme si la disparition de Benito ne comptait pas. Mais ça comptait pour Ruth.

» Même si on n'est sûr de rien, il paraît qu'elle a mis un somnifère dans la nourriture. Comment l'a-t-elle obtenu ? C'était une fille intelligente, qui en savait beaucoup sur les plantes et la médecine, alors elle a pu fabriquer sa propre décoction. À moins que son amant la lui ait procurée. On suppose qu'au début elle voulait juste assommer sa famille le temps de s'enfuir. Puis elle a changé d'avis après la disparition de Benito. Elle a tiré sur son père endormi à cause de ce qu'il avait fait à son amoureux.

— Pas que sur son père, dit Noemí. Elle a aussi tiré sur sa mère. Sur d'autres membres de sa famille. Si elle voulait venger Benito, pourquoi ne pas se contenter de Howard ?

— Elle les pensait peut-être aussi coupables que lui. Ou alors elle est juste devenue folle. Comment savoir ? Je vous l'ai déjà dit : ils sont tous maudits, le manoir est hanté. Vous devez être très bête ou très courageuse pour passer vos nuits dans une maison hantée.

« *Je ne regrette rien* », avait dit la Ruth du rêve. Était-ce bien ce que la meurtrière avait pensé en circulant de chambre en chambre ? Le fait que Noemí l'ait rêvé ainsi ne signifiait rien : dans son cauchemar, le manoir lui-même était distordu de manière impossible.

Noemí plongea le regard dans son café. Elle n'en avait bu que quelques petites gorgées. Son estomac n'était décidément pas en forme.

— Le problème, c'est qu'on ne peut pas grand-chose contre les fantômes, reprit la guérisseuse. Faire brûler une bougie la nuit en leur honneur, il arrive que ça leur plaise. Vous connaissez le *mal de aire* ? On vous en parle à la ville ?

— Vaguement, dit Noemí. Ça rend malade, non ?

— Certains endroits sont *lourds*. L'air lui-même est lourd à cause du mal qu'il contient. Ça vient parfois d'un décès, parfois d'un autre événement. Le mauvais air entre dans votre corps, il s'y installe et l'*alourdit*. C'est ce qui arrive aux Doyle de High Place.

Marta Duval avait fini son histoire. *C'est comme nourrir un animal avec de la garance*, pensa Noemí. *Ça colore les os en rouge. Ça colore tout en rouge.*

La guérisseuse se leva et inspecta de nouveau ses tiroirs. Elle en sortit un bracelet qu'elle tendit à Noemí. Il se composait de petites perles bleues et blanches, entourant une plus grosse perle bleue avec un point noir central.

— Ça repousse le mauvais œil, expliqua Marta.

— Je sais, dit Noemí, qui avait déjà vu ce genre d'objet.

— Vous allez le porter, hein ? Si ça aide pas, ça fait pas de mal. Je demanderai à mes saints de veiller sur vous.

Noemí ouvrit son sac à main et y plaça la bouteille de remède. Puis, pour ne pas vexer la vieille femme, elle se passa le bracelet au poignet.

— Merci.

Sur le chemin du retour vers le centre-ville, Noemí songea à tout ce qu'elle savait à présent sur les Doyle, même si rien ne lui semblait utile pour secourir Catalina. En se forçant à admettre l'idée qu'un fantôme sévisse au manoir, qu'il ne résulte pas d'une hallucination fiévreuse, que fallait-il en conclure? La peur de la nuit précédente s'était déjà évaporée, ne laissant derrière elle qu'un mauvais souvenir.

Noemí remonta sa manche gauche pour se gratter le poignet. La démangeaison devenait vraiment désagréable. La jeune femme se rendit compte qu'une bande de peau rougeâtre faisait le tour du poignet, comme une brûlure.

Le centre médical n'étant plus très loin, elle décida de rendre visite au docteur Camarillo. Par chance, le praticien n'avait aucune consultation en cours et mangeait une part de *torta* dans l'entrée, vêtu d'une simple veste droite en tweed. Lorsqu'il vit arriver Noemí, Julio Camarillo s'empressa de poser le dessert sur la table, puis de s'essuyer bouche et mains avec son mouchoir.

— Vous vous baladez? lui demanda-t-il.

— Plus ou moins. J'interromps votre petit déjeuner?

— Pas vraiment. Ce n'est pas très bon. J'ai fait la *torta* moi-même et je l'ai ratée. Comment va votre cousine? On lui a trouvé un spécialiste?

— À mon grand regret, son mari pense qu'Arthur Cummins est amplement suffisant.

— Si j'en parle avec lui, vous croyez que ça pourrait aider? Noemí secoua la tête.

— Honnêtement, ça ne ferait sans doute qu'empirer les choses.

— Dommage. Et vous, ça va?

— Eh bien… j'ai cette drôle de rougeur, répondit Noemí en montrant son poignet.

— Bizarre, admit Camarillo après examen. On dirait un contact avec de la *mala mujer*, sauf que ça ne pousse pas ici. Toucher les feuilles de cette plante, c'est le plus sûr moyen d'attraper une dermatite. Vous souffrez de certaines allergies?

— Pas du tout. Ma mère en est presque à se plaindre que je ne sois jamais malade. Elle prétend que, dans sa jeunesse, c'était très chic de faire une crise d'appendicite et que toutes les filles qui voulaient maigrir s'arrangeaient pour attraper un ver solitaire.

— C'est une vieille blague, le coup du ver solitaire, lui assura Camarillo.

— En tout cas, ça avait l'air assez horrible. Bon, je suis allergique à quelque chose ? Une plante locale ?

— Une telle réaction peut avoir de nombreuses causes. On va laver ça et passer une pommade. Venez dans mon bureau.

Noemí se lava les mains dans un petit lavabo installé dans un coin de la pièce. Camarillo lui appliqua de la pâte de zinc, banda le poignet meurtri et lui recommanda de ne pas se gratter le temps que le produit fasse effet. Charge à elle de changer le pansement dès le lendemain et d'en profiter pour remettre une couche de pâte.

— L'inflammation ne partira qu'au bout de quelques jours, ajouta-t-il en raccompagnant Noemí. Mais ça devrait avoir disparu dans une semaine. Revenez me voir si ce n'est pas le cas.

— Merci, dit-elle en rangeant le pot de pâte dans son sac à main. J'aurais une dernière question à vous poser : savez-vous ce qui peut provoquer une rechute de somnambulisme ?

— Une rechute ?

— Je faisais des crises quand j'étais gamine. Ça ne m'était plus arrivé depuis longtemps, mais j'en ai fait une la nuit dernière.

— Le somnambulisme est en effet plus courant chez les enfants. Vous prenez un nouveau médicament ?

— Non. Je vous rappelle que je ne suis jamais malade.

— Peut-être l'anxiété alors, suggéra Camarillo avec un gentil sourire.

— J'ai fait un rêve vraiment bizarre pendant ma crise, précisa-t-elle. Ce n'était pas comme ça dans mon enfance.

Un rêve bizarre et surtout morbide. De plus, la conversation avec Virgil n'avait guère apaisé cette sinistre impression. Noemí fronça les sourcils.

— Je crains d'avoir encore échoué à vous aider, lâcha Camarillo.

— Non, ne dites pas ça, se dépêcha-t-elle de rétorquer.

— Vous savez quoi ? Si ça recommence, venez me voir tout de suite. Et prenez soin de votre poignet.

— Je n'y manquerai pas.

Noemí s'arrêta ensuite dans l'un des magasins jouxtant la place centrale, afin de se ravitailler en cigarettes. Elle ne dénicha pas de *Lotería* et dut se rabattre sur un banal jeu de *naipes*. Coupes, deniers, bâtons et épées pour égayer la journée. Quelqu'un lui avait assuré qu'il était possible de lire l'avenir dans les cartes, mais Noemí préférait les utiliser pour jouer à des jeux d'argent avec ses amis.

Le propriétaire du magasin compta lentement la monnaie. Un vieillard, avec des lunettes dont l'un des verres était fissuré. Devant la vitrine, un chien à la peau jaunâtre buvait dans un bol sale ; Noemí lui grattouilla la tête en sortant.

Le bureau de poste se trouvait lui aussi sur la place. La jeune femme en profita pour envoyer une courte lettre à son père l'informant des dernières manœuvres à High Place : elle avait obtenu un second avis médical, de la part d'un docteur estimant que Catalina avait besoin d'un soutien psychiatrique. Pour ne pas inquiéter sa famille, Noemí ne mentionna pas le fait que Virgil rechignait à laisser quiconque examiner Catalina. Elle n'évoqua pas non plus ses cauchemars ni sa crise de somnambulisme ; à l'instar de sa démangeaison au poignet, il s'agissait de détails déplaisants mais superflus.

Une fois son devoir accompli, Noemí se planta au milieu de la place et étudia les divers magasins. Il n'y avait aucun marchand de glaces, aucun vendeur de souvenirs, aucune estrade permettant à des musiciens de se produire. Deux vitrines barrées de planches arboraient des écriteaux «À vendre». À part l'église, impressionnante, le reste des bâtiments faisait peine à voir. Un monde à la dérive. La ville ressemblait-elle déjà à cela à l'époque de Ruth? La pauvre fille avait-elle le droit de s'y rendre ou était-elle enfermée à High Place?

Noemí revint ensuite à l'endroit exact où Francis l'avait déposée. Son chauffeur arriva quelques minutes plus tard, alors que Noemí s'était assise sur un banc en fer forgé et s'apprêtait à allumer une cigarette.

— Vous êtes très ponctuel, lui dit-elle.

Il descendit de voiture et ôta son chapeau en feutre.

— Ma mère est très sévère avec les retardataires.

— Vous lui avez dit où nous étions?

— Je ne suis pas retourné au manoir. Sinon Virgil ou elle m'aurait demandé pourquoi je vous avais laissée seule.

— Vous vous êtes offert une balade en voiture, alors?

— C'est ça. Après, je me suis garé sous un arbre et j'ai fait la sieste. Et vous, vous avez eu un problème?

Francis désigna le bandage de Noemí.

— Une vilaine démangeaison, répondit-elle.

La jeune femme tendit la main afin qu'il l'aide à se relever, ce qu'il s'empressa de faire. Sans ses talons hauts, Noemí arrivait à peine aux épaules de Francis. Parfois, pour compenser une telle différence de taille, elle se dressait sur la pointe des pieds, ce qui lui avait valu d'être surnommée «la ballerine» par certaines de ses cousines. Pas par Catalina, qui n'aimait pas se moquer, alors que Marilulu ne ratait jamais une occasion. Par réflexe, elle se permit ce petit geste devant Francis, ce qui suffit à le troubler; il desserra la prise sur son chapeau, qu'un coup de vent emporta aussitôt.

— Non! s'exclama Noemí.

Ils s'élancèrent derrière le chapeau fugueur, le pourchassant sur deux pâtés de maisons avant que Noemí parvienne à s'en saisir. Ce qui, avec sa jupe serrée et ses bas, s'avéra un bel exploit. Le chien jaunâtre du magasin se réjouit du spectacle, aboya en direction de Noemí et vint lui tourner autour. Elle pressa le chapeau contre sa poitrine.

— Eh bien, on dirait que j'ai fait ma gymnastique de la journée, gloussa-t-elle.

Francis semblait s'amuser lui aussi, la regardant avec une gaieté inhabituelle. L'air mélancolique et résigné qu'il arborait d'ordinaire, étrange pour un homme de son âge, avait cédé sous la double action du soleil de midi et de joues rougies par la course. Francis n'était pas aussi séduisant que Virgil, loin de là : il avait la lèvre supérieure trop fine, les sourcils trop arqués et les paupières trop épaisses. Mais Noemí lui trouvait quand même un certain charme.

Sa bizarrerie le rendait touchant.

La jeune femme lui redonna son chapeau, qu'il fit tourner doucement entre ses doigts.

— Quoi ? demanda-t-il d'une voix timide lorsqu'il vit Noemí l'observer.

— Vous ne comptez pas me remercier, cher monsieur ? Pour le chapeau ?

— Merci.

— Ballot, va, dit-elle en l'embrassant sur la joue.

Elle crut un instant que Francis allait encore lâcher son chapeau, initiant ainsi une nouvelle course-poursuite, mais il parvint à le garder en main et même à sourire sur le chemin de la voiture.

— Vous avez fait toutes vos commissions ? s'enquit-il.

— Oui. La poste, le docteur. J'ai aussi discuté de High Place avec quelqu'un. À propos de ce qui s'y est passé. À propos de Ruth.

Noemí ne cessait d'y repenser alors qu'elle n'avait aucune raison de s'inquiéter de meurtres perpétrés des décennies plus tôt. Impossible de se retenir, pourtant. Il fallait qu'elle en parle. Et quel meilleur interlocuteur que Francis ?

Celui-ci se tapota la jambe avec le chapeau.

— Que vous a-t-on dit ?

— Qu'elle voulait s'enfuir avec son amant. Mais qu'au lieu de ça, elle avait abattu une bonne partie de sa famille. Je ne comprends pas son geste. Pourquoi ne pas partir, simplement ?

— On ne part pas de High Place.

— Qu'est-ce qui l'en empêchait ? C'était une femme adulte.

— Vous aussi, vous êtes une femme adulte. Pouvez-vous faire tout ce que vous voulez ? Quitte à mettre votre famille en colère ?

— Techniquement, oui, même si j'y réfléchis souvent à deux fois.

Noemí imagina son père rendu fou par un scandale éclaboussant les siens dans les colonnes mondaines des journaux. Oserait-elle vraiment prendre le risque d'une rébellion ouverte contre sa famille ?

— Ma mère a quitté High Place, dit Francis. Elle s'est mariée, puis elle est revenue. On ne s'échappe pas du manoir. Ruth le savait très bien. C'est ce qui l'a poussée à agir ainsi.

— Vous semblez presque fier d'elle, s'étonna Noemí.

Francis coiffa son chapeau et la contempla d'un air grave.

— Pas du tout. Mais, pour être honnête, je pense que Ruth aurait dû réduire High Place en cendres.

L'affirmation était tellement incroyable que Noemí crut avoir mal entendu. Elle aurait même pu s'en convaincre si Francis ne l'avait pas ramenée au manoir dans un silence tendu qui accréditait la terrible sentence. Tout au long du trajet, Noemí resta tournée vers la vitre, sa cigarette toujours éteinte, observant les arbres et la lumière filtrant à travers leurs branches.

Chapitre 13

Noemí décida qu'il était grand temps d'organiser une mini « nuit casino ». Elle avait toujours adoré ces soirées : les enfants revêtaient de vieux habits sortis des malles des grands-parents, s'attablaient dans la salle à manger et se prenaient pour des millionnaires jouant gros à Monte-Carlo ou à La Havane. Personne ne manquait à l'appel parmi les cousins et cousines Taboada, même ceux un peu trop âgés pour se déguiser. Au son d'une musique entraînante distillée par le tourne-disque, ils tapaient du pied par terre et se concentraient sur leurs cartes. Difficile d'en faire autant à High Place, faute de musique, mais Noemí était sûre de pouvoir recréer *a minima* l'esprit de l'événement.

Elle mit le jeu de cartes dans une poche, la bouteille de remède dans l'autre, puis alla passer la tête à la porte de Catalina. Sa cousine était seule et réveillée. Parfait.

— J'ai un cadeau pour toi, annonça Noemí.

Catalina, assise près de la fenêtre, se tourna vers la visiteuse.

— Ah oui ?

— Tu dois choisir – poche gauche ou poche droite – pour avoir ta récompense, expliqua-t-elle en s'approchant.

— Et si je me trompe ?

Les cheveux de Catalina lui tombaient loin sous les épaules car elle n'appréciait guère les coupes courtes. Heureusement pour Noemí qui, gamine, se plaisait à les brosser et les tresser ; d'une patience d'ange, Catalina se prêtait à ces jeux telle une poupée vivante.

— Tu ne sauras jamais ce qu'il y avait dans l'autre poche.

— Vilaine fille, dit Catalina en souriant. D'accord, je veux bien jouer. À droite.

— Bingo !

Noemí posa le paquet de cartes sur les genoux de Catalina, qui l'ouvrit puis sourit de nouveau en tirant une carte au hasard.

— Ça te dit de jouer quelques mains ? demanda Noemí. Peut-être te laisserai-je même gagner la première.

— Toi ? La plus mauvaise perdante que je connaisse ? De toute façon, Florence nous défendra de jouer tard.

— On peut au moins commencer.

— Je n'ai pas un sou à parier. Et je sais bien que tu ne joues pas pour rien.

— Tu t'inventes des excuses, là. As-tu donc si peur de la terrible Florence ?

Catalina se leva d'un geste vif et se plaça devant la coiffeuse, posant les cartes près d'une brosse à cheveux puis inclinant la glace pour mieux se voir.

— Non, pas du tout, dit-elle en se passant deux coups de brosse.

— Ravie de l'apprendre. Parce que j'ai un autre cadeau pour toi, mais je ne veux pas le donner à une poule mouillée.

Noemí sortit la bouteille verte de sa poche gauche. Les yeux de Catalina brillèrent de mille éclats tandis qu'elle s'emparait du précieux objet avec des gestes précautionneux.

— Tu as réussi…

— Je te l'avais promis, non ?

— Tu es vraiment merveilleuse, merci, merci, dit Catalina en prenant sa cousine dans ses bras. Je devrais pourtant savoir que tu ne me laisseras jamais tomber. On croit que les monstres et les fantômes n'existent que dans les livres, mais c'est faux, n'est-ce pas?

Elle lâcha Noemí et ouvrit un tiroir. Elle en tira deux mouchoirs ainsi qu'une paire de gants blancs avant de trouver enfin ce qu'elle cherchait : une petite cuillère en argent. Après quoi, les doigts tremblants, elle se versa une dose de remède, puis deux, puis trois. Noemí l'arrêta à la quatrième, lui prenant bouteille et cuillère pour les mettre sur la coiffeuse.

—Du calme, n'en avale pas tant, la réprimanda Noemí. Marta a dit d'en prendre une cuillerée à la fois, que ça suffisait largement. Je ne veux pas que tu t'effondres pour ronfler pendant dix heures avant qu'on ait réussi à jouer une main.

—Oui, tu as raison, bien sûr, admit Catalina en souriant faiblement.

—Je mélange ou tu t'en charges?

—Je m'en occupe.

Catalina posa une main sur le paquet de cartes. Elle se figea un instant, puis releva la main, les doigts juste au-dessus du paquet. Elle écarquilla les yeux, lèvres serrées. Elle semblait saisie d'une sorte de transe.

—Catalina? Ça va? Tu veux t'asseoir?

La cousine de Noemí ne répondit pas. Cette dernière l'attrapa doucement par le bras afin de la tirer vers le lit, mais impossible de la faire bouger. Catalina ferma les poings tandis qu'elle continuait à regarder droit devant elle. Noemí aurait aussi bien pu essayer de déplacer un éléphant : sa cousine paraissait gelée sur place.

—Catalina, tu devrais…

Noemí entendit un gros craquement – elle pensa avec angoisse à une articulation – puis Catalina se mit à trembler. Une première secousse la parcourut littéralement de la tête aux pieds avant que les tremblements se déchaînent et se changent en convulsions.

Catalina se pressa les mains sur l'estomac et secoua la tête. Un cri horrible s'échappa de ses poumons.

Noemí tenta d'agripper sa cousine, de la traîner vers le lit, mais Catalina se révéla trop forte. Incroyablement forte pour un corps d'apparence si frêle. Les deux femmes finirent par trébucher et tomber à terre. La bouche de Catalina ne cessait de s'ouvrir, de se fermer, bras et jambes s'agitant au rythme des spasmes. Un filet de salive coula entre ses lèvres.

—Au secours ! cria Noemí. Au secours !

Elle avait été en classe avec une épileptique et, même si cette fille n'avait jamais subi de crise à l'école, Noemí l'avait entendue dire qu'elle gardait toujours un petit bout de bois dans son sac à main pour le mordre en cas de pépin.

La crise de Catalina semblait encore empirer, idée inconcevable quelques secondes auparavant. Noemí récupéra la cuillère en argent sur la coiffeuse et l'inséra dans la bouche de sa cousine afin que celle-ci ne se morde pas la langue. Elle bouscula au passage le paquet de cartes, qui tomba et se répandit au sol. Le valet de denier jeta un regard accusateur à la jeune femme.

Noemí bondit dans le couloir et hurla à pleins poumons :

—Au secours !

Personne n'avait donc entendu le vacarme ? Elle courut, frappa à toutes les portes, criant encore et encore. Francis apparut enfin, suivi de près par Florence.

—Catalina fait une crise, leur dit-elle.

Ils rebroussèrent chemin jusqu'à la chambre. Catalina était toujours par terre, agitée d'affreux tremblements. Francis s'empressa de la redresser en position assise, puis l'entoura de ses bras pour contenir les secousses. Noemí s'avança pour aider à la tâche, mais Florence lui bloqua le passage.

—Sortez d'ici, ordonna-t-elle.

—Je veux juste…

— Dehors, dehors, lui lança Florence en la repoussant jusqu'au seuil.

Florence lui claqua la porte au nez. Noemí tapa dessus, furieuse, mais personne ne lui ouvrit. Elle captait des murmures dans la pièce, parfois un mot ou deux. Impuissante, elle dut se résoudre à marcher de long en large dans le couloir.

Lorsque Francis finit par ressortir, il se dépêcha de fermer la porte derrière lui. Noemí se précipita à sa rencontre.

— Qu'est-ce qui se passe ? Comment va-t-elle ?

— Elle est dans son lit, répondit-il. Je vais chercher le docteur Cummins.

Francis se dirigea vers l'escalier. Noemí peina à le suivre, devant faire deux pas lorsqu'il n'en faisait qu'un.

— Je viens aussi.

— Non.

— Mais je veux me rendre utile…

Francis s'arrêta, secoua la tête et prit doucement les mains de Noemí dans les siennes.

— Si vous venez, ce sera encore pire, l'assura-t-il avec calme. Allez vous reposer au salon et je vous y retrouve dès mon retour. Ça ira vite.

— Promis ?

— Promis.

Francis dévala l'escalier à toute allure. Elle fit de même puis, une fois en bas, s'enfouit le visage dans ses mains. Lorsqu'elle pénétra dans le salon, elle pleurait à chaudes larmes ; elle s'assit lourdement sur le tapis en serrant les poings de désespoir. De longues minutes s'écoulèrent. Au final, Noemí s'essuya le nez dans sa manche avant d'éponger les larmes avec les paumes de ses mains. Elle se remit debout. Patienta.

Francis avait menti. L'attente dura longtemps. Pis encore, lorsqu'il revint, ce fut en compagnie de Florence et du docteur

Cummins. Au moins la jeune femme avait-elle eu le temps de se donner une contenance.

— Comment va-t-elle ? demanda Noemí en s'avançant vers le médecin.

— Elle s'est endormie. La crise est passée.

— Dieu merci, lâcha Noemí en s'effondrant dans un canapé. Je ne comprends pas ce qui a bien pu se passer.

— Ce qui s'est passé, c'est *ça*, dit Florence d'une voix sévère en brandissant la bouteille fournie par Marta Duval. Où l'avez-vous trouvée ?

— C'est un remède pour mieux dormir.

— Votre remède l'a rendue malade.

— Non, non. (Noemí secoua la tête.) Elle disait qu'elle en avait besoin.

— Êtes-vous diplômée en médecine ? s'enquit Cummins sur un ton lourd de reproches.

Noemí sentit sa bouche s'assécher.

— Non, mais…

— Donc vous ignorez bel et bien ce que contient cette bouteille ?

— Comme je viens de vous l'expliquer, Catalina m'a dit qu'elle avait besoin de quelque chose pour l'aider à dormir. Elle m'a demandé d'aller chercher ce produit en ville. Elle l'avait déjà pris, donc ça n'a pas pu la rendre malade.

— C'est pourtant le cas, affirma le praticien.

— Une teinture d'opium, voilà ce que vous avez administré à votre cousine, assena Florence en pointant un doigt accusateur.

— Jamais de la vie !

— C'était une mauvaise idée, une très mauvaise idée, marmonna Cummins. Je n'arrive même pas à imaginer ce qui a pu vous pousser à lui fournir une telle potion. En plus, vous lui avez mis cette cuillère dans la bouche… Encore cette rumeur absurde sur les gens qui avalent leur langue, n'est-ce pas ?

—Je...

—Où vous êtes-vous procuré cette teinture ? l'interrompit Florence.

« Ce qui compte, c'est que tu y ailles sans en parler à personne », lui avait bien indiqué Catalina. Aussi Noemí exclut-elle de répondre à la question, même si mentionner Marta Duval aurait peut-être allégé son sentiment de culpabilité. Elle agrippa d'une main le dossier du canapé et y enfonça les doigts.

—Vous auriez pu la tuer, lâcha Florence.

—Non !

Noemí avait de nouveau envie de pleurer, mais refusait de se laisser aller en public. Francis s'était glissé derrière le canapé ; Noemí sentit une main se poser en douceur sur la sienne. Ce petit réconfort suffit à lui donner le courage de se taire lorsque Cummins l'interrogea à son tour :

—Qui vous a vendu cette potion ?

Noemí soutint les regards réprobateurs, ses doigts serrant toujours le tissu du canapé.

—Je devrais vous gifler, dit Florence. Ôter ce sale air irrespectueux de votre visage.

Florence fit un pas en avant. Comptait-elle mettre sa menace à exécution ? Noemí repoussa la main de Francis, prête à se lever si besoin.

—Docteur, dit Virgil, je vous serais reconnaissant de bien vouloir aller examiner mon père. Toute cette agitation l'a angoissé.

Il s'était introduit discrètement dans la pièce et avait parlé d'une voix très calme ; il se dirigea ensuite vers le buffet, puis étudia une carafe comme s'il s'apprêtait à se servir tranquillement un verre d'alcool.

—Oui, répondit le médecin. Oui, bien sûr.

—Allez-y avec Florence. Je voudrais parler à Noemí seul à seule.

—Je ne...

Virgil interrompit aussitôt sa cousine :

—Je voudrais rester seul avec elle, dit-il sur un ton soudain cassant.

Cummins et Florence quittèrent le salon, le premier en balbutiant trois mots, la seconde dans un silence de mort. Francis fut le dernier à partir ; il ferma les portes derrière lui après avoir jeté un regard nerveux à Noemí.

Virgil se servit en effet un verre, remua lentement le liquide, puis s'assit à côté de Noemí sur le canapé. Leurs jambes se frôlèrent.

—Catalina vous avait décrite comme une femme obstinée, mais je n'avais pas encore compris à quel point, dit-il en posant son verre sur une desserte rectangulaire. Mon épouse est un petit animal chétif comparée à vous.

Il s'était exprimé avec une telle insouciance que Noemí en écarquilla les yeux de surprise. Comme si tout cela n'était qu'un jeu. Comme si elle n'était pas au supplice en songeant à Catalina.

—Un peu de respect, lâcha-t-elle.

—Il me semble que c'est à quelqu'un d'autre ici de montrer du respect. Vous êtes dans ma maison.

—Désolée.

—Non, vous n'êtes pas « désolée ».

Elle échoua à déchiffrer l'expression de Virgil. Peut-être s'agissait-il de mépris.

—Bien sûr que si ! s'écria-t-elle. Mais j'essayais d'aider Catalina.

—D'une drôle de façon. À présent, j'exige que vous cessiez de la déranger.

—Comment ça, je la « dérange » ? Elle est contente de me voir. Elle me l'a dit.

—Vous la faites examiner par un étranger. Après, vous lui donnez du poison.

—Pitié ! s'emporta Noemí en se levant.

Virgil la saisit par le poignet et la força à se rasseoir. C'était le poignet bandé : le contact arracha une grimace de douleur à la

170

jeune femme. Avec un sourire en coin, Virgil tira sur la manche et révéla le bandage.

—Lâchez-moi.

—L'œuvre du docteur Camarillo? Comme la teinture, peut-être? C'est lui?

—Ne me touchez pas!

Mais Virgil n'obéit pas. Au contraire, il resserra sa prise et se pencha vers Noemí. Si elle avait déjà comparé Howard à un insecte et Florence à une plante carnivore, elle voyait désormais Virgil Doyle en carnassier, un animal haut placé dans la chaîne alimentaire.

—Florence a raison, marmonna-t-il. Vous méritez une bonne gifle, une bonne leçon.

—Si quelqu'un reçoit une gifle dans cette pièce, je vous jure que ce ne sera pas moi.

Virgil rejeta la tête en arrière et partit d'un rire énorme, sauvage, tout en tâtonnant en quête de son verre. Quelques gouttes de liqueur se répandirent sur la desserte. Le rire tonitruant effraya Noemí mais, au moins, Virgil l'avait lâchée.

—Vous êtes fou, dit-elle en se frottant le poignet.

—Fou d'inquiétude, en effet. (Il avala la boisson d'un trait. Au lieu de reposer le verre sur la desserte, il le lança par terre. Le verre ne cassa pas, se contentant de rouler sur le tapis. Mais qu'aurait-elle eu à dire s'il avait volé en éclats? C'était le verre de Virgil, qui avait donc le droit de le briser. Comment tout ce qui se trouvait dans ce manoir.) Croyez-vous être la seule personne à se tourmenter pour Catalina? Sans doute que oui. Quand vous avez reçu sa lettre, avez-vous pensé: *Voici venu le moment de l'arracher à ce gêneur*? À présent, vous vous dites que vous aviez raison, que je suis un méchant homme.

» Je sais que votre père désapprouvait ce mariage. Alors qu'à l'époque de la mine, il aurait été ravi de me voir épouser Catalina. En ce temps-là, j'aurais trouvé grâce à ses yeux, il ne m'aurait pas considéré comme du menu fretin. Ça doit encore bien l'agacer – et vous aussi – que Catalina m'ait choisi. Mais sachez que je ne suis pas un gigolo ni un coureur de dot. Je suis un Doyle. Vous feriez bien de vous en souvenir.

— Je ne sais même pas pourquoi vous me racontez tout ça.

— Parce que vous m'estimez incapable de veiller sur ma femme, au point de vous mettre en tête de gérer vous-même son traitement. Vous trouvez les soins que je lui procure si atroces que vous en arrivez à lui faire avaler n'importe quoi derrière mon dos. De plus, vous supposiez sans doute que personne ne s'en apercevrait. Mais rien de ce qui se passe au manoir ne nous échappe.

— Elle m'a demandé ce remède, dit Noemí. Je viens de l'expliquer à votre cousine et au docteur : j'ignorais qu'il produirait cet effet.

— Vous ignorez beaucoup de choses, mais vous agissez comme si vous saviez tout. Vous n'êtes qu'une petite fille gâtée qui fait souffrir ma femme.

Virgil avait prononcé la dernière phrase avec rudesse. Il se leva, ramassa le verre et le posa sur le manteau de la cheminée. Noemí se sentait brûler à la fois de colère et de honte. Elle détestait la manière dont Virgil lui parlait, détestait chaque détail de cette conversation. Mais n'avait-elle pas commis une grossière erreur ? N'avait-elle pas mérité une réprimande ? Ses pensées s'emmêlaient. Des larmes lui montèrent de nouveau aux yeux en songeant à la pauvre Catalina.

Virgil dut noter son trouble, à moins qu'il en ait simplement fini avec les reproches, car sa voix se fit moins dure :

— Ce soir, vous avez failli faire de moi un veuf, Noemí. Vous m'excuserez si je ne me montre guère affable. Je crois que je vais aller me coucher. La journée a été longue.

En effet, Virgil avait l'air fatigué, pour ne pas dire épuisé. Ses yeux bleus brillaient d'une lueur fiévreuse. Noemí se sentit d'autant plus mal.

—Je vous demande de laisser le docteur Cummins soigner Catalina, reprit-il. Je vous demande aussi de ne plus apporter de prétendus « remèdes » au manoir. Vous m'écoutez ?

—Je vous écoute.

—Suivrez-vous ces deux instructions élémentaires ?

Noemí serra les poings. Elle avait l'impression de retomber en enfance.

—Oui.

Virgil fit un pas dans sa direction et la dévisagea, comme pour déceler un mensonge au fond de ses yeux. Mais il n'y avait rien de tel à voir. Elle avait acquiescé en toute honnêteté. Pourtant il s'approcha encore, étudiant les traits de Noemí tel un scientifique avide de ne rien manquer d'un étrange organisme.

—Merci, dit-il enfin. Il y a bien des choses que vous ne pouvez pas comprendre. Laissez-moi juste vous assurer que j'accorde la plus haute importance au bien-être de Catalina. Vous lui avez fait du mal, donc vous m'en avez fait aussi.

Noemí détourna le regard. Elle crut que Virgil allait partir, mais il s'attarda près d'elle. Puis, une petite éternité plus tard, il quitta la pièce.

Chapitre 14

« D ans un sens, tous les rêves prédisent l'avenir, mais certains plus clairement que d'autres. »

Noemí entoura le mot « rêves » d'un trait de crayon. D'ordinaire, elle adorait annoter ses livres d'anthropologie, se plonger dans la densité luxuriante des paragraphes, dans la jungle des notes de bas de page. Mais cette fois, elle ne parvenait pas à se concentrer. Elle appuya le menton sur le dos de sa main et mordilla le crayon.

Elle attendait depuis des heures, cherchant désespérément des livres à livre, des activités susceptibles de la distraire. Elle jeta un coup d'œil à sa montre et soupira. Il n'était même pas 17 heures.

Elle avait voulu parler à Catalina tôt dans la matinée, mais Florence lui avait dit que sa cousine se reposait. Noemí avait réessayé à midi, avec le même résultat ; Florence lui avait alors bien fait comprendre que la patiente ne recevrait pas de visite avant la soirée.

Malgré sa hâte, la jeune femme ne devait pas tenter de se faufiler jusqu'à la chambre. Les Doyle la mettraient définitivement à l'écart si elle s'y aventurait. D'autant que Virgil avait raison : elle s'était mal comportée et en éprouvait une grande honte.

Noemí aurait tant aimé disposer d'une radio. Elle avait besoin de musique, de conversation. Elle repensa aux fêtes auxquelles elle participait avec ses amis, appuyée sur un piano, cocktail en main. Sans oublier ses cours à l'université et les longues discussions qui s'ensuivaient dans les cafés du centre-ville. À présent, il ne lui restait qu'un manoir silencieux et un cœur angoissé.

« ... les rêves impliquant des fantômes, non traités dans cet ouvrage, informent le dormeur de ce qui se produit dans le monde des morts. »

Noemí ferma le livre et posa le crayon dessus. Les Azandé ne lui étaient d'aucun secours ; ils ne lui offraient pas la diversion voulue. Le visage de sa cousine ne cessait de lui revenir en tête. Les tremblements, les convulsions. L'ensemble de ce terrible épisode.

Elle enfila un chandail – celui que Francis lui avait donné – et sortit du manoir. Elle avait pensé s'arrêter aussitôt pour fumer une cigarette mais, une fois dans l'ombre du bâtiment, décida de se mettre d'abord à distance. Le manoir était trop hostile, trop froid ; elle n'avait aucune envie de parader sous les fenêtres qui évoquaient des yeux inquisiteurs privés de paupières. Elle emprunta donc le chemin serpentant en direction du cimetière.

Deux, trois, quatre pas, elle eut l'impression d'atteindre le portail en un rien de temps. Malgré sa première expérience traumatisante de la brume, elle ne s'inquiéta pas un seul instant de ce qu'elle ferait si elle venait à se perdre de nouveau.

En réalité, une partie d'elle-même souhaitait ardemment se perdre.

Catalina. Elle avait fait du mal à Catalina et ne savait même pas dans quel état se trouvait sa cousine à l'heure actuelle. Elle n'avait pas vu Virgil ; Florence ne voulait rien lui dire. Même si, dans le cas de Virgil, elle ne tenait guère à croiser sa route.

Il s'était montré abominable à son égard.

« *Ce soir, vous avez failli faire de moi un veuf, Noemí.* »

Elle ne l'avait pas fait exprès! Mais, finalement, quelle importance? Seuls comptaient les actes. Une affirmation que son père ne manquerait pas d'approuver, ce qui rendit Noemí d'autant plus honteuse. On l'avait envoyée à High Place pour résoudre un problème, pas pour en créer de plus importants. Catalina était-elle fâchée? Que Noemí lui dirait-elle au moment de leurs retrouvailles? Toutes mes excuses, chère cousine, j'ai été à deux doigts de t'empoisonner mais tu as vraiment meilleure mine?

Noemí déambula parmi tombes, mousses et fleurs sauvages, la tête baissée, enroulée dans les plis du chandail. Elle aperçut bientôt le mausolée orné de la statue d'Agnes. Le visage et les mains de pierre étaient parsemés de minuscules champignons noirs.

La jeune femme s'était demandé s'il existait une plaque honorant la défunte. Il y en avait bien une, en bronze, que Noemí avait ratée lors de sa première visite même si elle pouvait difficilement se le reprocher vu les hautes herbes qui la dissimulaient.

Agnes Doyle. Mère. 1885. Voilà tout ce que Howard avait choisi d'inscrire en mémoire de sa première épouse. Le patriarche avait affirmé l'avoir très peu connue car elle était morte moins d'un an après leur mariage; néanmoins, cela paraissait bizarre de faire sculpter une statue à son effigie sans l'accompagner d'une meilleure épitaphe.

L'unique mot associé à Agnes gênait également Noemí. *Mère.* Alors qu'elle avait cru comprendre que les enfants de Howard Doyle étaient issus de son second mariage. Dès lors, pourquoi un tel qualificatif? Mais Noemí songea qu'elle se posait trop de questions. Dans le mausolée, où reposait le corps d'Agnes, se trouvait sans doute une autre plaque avec une épitaphe plus détaillée. Même si cet étrange détail demeurait aussi perturbant qu'un mauvais pli ou une grosse tache sur une nappe de gala.

Noemí s'assit devant la statue et joua avec un brin d'herbe. Quelqu'un prenait-il la peine de mettre des fleurs dans le mausolée ou sur l'une des tombes? Se pouvait-il que toutes les familles des gens enterrés ici aient quitté la région? À bien y réfléchir, la plupart des Anglais étaient venus seuls et n'avaient donc personne pour prendre soin de leur sépulture. Quant aux tombes anonymes des ouvriers locaux, elles ne risquaient pas de se voir fleuries.

Si Catalina meurt, on l'enterrera ici et personne ne fleurira sa tombe.

Quelle idée horrible. Mais Noemí n'était-elle pas une personne *horrible*? Elle lâcha le brin d'herbe et inspira profondément. Il régnait un silence absolu dans le cimetière. Pas un chant d'oiseau dans les arbres, pas un bourdonnement d'insecte. Tout semblait étouffé. Comme au fond d'un grand puits, masse de terre et de pierre isolant du reste du monde.

Le crissement d'une paire de bottes sur l'herbe rompit ce silence impitoyable. Noemí tourna la tête et découvrit Francis, mains enfoncées dans les poches de son épaisse veste en velours côtelé. Comme souvent, il offrait l'aspect d'un homme fragile, évanescent. Il n'y avait que ce cimetière, avec ses saules pleureurs et ses bancs de brume, pour lui apporter un minimum de consistance. Noemí se dit qu'en ville, il serait terrorisé par le moindre coup de Klaxon, le moindre rugissement de moteur. «Brisé», plutôt. Tel un vase en porcelaine de Chine projeté contre un mur. Mais elle se réjouissait quand même de sa présence, fragile ou pas. Il rentra les épaules en approchant.

— Je me disais que vous seriez peut-être là.

— En route pour une nouvelle cueillette de champignons?

Noemí se redressa et se força à maîtriser sa voix. Elle avait failli fondre en larmes devant lui la veille au soir: hors de question de se laisser aller maintenant.

— Je vous ai vue sortir du manoir, avoua Francis.

— Vous vouliez me dire quelque chose?

— Mon vieux chandail… C'est vous qui le portez.

Elle fronça les sourcils, étonnée d'une telle réponse.

— Je dois vous le rendre ?

— Pas du tout.

Noemí remonta les manches trop longues et haussa les épaules. Dans d'autres circonstances, elle aurait utilisé cette drôle d'entrée en matière pour flirter un peu. Elle aurait lancé quelques piques à Francis, se serait amusée de le voir rougir. Mais elle se contenta d'arracher une poignée de brins d'herbe. Le jeune homme s'assit à côté d'elle.

— Ce n'est pas votre faute, assura-t-il.

— Vous êtes bien le seul à penser ça. Votre mère ne veut même pas me dire si Catalina est réveillée. Virgil rêve de m'étrangler et je ne serais pas surprise que votre oncle Howard y songe aussi.

— Catalina s'est réveillée un petit moment, avant de se rendormir. On lui a donné du bouillon. Ça va aller.

— Je n'en doute pas, marmonna-t-elle.

— Quand je dis que ce n'est pas votre faute, je le pense vraiment, affirma-t-il en posant une main sur l'épaule de Noemí. S'il vous plaît, regardez-moi. Ce n'est *réellement* pas votre faute. Ce n'est même pas la première fois que ça se produit.

— Hein ?

Leurs regards se croisèrent. Francis prit un brin d'herbe à son tour et le roula entre ses doigts.

— Qu'est-ce que vous voulez dire ? insista-t-elle en lui arrachant le brin d'herbe.

— Elle a absorbé cette teinture… alors qu'elle y avait déjà réagi.

— Vous m'expliquez qu'elle s'était déjà rendue malade de cette façon ? Donc qu'hier, elle a tenté de se suicider ? Nous sommes catholiques. C'est un péché. Elle ne ferait jamais –*jamais*– une chose pareille.

— Je ne pense pas qu'elle veuille mourir. Je vous en parle parce que vous croyez avoir mal agi envers elle alors que c'est faux.

Catalina est très malheureuse. Il faut l'emmener loin d'ici immédiatement.

— Virgil ne m'y autorisait déjà pas avant, alors je vous laisse imaginer aujourd'hui. Elle est enfermée, n'est-ce pas? Il n'y a pas d'autre mot. Je ne peux même pas la voir deux minutes. Votre mère est furieuse contre moi et...

— Vous devez partir, lâcha-t-il brusquement.

— Pas question !

Elle imagina d'abord l'immense déception de son père. Il l'avait envoyée en mission afin d'obtenir des réponses, d'éviter un éventuel scandale, et voilà qu'elle oserait revenir les mains vides? Leur marché serait rompu : pas de maîtrise pour elle, ni maintenant ni plus tard. Mais, surtout, elle détestait sentir le goût de l'échec dans sa bouche.

De plus, il lui était impossible d'abandonner Catalina, qui avait peut-être besoin d'elle. Elle aurait fait du mal à sa cousine avant, de surcroît, de prendre la fuite à toutes jambes? La laissant souffrir seule?

— Elle est de ma famille, dit Noemí. Je dois rester à son côté.

— Même si vous ne pouvez rien faire pour elle?

— Qu'est-ce que vous en savez?

— Cet endroit n'est pas bon pour vous, assena Francis.

— Ils vous ont chargé de me chasser? lui demanda-t-elle en se levant d'un bond, courroucée par ce qui ressemblait à un ordre. Vous essayez de vous débarrasser de moi? Vous ne m'aimez pas, vous non plus?

— Je vous aime beaucoup et vous le savez très bien, répondit-il en glissant de nouveau les mains dans ses poches, les yeux baissés.

— Alors vous allez me conduire en ville tout de suite.

— Pour quoi faire?

— Je veux savoir ce qu'il y a dans cette teinture.

— Ça ne vous apportera rien.

— Pas grave, je veux y aller quand même. Vous m'emmenez?

—Pas aujourd'hui.

—Demain, donc.

—Plutôt après-demain. Peut-être.

—Et pourquoi pas dans un mois ? rétorqua-t-elle avec colère. Si vous n'avez pas envie de m'aider, j'irai en ville à pied.

Noemí voulut s'éloigner d'un pas vif et ne réussit qu'à trébucher. Francis tendit le bras pour la rattraper ; il soupira lorsque les doigts de la jeune femme s'agrippèrent à sa manche.

—J'ai très envie de vous aider. Je suis juste épuisé. Nous le sommes tous. (Il secoua la tête.) Oncle Howard n'arrête pas de nous réveiller la nuit.

Il avait les joues creusées, de gros cernes presque violets sous les yeux. Une fois de plus, Noemí eut l'impression d'être affreusement égoïste. Elle ne s'intéressait qu'à elle-même et ne prenait pas le temps de se dire que les habitants de High Place avaient leurs propres problèmes. Par exemple, Francis pouvait être appelé en pleine nuit au chevet de son oncle malade. Noemí se le représenta tenant une lampe à pétrole tandis que Florence apposait des compresses froides sur le visage du vieillard. À moins que d'autres tâches lui soient dévolues : Virgil et Francis dévêtant le corps décharné de Howard Doyle, puis lui appliquant des onguents dans une pièce close sentant déjà la mort.

Noemí porta les mains à sa bouche en se rappelant cet horrible cauchemar dans lequel le vieillard blême tendait les bras vers elle.

—Virgil m'a dit qu'il souffrait d'une ancienne blessure. De quel genre ?

—Des ulcères incurables. Mais ça ne le tuera pas. Rien ne peut le tuer. (Francis laissa échapper un drôle de ricanement puis leva les yeux vers la statue d'Agnes.) Je vous emmènerai en ville tôt demain matin avant que les autres se lèvent. Avant le petit déjeuner, comme la dernière fois. Si par hasard vous preniez vos valises avec vous…

— Il faudra trouver mieux pour m'obliger à partir, rétorqua-t-elle.

Ils regagnèrent le portail d'un pas lent. Noemí effleura du bout des doigts le sommet des pierres tombales. Ils passèrent à proximité d'un chêne mort tombé à terre, des touffes de champignons couleur miel poussant sur l'écorce en décomposition. Francis se pencha pour caresser les chapeaux, de la même façon que Noemí avec les pierres tombales.

— Qu'est-ce qui rend Catalina si malheureuse ? lui demanda-t-elle. Elle était ravie de se marier. Bêtement ravie, dirait mon père. Virgil se montre-t-il cruel à son égard ? La nuit dernière, il m'a parlé très durement.

— C'est le manoir, murmura Francis. Il n'est pas bâti pour l'amour.

Le portail et ses serpents étaient en vue. Les ouroboros, projetant leur ombre au sol.

— L'amour trouve sa place partout, protesta Noemí.

— Pas ici. Pas chez nous. Remontez deux, trois générations en arrière, aussi loin que possible. Aucune trace d'amour. Notre famille en est incapable.

Les doigts de Francis se refermèrent sur le fer forgé du portail. Il s'immobilisa un instant, tête basse, avant d'ouvrir le battant pour Noemí.

Cette nuit-là, elle fit un autre rêve bizarre. Elle ne le qualifia même pas de cauchemar car elle s'y sentit très calme. Presque hébétée.

Le manoir s'était de nouveau métamorphosé mais, cette fois, pas en une masse de chair et de tendons. Noemí marchait sur un tapis de mousse ; fleurs et vignes couvraient les murs tandis que d'épais amas de champignons brillaient d'une lueur jaune pâle, éclairant sol et plafond. Comme si la forêt s'était introduite dans le manoir en pleine nuit, puis était ressortie en y laissant une partie d'elle-même. Noemí descendit l'escalier en frôlant de la main une rampe parsemée de fleurs.

Elle parcourut ensuite un couloir où des touffes de champignons lui arrivaient jusqu'aux cuisses. Sur les murs, des rideaux de feuilles dissimulaient les portraits.

Dans ce rêve, Noemí savait où elle allait. Aucun portail en fer forgé ne l'accueillit à l'entrée du cimetière, mais pourquoi y en aurait-il eu un? Le songe se déroulait avant l'époque des tombes, lorsqu'il s'agissait encore de créer un beau jardin anglais plein de roses.

Un jardin où aucune fleur ne poussait pour l'instant car aucun plant n'avait pris racine. L'endroit était paisible, à l'orée de la forêt de pins, la brume enveloppant rochers et arbustes.

Noemí entendit soudain des voix, puis un cri perçant. Mais le paysage était si calme qu'il la calmait en retour. Même lorsque les cris devinrent plus aigus, plus intenses, elle n'éprouva aucune peur.

Elle déboucha dans une clairière et y découvrit une femme allongée par terre. Le ventre énorme, distendu, elle semblait en plein travail, ce qui expliquait les cris. Plusieurs femmes l'assistaient, la tenant par la main, ôtant les cheveux humides de son front ou lui murmurant à l'oreille. Des hommes se trouvaient là aussi pour brandir bougies et lanternes.

Noemí remarqua une fillette assise sur une chaise, ses cheveux blonds coiffés en queue-de-cheval. Elle portait dans les mains un linge blanc destiné à emmailloter le nouveau-né. Un homme était assis derrière elle, main sur son épaule. Une main ornée d'un anneau d'ambre.

La scène s'avérait quelque peu ridicule. Une femme par terre, dans les affres de l'accouchement, tandis que l'homme et l'enfant, installés sur de jolis sièges doublés de velours, l'observaient comme durant une pièce de théâtre.

L'homme tapota l'épaule de la fillette. Une, deux, trois fois.

Depuis quand attendaient-ils ainsi dans le noir? Depuis quand le travail avait-il commencé? Mais l'heure était venue.

La femme enceinte agrippa la main de l'une des assistantes et poussa un long gémissement grave. Suivi d'un bruit humide. Celui de la chair tombant sur la terre détrempée.

L'homme à l'anneau d'ambre quitta sa chaise et s'approcha. Les autres personnes s'écartèrent de son chemin telle une mer biblique se séparant en deux.

Il se pencha avec lenteur, puis ramassa l'enfant qui venait de naître.

—La mort vaincue, dit-il.

Néanmoins, lorsqu'il leva les bras, Noemí n'y vit aucun bébé. La femme avait donné naissance à un morceau de chair grise, vaguement en forme d'œuf, entouré d'une membrane épaisse et tachée de sang.

Cette chose n'était pas vivante. Rien de plus qu'une grosse tumeur. Pourtant, elle palpitait doucement. Puis elle frémit et la membrane se rompit, projetant un nuage de poussière dorée que l'homme s'empressa d'inspirer. Les autres s'approchèrent à leur tour, bras tendus comme pour attraper cette poussière, laquelle, lentement, très lentement, se déposa au sol.

Tout le monde avait oublié la mère. Tous les regards étaient rivés sur l'œuf de chair que l'homme tenait à bout de bras.

Seule la fillette prêtait encore attention à la pauvre femme épuisée qui gisait par terre. L'enfant vint à elle, posa le linge blanc sur le visage en sueur, tel un voile de mariée, puis appuya avec énergie. La femme se tordit, soudain incapable de respirer; elle tenta de repousser la petite fille aux joues rougies par l'effort, mais elle n'avait plus assez de force. Pendant ce temps, l'homme répéta sa phrase en direction de Noemí:

—La mort vaincue.

Ce fut à cet instant, lorsqu'elle croisa le regard de cet étrange personnage, que Noemí se rappela la frayeur, le dégoût, l'horreur.

Ses yeux se détournèrent du sinistre spectacle. Dans sa bouche, le goût cuivré du sang. Dans ses oreilles, un bourdonnement lointain.

Noemí se réveilla debout au pied du grand escalier. La lueur de la lune passant par les vitraux colorait sa chemise de nuit en rouge et en jaune. Une horloge sonna l'heure quelque part. Une lame de parquet craqua. Noemí s'accrocha à la rampe, tous les sens aux aguets.

Chapitre 15

Noemí frappa, attendit, attendit encore, mais personne n'ouvrit la porte de la maison de Marta. Nerveuse, la jeune femme tira plusieurs fois sur la bandoulière de son sac à main avant d'admettre sa défaite et de revenir vers Francis, qui l'observait d'un air curieux. Ils s'étaient garés près de la place centrale et avaient marché ensemble jusque chez Marta, même si Noemí avait précisé à son chauffeur qu'il pouvait se contenter de l'attendre, comme la dernière fois. Mais Francis avait affirmé avoir envie de marcher. Cherchait-il surtout à la garder à l'œil ?

— Elle dirait qu'elle est absente, annonça Noemí.

— Vous voulez l'attendre ?

— Non, je dois passer aussi au centre médical.

Francis hocha la tête, après quoi ils rebroussèrent chemin vers le centre-ville, là où de vraies routes remplaçaient la terre battue. Noemí craignait de ne pas trouver le médecin non plus, mais Julio Camarillo surgit au coin de la rue alors qu'ils arrivaient devant le bâtiment.

— Docteur, l'interpella Noemí.

— Bonjour. (Il portait un sac en papier dans une main et sa sacoche dans l'autre.) Vous venez tôt, aujourd'hui. Vous pouvez me tenir ça ?

Francis se chargea de la sacoche tandis que Camarillo sortait ses clés et déverrouillait la porte, la tenant ensuite ouverte pour ses hôtes. Puis le praticien posa le sac en papier derrière le guichet d'accueil et sourit amicalement.

—Je ne pense pas que nous ayons été présentés, dit-il. Mais je vous ai déjà vu à la poste avec le docteur Cummins. Vous devez être Francis.

—C'est bien moi, confirma l'intéressé.

—Lorsque j'ai remplacé le docteur Corona, cet hiver, il m'a parlé de vous et de votre père. Je crois qu'ils ont même joué aux cartes ensemble. Un brave homme, ce docteur Corona. Mais sinon, Noemí, que se passe-t-il? Encore votre poignet?

—Auriez-vous un peu de temps à m'accorder? Pour discuter?

—Oui, bien sûr. Entrez donc.

Noemí le suivit dans le bureau. Elle tourna la tête pour voir si Francis comptait se joindre à eux, mais le jeune homme s'était déjà installé sur une chaise du vestibule, mains dans les poches, les yeux baissés. S'il comptait vraiment surveiller Noemí, il ne mettait pas beaucoup de cœur à l'ouvrage alors qu'elle n'aurait pas pu l'empêcher d'entrer et d'écouter la conversation. Se savoir tranquille sur ce point la soulagea. Refermant la porte, elle s'assit en face de Camarillo, qui avait quant à lui gagné son fauteuil.

—Alors, quoi de neuf?

—Catalina a fait une crise, dit Noemí.

—Une crise de quoi? Elle est épileptique?

—Non. J'ai acheté un remède à cette femme, Marta Duval. Catalina m'avait demandé de lui en fournir pour l'aider à dormir. Elle a fait cette crise juste après l'avoir bu. Je suis allée chez Marta ce matin, mais elle n'était pas là. Donc je viens me renseigner auprès de vous pour voir si vous avez entendu parler de ce genre d'incidents, si ses remèdes ont déjà rendu quelqu'un malade.

—Ce n'est guère étonnant que vous n'ayez pas trouvé Marta: elle va parfois rendre visite à sa fille à Pachuca ou part en expédition récolter des herbes médicinales. Quant à d'éventuels problèmes liés à ses potions, on ne m'a fait remonter aucune information à ce sujet. Je suis sûr que le docteur Corona m'en aurait parlé. Arthur Cummins a-t-il examiné votre cousine après coup ?

— Il prétend que la crise a été provoquée par une teinture d'opium.

Camarillo s'empara d'un stylo et le fit tourner entre ses doigts.

— En fait, il n'y a pas si longtemps, l'opium était utilisé pour *traiter* l'épilepsie. Cela dit, toute substance active est susceptible de provoquer des réactions allergiques. Mais Marta fait très attention.

— Le docteur Cummins affirme que c'est un charlatan.

Camarillo secoua la tête, reposa le stylo.

— Marta n'a rien d'un charlatan. Beaucoup de gens utilisent ses remèdes, qui fonctionnent plutôt bien. J'aurais déjà agi si je pensais qu'elle menaçait la santé publique.

— Catalina en a peut-être trop pris ?

— Un surdosage ? Oui, c'est possible. Avec pour résultat une perte de conscience ou des vomissements. Mais la vérité, c'est que Marta Duval n'est pas en mesure de procurer une teinture d'opium à qui que ce soit.

— Comment ça ?

Camarillo joignit les mains, puis posa les coudes sur la table.

— Ce n'est pas le type de produit qu'elle vend. Une teinture d'opium, ça se trouve en pharmacie. Marta fabrique ses remèdes avec des plantes et des herbes locales. Or le pavot ne pousse pas dans la région.

— Alors c'est forcément autre chose qui a rendu Catalina malade ?

— Je ne peux pas non plus vous le certifier.

Noemí fronça les sourcils, ne sachant que faire de ces explications. Elle était venue en quête d'une réponse simple à ses questionnements, mais rien ne semblait simple dans cette affaire.

— Je suis navré de ne pas pouvoir vous en dire plus, reprit Camarillo. Et si j'examinais votre poignet avant que vous partiez ? Vous avez changé le bandage ?

— Non. Ça m'est complètement sorti de la tête.

Elle n'avait même pas ouvert le petit pot de pâte de zinc. Le médecin entreprit d'ôter le bandage ; Noemí s'attendait à découvrir sa peau dans le même état qu'avant, voire encore plus abîmée, mais son poignet avait totalement guéri. La peau était parfaite. Ce qui parut sidérer Camarillo.

— Eh bien, en voilà une surprise, dit-il. Tout a disparu. Je crois que je n'avais jamais vu ça. D'ordinaire, ça prend entre sept et dix jours, voire plusieurs semaines, avant que la peau retrouve son aspect normal. Là, ça fait à peine deux jours.

— Je dois être chanceuse, hasarda Noemí.

— Oui, vraiment très chanceuse, admit-il. Avez-vous besoin d'autre chose ? Sinon je dirai à Marta que vous la cherchez.

Noemí songea à son rêve bizarre, à son second accès de somnambulisme. Mais elle ne pensait pas Camarillo capable de l'aider sur ce sujet-là non plus. Après tout, il avouait lui-même ne pas être d'un grand secours. Peut-être Virgil avait-il raison d'insister sur le fait que Camarillo était un jeune praticien inexpérimenté. Ou alors Noemí était juste de mauvaise humeur. En tout cas, elle se sentait fatiguée. L'angoisse de la veille la rattrapait.

— Ce serait très gentil de votre part, lui dit-elle.

Noemí avait espéré regagner sa chambre sans attirer l'attention, mais c'était bien sûr trop demander. À peine une heure après le retour au manoir, Florence fit son apparition, portant le plateau du déjeuner. La maîtresse de maison ne fit aucun commentaire, mais son visage était aussi dur que celui d'un gardien de prison prêt à mater une révolte.

—Virgil voudrait vous parler, dit-elle. Puis-je partir du principe que vous aurez mangé et serez présentable dans une heure?

—Vous pouvez.

—Parfait. Je viendrai vous chercher.

Florence revint précisément une heure plus tard et emmena Noemí jusqu'à la chambre de Virgil. Une fois devant la porte, elle y frappa un seul petit coup, si doucement que Noemí pensa que Virgil n'entendrait rien. Pourtant, celui-ci répondit d'une voix forte et claire:

—Entrez.

Florence ouvrit et laissa passer Noemí avant de s'éclipser en refermant la porte sans bruit.

Le premier objet que Noemí remarqua dans cette chambre fut un imposant portrait de Howard Doyle, mains jointes avec l'anneau d'ambre visible, qui la dévisageait depuis le fond de la pièce. Le lit de Virgil était presque dissimulé derrière un paravent à trois panneaux représentant des roses et des lilas. La séparation créait une sorte de salon matérialisé par un tapis usé et deux fauteuils en cuir miteux.

—Vous êtes encore allée en ville ce matin, lança Virgil derrière le paravent. Florence déteste que vous vous absentiez sans prévenir.

Noemí s'approcha du paravent. Elle y nota la présence d'un serpent habilement camouflé parmi les fleurs, son œil placé au milieu d'un bouquet de roses. Il semblait attendre de passer à l'action, comme son frère du jardin d'Éden.

—J'avais cru que le problème, c'était d'aller *seule* en ville, rétorqua Noemí.

—La route est mauvaise et les pluies vont forcir d'un jour à l'autre. Des pluies torrentielles. La route ne sera plus qu'une rivière de boue. La pluie a noyé la mine l'année de ma naissance. Nous avons tout perdu.

—Il pleut, c'est vrai, et la route n'est pas très bonne. Mais ça passe encore bien.

—Ça ne durera pas. Nous bénéficions juste d'une accalmie avant le déluge. Pourriez-vous me passer ma robe de chambre, s'il vous plaît? Sur le fauteuil.

Noemí prit le vêtement écarlate posé sur un dossier et se tourna de nouveau vers le paravent. À sa grande surprise, elle vit apparaître Virgil à moitié nu, n'ayant même pas enfilé une chemise et ne paraissant guère s'en soucier. Une décontraction qui frisait l'indécence. Noemí se sentit rougir.

—Comment le docteur Cummins fera-t-il sa visite hebdomadaire, alors?

Elle tendit la robe de chambre en évitant le regard de Virgil. Elle espérait avoir parlé avec calme malgré son émotion. Si Virgil voulait l'humilier, il devrait se donner plus de mal.

—Il a un camion, répondit-il. Vous croyez peut-être que nos voitures sont capables de monter et descendre la montagne par tous les temps?

—Francis m'aurait averti que nous nous mettions en danger.

—Francis, soupira Virgil en nouant la ceinture de sa robe de chambre. On dirait que vous passez bien plus de temps avec lui qu'avec Catalina.

Était-ce un reproche? Non, pas exactement. Il l'évaluait, tel un bijoutier sondant la clarté d'un diamant, ou un entomologiste les ailes d'un papillon.

—J'estime avoir passé un temps raisonnable en sa compagnie.

Virgil sourit sans joie.

—Comme vous choisissez bien vos mots. Comme vous faites preuve d'assurance. Je vous imagine très bien à la capitale, dans vos fêtes, soupesant la moindre phrase. Vous arrive-t-il parfois d'ôter votre masque là-bas?

Il l'invita à s'asseoir dans l'un des fauteuils. Elle choisit de rester debout.

— C'est drôle, j'aurais pensé que vous en connaissiez largement autant que moi dans le domaine de la mascarade.

— Que voulez-vous dire ?

— Ce n'est pas la première fois que Catalina se rend malade ainsi. Elle avait déjà bu de cette teinture, ce qui avait provoqué la même réaction.

Noemí n'avait pas prévu de lui en parler, mais elle venait de changer d'avis. S'il cherchait à l'évaluer, elle lui rendrait la pareille.

— Vous avez en effet passé du temps avec Francis, lâcha Virgil avec dédain. Oui, c'est exact, j'ai oublié de mentionner cet épisode.

— Très pratique…

— Quoi ? Le docteur vous a expliqué que Catalina souffrait de tendances dépressives et vous ne l'avez pas cru. Si je vous avais dit en plus qu'elle était suicidaire…

— Elle n'est pas suicidaire, l'interrompit-elle.

— C'est vrai que vous savez tout, marmonna Virgil.

Il prit un air vaguement contrarié et agita la main comme pour chasser un insecte. Comme pour la chasser, elle. Ce qui mit la jeune femme en rage.

— Vous avez arraché Catalina à Mexico pour l'amener ici, alors si elle est *devenue* suicidaire, c'est *votre* faute.

Elle voulait se montrer cruelle. Lui rendre la monnaie de sa pièce. Mais à peine avait-elle craché son venin qu'elle regretta ses paroles. Il ressemblait soudain à un homme ayant reçu une gifle ; ses traits exprimaient une grande douleur, peut-être même de la honte.

— Virgil…

Il secoua la tête pour l'empêcher de continuer.

— Vous avez raison, dit-il. C'est ma faute. Catalina est tombée amoureuse de moi pour de mauvaises raisons. (Il s'assit dans un fauteuil, le dos très droit, mains sur les accoudoirs.) Asseyez-vous. S'il vous plaît.

Noemí ne céda pas, préférant se camper derrière l'autre fauteuil et s'appuyer au dossier. L'idée lui traversa l'esprit qu'il lui serait plus facile de s'enfuir si elle restait debout. Difficile de savoir d'où venait cette pensée. Elle n'aimait pas s'imaginer devoir prendre la fuite telle une gazelle face à un prédateur. Sans doute répugnait-elle à rester seule avec Virgil dans sa chambre.

Son terrain. Sa tanière.

Noemí soupçonnait que Catalina n'avait jamais mis les pieds dans cette pièce. Ou alors pour un court moment. Il n'y avait aucune trace d'elle ici. Les meubles, le grand portrait de Howard, le paravent en bois, le papier peint légèrement moisi, tout dans cette chambre appartenait à Virgil Doyle. Tout correspondait à ses goûts. Même son visage s'intégrait parfaitement dans le décor. Ses cheveux blonds luisaient contre le cuir sombre; le velours rouge mettait en valeur ses traits d'albâtre.

— Votre cousine a l'imagination fertile, reprit Virgil. Je crois qu'elle m'a vu comme l'archétype du personnage romantique. Un garçon qui a perdu sa mère très jeune, dans une effroyable tragédie. Dont la fortune familiale s'est évaporée pendant la révolution. Et qui a grandi auprès d'un père malade dans un vieux manoir au sommet d'une montagne.

De fait, l'histoire avait dû beaucoup plaire à Catalina. Du moins au début. Cet homme dégageait une intensité que sa cousine avait assurément trouvée très séduisante. Avec, en prime, l'ambiance créée par la brume et la lueur des bougies. Combien de temps s'était-il écoulé avant que l'effet de la nouveauté se dissipe?

Devinant peut-être la question, Virgil se fendit d'un petit rictus.

— Catalina a certainement perçu le manoir comme une demeure un peu rustique qu'elle saurait rendre joyeuse au prix de quelques efforts. Mais mon père refuse de changer le moindre rideau. La famille n'existe que pour lui obéir.

Il tourna la tête vers le portrait de Howard Doyle, un doigt tapotant doucement l'accoudoir du fauteuil.

— Et vous, vous aimeriez changer un rideau ou deux ? s'enquit Noemí.

— J'aimerais changer un certain nombre de choses. Mon père n'a pas quitté cet endroit depuis des décennies. C'est sa vision d'un monde idéal. Mais moi, j'ai vu l'avenir en marche et j'ai saisi nos limitations.

— Dans ce cas, si le changement est possible…

— Un changement d'un certain type, précisa Virgil. Mais rien d'assez radical pour me transformer en ce que je ne suis pas. On ne peut pas changer l'essence d'un être, voilà tout le problème. Je suppose qu'en réalité Catalina voulait quelqu'un d'autre. Pas moi, en chair et en os, avec mes défauts. Elle s'est sentie tout de suite malheureuse. Donc, oui, c'est *ma* faute. Je n'étais pas à la hauteur de ses attentes. Ce qu'elle avait cru voir en moi n'existait pas.

Tout de suite, se répéta Noemí. Pourquoi, alors, Catalina n'était-elle pas rentrée à Mexico ? Réponse évidente : à cause de la famille. À cause du scandale, des articles fielleux qui auraient rempli les pages mondaines. Exactement comme le père de Noemí le craignait.

— De votre côté, qu'avez-vous aimé chez Catalina ?

Pour Leocadio Taboada, il s'agissait bien sûr d'argent. Noemí ne croyait pas que Virgil l'admettrait, mais elle s'estimait capable de lire entre les lignes, de discerner la vérité derrière les voiles.

— Mon père est malade. Mourant, pour tout dire. Il voulait me voir marié avant sa disparition. Il voulait être sûr que j'aurais une femme et des enfants, que sa lignée perdurerait. Ce n'était pas la première fois qu'il me le demandait et ce n'était pas la première fois que j'obéissais. J'ai déjà été marié.

— Je l'ignorais, dit Noemí, surprise. Que s'est-il passé ?

— D'après mon père, c'était l'épouse idéale, sauf qu'il a oublié de me consulter, expliqua Virgil en ricanant. Figurez-vous que c'était la fille d'Arthur. Mon père comptait nous marier depuis que nous étions gamins. Il ne cessait d'ailleurs de nous le répéter, ce qui ne produisait pas l'effet attendu, bien au contraire. Nous nous sommes mariés juste après mon vingt-troisième anniversaire. Elle ne m'aimait pas. Moi, je la trouvais terriblement ennuyeuse.

» Je pense néanmoins que nous aurions pu bâtir une relation valable sans les fausses couches. Elle en a fait quatre, qui l'ont totalement épuisée. Après quoi elle m'a quitté.

— Elle a divorcé ?

— Oui, confirma-t-il en hochant la tête. Puis, sans vraiment l'exprimer, mon père m'a poussé à me remarier. J'ai fait quelques voyages à Guadalajara, à Mexico. J'y ai rencontré des femmes belles et intéressantes qui auraient sans doute fait la joie de mon père. Mais c'est Catalina qui a capté mon attention. Surtout par sa douceur. Car ce n'est pas une qualité présente en abondance à High Place. J'ai aimé ça, j'ai aimé sa délicatesse, son attrait pour le romantisme. Elle voulait un conte de fées et j'ai tenté de le lui offrir.

» Jusqu'au moment où ça a mal tourné, bien sûr. À cause de sa maladie, mais aussi de son sentiment de solitude, de ses accès de tristesse. J'avais cru que nous comprenions, l'un et l'autre, à quoi ressemblerait notre vie commune. Sur ce point, j'ai eu grand tort. Et voilà où nous en sommes.

Un conte de fées, donc. Blanche-Neige et le baiser magique, la Belle qui transfigure la Bête. Catalina avait raconté maintes fois ces histoires à ses cadettes sur un ton très convaincant, guidée par ses rêveries. Lesquelles avaient fini par l'entraîner dans ce mariage terne qui, en plus de sa maladie et des hallucinations, faisait peser un gros poids sur ses frêles épaules.

— Si c'est le manoir qui pose problème, vous n'avez qu'à l'emmener ailleurs.

— Mon père exige que nous restions à High Place.

— Il faudra vous décider un jour à vivre votre propre vie, non ?

Virgil sourit.

—Ma propre vie... Je ne sais pas si vous avez remarqué, mais aucun de nous ne peut « vivre sa propre vie ». Mon père a besoin de moi ici. En plus, ma femme est malade. C'est toujours le même résultat : nous devons rester. Comprenez-vous la difficulté de la situation ?

Noemí se frotta lentement les mains. Oui, elle comprenait. Elle n'aimait pas ça, mais elle comprenait. La fatigue la rattrapa d'un coup. Elle avait l'impression de tourner en rond. Peut-être Francis avait-il raison, peut-être ferait-elle mieux de partir. Mais elle s'y refusait obstinément.

Virgil la considérait de son regard perçant, d'un bleu de lapis-lazuli.

—Nous avons dévié du sujet pour lequel je vous ai demandé de venir. Je souhaitais m'excuser de mes propos lors de notre dernière conversation. J'étais de très mauvaise humeur. Je le suis encore, d'ailleurs. En tout cas, si je vous ai fâchée, je vous présente mes excuses.

—Merci, répondit Noemí, de nouveau surprise.

—J'aimerais que nous puissions nous comporter amicalement l'un envers l'autre. Il n'y a aucune raison que nous soyons ennemis.

—Aucune, en effet.

—Nous sommes partis du mauvais pied. Je vous propose d'y remédier. En premier lieu, je vous promets de demander au docteur Cummins de se renseigner sur les psychiatres de Pachuca, au cas où il faudrait envisager sérieusement cette option. Vous et moi pourrions même en choisir un ensemble. Lui écrire ensemble.

—Bonne idée.

—Alors nous concluons une trêve ?

—Rappelez-vous que nous ne sommes pas en guerre.

—C'est vrai. Mais qu'importe.

Il tendit la main vers Noemí. Elle hésita un instant, puis contourna le fauteuil et la serra. Virgil avait une main large, la poigne ferme.

La jeune femme prit ensuite congé. Tandis qu'elle regagnait sa chambre, elle aperçut Francis en train d'ouvrir une porte. Le bruit de pas l'arrêta dans son geste ; il salua Noemí de la tête sans rien dire.

Elle se demanda si Florence l'avait réprimandé pour s'être plié aux désirs de leur encombrante visiteuse. Peut-être Virgil allait-il le convoquer, lui aussi, et lui dire la même chose qu'à elle : vous passez beaucoup de temps ensemble. Elle imagina une grosse dispute, mais à voix basse, pour ne pas déranger le vieux Howard.

Il ne m'aidera plus, pensa Noemí en contemplant le visage hésitant. *J'ai épuisé ses réserves de bonne volonté.*

— Francis…

Il fit semblant de ne pas entendre, pénétra dans la pièce et referma doucement derrière lui. Avalé par l'une des nombreuses chambres du manoir, l'un des nombreux ventres de la bête.

Noemí posa une main sur la porte avant de se raviser et de reprendre sa route. Elle avait déjà causé trop de problèmes ; elle devait faire amende honorable. Elle se mit en quête de Florence, qu'elle trouva dans la cuisine, s'entretenant – bien sûr – à voix basse avec Lizzie.

— Florence, auriez-vous un instant à m'accorder ?

— Votre cousine fait la sieste. Si vous désirez la…

— Ça ne concerne pas Catalina.

Florence conclut la discussion avec la servante, puis se tourna vers Noemí et lui fit signe de la suivre. Elles entrèrent dans une pièce que Noemí n'avait pas encore visitée. Une grande table rustique accueillait une machine à coudre à l'ancienne ; sur les étagères s'alignaient boîtes à couture et magazines de mode jaunis. De vieux clous plantés dans un mur indiquaient les endroits où l'on avait autrefois accroché des tableaux dont il ne restait plus que les traces. Sinon, la pièce était propre, bien rangée.

— Que voulez-vous ? demanda Florence.

— J'ai convaincu Francis de m'emmener en ville ce matin. Or je sais que vous n'aimez pas que quelqu'un s'absente sans vous prévenir. Donc je souhaitais vous dire que c'était entièrement ma faute. Qu'il ne fallait surtout pas lui en tenir rigueur.

Florence s'assit sur une chaise près de la table ; elle joignit les mains et scruta Noemí.

— Vous pensez que je suis une femme dure, n'est-ce pas ? Non, ne le niez pas.

— Je préfère dire « stricte », répondit Noemí par politesse.

— C'est important de maintenir sa maison en ordre, ainsi que sa vie. Cela permet de prendre conscience de sa place dans le monde. La taxinomie ne dispose-t-elle pas chaque créature sur la branche adéquate ? Il ne faut jamais oublier qui l'on est, il ne faut jamais négliger ses devoirs. Comme nous tous, Francis a des tâches à effectuer. Mais vous, vous l'en écartez.

— Ça ne doit pas l'occuper toute la journée, si ?

— Qu'en savez-vous ? Comment pourriez-vous le savoir ? D'ailleurs, même s'il n'avait rien à faire, pourquoi devrait-il passer son temps avec vous ?

— Je ne cherche pas à l'accaparer, mais je ne vois…

— Votre compagnie ne lui réussit pas. Il oublie quelle est sa vraie place. Pensez-vous donc que Howard le laisserait s'acoquiner avec *vous* ? (Florence secoua la tête.) Le pauvre garçon. Que voulez-vous réellement, hein ? Qu'attendez-vous de nous ? Nous n'avons plus rien à offrir.

— Je venais juste m'excuser, dit Noemí.

Florence ferma les yeux, se massa la tempe droite.

— Eh bien, c'est fait. Allez-vous-en.

Peu après, telle l'une des misérables créatures mentionnées par Florence, celles qui ne savaient pas où était leur place et ignoraient comment la trouver, Noemí resta assise un long moment sur les marches du grand escalier, observant la nymphe de la rampe et les grains de poussière qui dansaient dans un rayon de lumière.

Chapitre 16

Florence ne laissait plus Noemí seule avec Catalina. Mary, l'une des domestiques, montait la garde dans un coin de la chambre : hors de question désormais d'accorder la moindre confiance à la visiteuse. La règle n'avait pas été clairement énoncée mais, lorsque la jeune femme s'approcha du lit de sa cousine, Mary s'approcha aussi et farfouilla sans raison dans l'armoire.

— S'il vous plaît, pourriez-vous vous occuper de ça plus tard ? lui demanda Noemí.

— Pas eu le temps ce matin, répondit Mary d'une voix atone.

— S'il vous plaît…

— Ne t'occupe pas d'elle, dit Catalina. Assieds-toi.

— Mais je… D'accord. (Noemí tenta de se calmer, de faire bonne figure devant sa cousine. De plus, Florence lui avait accordé une demi-heure avec Catalina, pas une minute de plus, aussi souhaitait-elle en profiter au maximum.) Tu m'as l'air d'aller beaucoup mieux.

— Menteuse, dit Catalina en souriant malgré tout.

— Tu veux que j'arrange tes oreillers ? Tu veux tes escarpins pour aller danser au Bal des douze princesses ?

— Tu aimais les illustrations de ce livre, souffla Catalina d'une voix douce.

— C'est vrai. Je le relirais avec plaisir si je l'avais sous la main.

La servante leur tourna le dos pour remuer les rideaux. Catalina lança à Noemí un regard d'une étrange intensité.

— Tu me lirais un poème ? J'ai mon vieux recueil, là. Tu sais que j'adore sœur Juana.

Noemí se rappelait très bien ce livre, posé sur la table de chevet. Sa cousine le chérissait au même titre que l'anthologie de contes de fées.

— Tu veux lequel ?

— *Hommes stupides.*

Noemí tourna les pages jusqu'à celles, flétries par l'usage, contenant le poème demandé. À cet endroit précis se trouvait un élément inattendu : une petite feuille de papier jauni pliée en deux. Noemí leva la tête vers sa cousine, qui ne dit mot alors que ses yeux exprimaient une réelle terreur. Des yeux qui désignèrent ensuite Mary, toujours occupée avec les rideaux. Noemí empocha le papier d'un geste vif et commença la lecture. Elle enchaîna plusieurs textes d'une voix régulière, puis Florence entra dans la pièce, portant un plateau avec une théière et une tasse assorties, accompagnées de quelques cookies sur une assiette en porcelaine.

— Il faut laisser Catalina se reposer à présent, dit-elle.

— Oui, bien sûr.

Noemí referma le livre et prit congé de sa cousine sans protester. En entrant dans sa chambre, elle remarqua que Florence y était venue en son absence puisqu'il y avait un plateau avec une tasse de thé et les mêmes cookies que pour Catalina.

La jeune femme referma aussitôt la porte. Elle ne mangea rien, faute d'appétit, et se rendit compte qu'elle n'avait pas fumé depuis longtemps. Cette situation tendue lui gâchait tous ses petits plaisirs.

Noemí sortit le papier et reconnut l'écriture de Catalina dans un coin : « Voici la preuve. » Sourcils froncés, Noemí déplia la feuille en se demandant ce que sa cousine avait bien pu écrire.

Une reprise de la lettre envoyée à Mexico, celle qui avait tout déclenché?

Mais il s'avéra que le document n'avait pas été rédigé par Catalina. Le papier, fragilisé par les ans, semblait avoir été arraché d'un livre ou d'un cahier. Même si aucune date n'était indiquée, cela ressemblait à un extrait de journal intime.

> *« Je pose ces pensées sur le papier car c'est le seul moyen d'asseoir ma résolution. Si, demain, j'ai perdu courage, ces mots m'aideront à m'ancrer de nouveau dans l'instant présent. J'entends constamment leurs voix, leurs murmures. Ils scintillent dans la nuit. Néanmoins tout ceci, cet endroit, serait peut-être supportable sans sa présence. Celle de notre seigneur et maître. Notre Dieu. Un œuf éclaté dont s'échappe un énorme serpent, gueule grande ouverte. Notre héritage, enroulé sur lui-même dans le sang, le cartilage, les racines profondes. Les dieux ne meurent pas. Voilà ce que l'on nous a expliqué, voilà ce que Mère croit. Mais elle ne peut pas nous sauver, ni moi ni les autres. C'est à moi d'agir. Qu'il s'agisse d'un sacrilège, d'un simple meurtre ou des deux. Il m'a battue comme plâtre lorsqu'il a su pour Benito, mais j'ai juré alors de ne plus lui obéir, de ne pas porter d'enfant. Je suis persuadée que sa mort ne sera pas considérée comme un péché. Ce sera au contraire ma délivrance et mon salut. R. »*

Cette seule initiale en signature : R. Pour Ruth. Était-ce vraiment une page de son journal intime? Noemí estimait Catalina incapable d'une telle falsification, même si ce texte n'était pas sans rappeler l'étrange lettre envoyée par sa cousine. Mais où Catalina aurait-elle déniché le journal dans cet immense manoir? Noemí l'imagina dans un couloir sombre, sentant une latte s'enfoncer sous ses pieds, découvrant le bout de papier caché sous le bois.

La jeune femme se mordit la lèvre en relisant ces phrases angoissantes. Il y avait là de quoi lui faire croire aux fantômes et aux malédictions, même si elle n'avait jamais adhéré une seule seconde à ces histoires de créatures de la nuit. Du pur fantasme, s'était-elle toujours dit. Elle avait lu *Le Rameau d'or*, hochant vaguement la tête sur tel ou tel passage du chapitre consacré au bannissement des mauvais esprits ; elle avait parcouru avec curiosité un magazine décrivant le rapport entre spectres et maladies aux îles Tonga, sans oublier une lettre fort drôle reçue par l'éditeur de *Folklore* narrant une rencontre avec un fantôme sans tête. Noemí, tout simplement, ne croyait pas au surnaturel.

«Voici la preuve», avait écrit Catalina. La preuve de quoi ? Noemí posa la feuille sur la table, la défroissa, puis la relut.

Tu dois t'en tenir aux faits, idiote, se sermonna-t-elle en se rongeant un ongle. Ces faits, quels étaient-ils ? Sa cousine parlait d'une présence dans la maison, qui se manifestait par des voix. Ruth parlait aussi de ces voix. Noemí n'avait rien entendu de tel, mais avait subi cauchemars et crises de somnambulisme pour la première fois depuis très longtemps.

D'aucuns y verraient les affabulations de trois pauvres femelles trop nerveuses. Certains n'hésiteraient pas à parler d'hystérie. Noemí, elle, savait très bien qu'elle n'était pas «hystérique».

Donc, si ces trois femmes ne pouvaient être accusées d'hystérie, elles étaient réellement entrées en contact avec *quelque chose* présent dans le manoir. S'agissait-il forcément d'un phénomène surnaturel ? N'y avait-il pas une explication plus rationnelle ? Noemí cherchait-elle des liens là où il n'en existait pas ? Après tout, les êtres humains passaient leur temps à chercher des liens. De son côté, elle essayait peut-être de rassembler trois histoires n'ayant aucun rapport.

Noemí devait s'en ouvrir à quelqu'un, sinon elle allait juste user ses semelles à force de parcourir la chambre de long en large. Elle glissa le papier dans sa poche, prit la lampe à pétrole et partit en quête de Francis. Le jeune homme l'évitait soigneusement depuis deux jours ; sans doute Florence lui avait-elle servi le discours sur les devoirs à ne pas négliger. Mais Noemí songeait qu'il ne lui fermerait quand même pas la porte au nez si elle lui rendait visite. D'autant plus qu'elle ne comptait pas quémander un nouveau service : elle voulait seulement discuter.

Lorsqu'il ouvrit la porte, Noemí ne lui laissa pas le temps de dire bonjour :

— Je peux entrer ? J'ai besoin de vous parler.

— Maintenant ?

— Juste cinq minutes. S'il vous plaît.

Francis se racla la gorge, hésitant.

— Oui, bien sûr. D'accord.

Les murs de sa chambre étaient couverts de reproductions de spécimens botaniques. Noemí compta douze papillons épinglés sous verre et cinq jolies aquarelles de champignons, avec les noms calligraphiés. Deux longues étagères échouaient à accueillir tous les ouvrages reliés de cuirs, les livres surnuméraires étant rangés en piles bien droites par terre. L'odeur du papier et de l'encre emplissait la pièce telles les senteurs d'un bouquet exotique.

Cette chambre, contrairement à celle de Virgil, n'avait pas de séparation. Noemí pouvait voir le lit étroit, le couvre-lit vert foncé et la tête de lit magnifiquement gravée d'un décor de feuilles au centre duquel apparaissait un serpent se mordant la queue. Non loin se trouvait un bureau assorti, avec d'autres piles de livres, une tasse vide et une assiette ; Francis devait prendre ses repas à cet endroit plutôt que sur la table installée au milieu de la pièce.

Noemí comprit vite pourquoi : la table était encombrée de papiers et de matériel à dessin. Crayons bien taillés, bouteilles d'encre de Chine, plumes en acier, plus une boîte d'aquarelle et des pinceaux réunis dans un verre. La plupart des dessins étalés étaient réalisés au fusain, quelques-uns à l'encre. Des spécimens botaniques, encore et encore.

— Vous êtes un sacré artiste, dit Noemí en effleurant une image de pissenlit.

— Je dessine un peu, répondit-il, l'air décontenancé. Je crains de n'avoir rien à vous offrir. J'ai fini mon thé.

— Je déteste le thé qu'on sert ici. Il est infect. (Elle admira un autre dessin, celui d'un dahlia.) Je me suis essayée à la peinture, autrefois. Je trouvais ça logique puisque mon père travaille dans les colorants. Mais je n'étais pas douée. Je préfère les photos. Elles capturent la vérité de l'instant.

— Alors que la peinture équivaut à une très longue exposition du sujet. Elle en capture l'essence.

— Et poète, avec ça.

— Asseyons-nous, esquiva-t-il, visiblement gêné.

Il prit la lampe à pétrole des mains de Noemí et la posa sur le bureau où se trouvaient déjà quelques bougies. Une autre lampe de même style, plus grosse, trônait sur la table de chevet ; le verre teinté de jaune baignait la pièce d'une chaude lumière ambrée.

Francis désigna à Noemí un fauteuil à têtière orné de guirlandes de roses, dont il dut ôter une autre pile de livres. Il s'installa en face, dans le fauteuil du bureau, et joignit les mains en se penchant légèrement en avant.

— Vous vous intéressez à l'entreprise familiale ?

— Quand j'étais petite, j'allais dans le bureau de mon père et je faisais semblant de rédiger des rapports ou des notes de service. Mais ça m'a passé.

— Vous ne souhaitez pas vous y impliquer ?

— Mon frère adore ça. De plus, je ne vois pas pourquoi je devrais travailler dans les colorants juste parce que ma famille possède une affaire de ce genre. Ou pire, me marier avec l'héritier d'une compagnie similaire afin de former une plus grosse compagnie. Je me réserve le droit de faire autre chose de ma vie. D'exploiter un fabuleux talent caché. Vous savez que vous parlez peut-être à une future anthropologue de renom ?

— Pas à une future pianiste mondialement célèbre ?

— Pourquoi pas les deux ? demanda-t-elle en haussant les épaules.

— C'est vrai, pourquoi pas ?

Noemí aimait la pièce, le fauteuil confortable. Elle tourna la tête vers les aquarelles représentant des champignons.

— Ce sont aussi vos œuvres ?

— Oui. Elles datent de quelques années. Rien de fameux.

— Je les trouve splendides.

— Si vous le dites, répondit-il avec un large sourire.

Francis avait un visage quelconque. Noemí appréciait Hugo Duarte parce qu'il était bel homme, qu'il présentait bien et savait jouer les charmeurs. Mais elle se rendait compte qu'elle appréciait aussi Francis, ses excentricités et ses imperfections, l'absence de clinquant doublée d'une bonne dose d'intelligence.

Il portait son éternelle veste de velours côtelé mais, dans l'intimité de sa chambre, marchait pieds nus et se contentait d'une vieille chemise froissée. Ce qui lui donnait, de fait, un certain charme tranquille.

Noemí ressentit soudain l'envie de se pencher pour l'embrasser, un sentiment lumineux comme le besoin de craquer une allumette. Elle retint pourtant son geste. C'était facile d'embrasser quelqu'un lorsque cela ne prêtait pas à conséquence, mais beaucoup plus délicat si le baiser était riche de sens.

Elle ne voulait plus causer de problèmes. Elle ne voulait pas jouer avec Francis.

— Vous n'êtes pas venue complimenter mes dessins, dit-il comme s'il percevait l'hésitation.

En effet. Ce n'était pas du tout le sujet de sa visite. Noemí secoua la tête et s'éclaircit la voix.

—Avez-vous déjà envisagé que le manoir puisse être hanté ?

—Drôle de question, dit-il avec un sourire cette fois plus maigre.

—J'en conviens. Mais j'ai une bonne raison de la poser. Alors ? (Silence. Francis glissa les mains dans ses poches et baissa les yeux vers le tapis, sourcils froncés.) Je ne me moquerai pas si vous m'annoncez que vous avez vu des fantômes.

—Les fantômes n'existent pas.

—Et si vous vous trompiez ? Y avez-vous déjà réfléchi ? Je ne parle pas de draps qui bougent en traînant des chaînes. J'ai lu un livre sur le Tibet, écrit par Alexandra David-Néel, qui disait que les gens étaient capables de créer des fantômes par la seule force de leur volonté. Comment appelait-elle ces entités, déjà… ? Des *tulpas*.

—Ça semble un peu gros, non ?

—Évidemment. Mais il y a un chercheur à l'université Duke, J. B. Rhine, qui étudie la parapsychologie. Des phénomènes comme la télépathie, les perceptions extrasensorielles.

—Où voulez-vous en venir ? demanda Francis sur un ton d'une extrême prudence.

—Au fait que ma cousine est peut-être parfaitement saine d'esprit. Que ce manoir est peut-être hanté, mais d'une manière explicable par la science. Sans que cela relève forcément de la parapsychologie. Prenez l'histoire du fameux Chapelier fou, par exemple.

—Je ne vous suis pas.

—Les chapeliers avaient la réputation de souvent devenir fous, mais il s'est avéré que cela venait des vapeurs de mercure qu'ils inhalaient à cause du feutre. D'ailleurs c'est un produit qui doit encore aujourd'hui être manipulé avec précaution. Le mercure est mélangé aux colorants pour éviter les moisissures et, sous certaines conditions, le composé dégage assez de vapeur pour rendre les gens malades. Toutes les personnes présentes dans une pièce peuvent devenir dingues uniquement à cause de la peinture.

Francis se leva d'un bond et prit les mains de Noemí dans les siennes.

— Pas un mot de plus, lui dit-il d'une voix grave.

Il s'était adressé à elle en espagnol. Tout le monde lui parlait anglais depuis son arrivée au manoir ; elle n'avait pas souvenir d'avoir entendu le jeune homme prononcer une seule phrase en espagnol dans les murs de High Place. Elle n'avait pas non plus souvenir qu'il l'ait déjà touchée, ou alors par inadvertance. Mais le geste qu'il venait de faire ne devait rien au hasard.

— Me croyez-vous aussi folle qu'un chapelier ? lui demanda-t-elle, également en espagnol.

— Mon Dieu, non. Je vous crois au contraire saine d'esprit et très intelligente. Sans doute *trop* intelligente. Noemí, écoutez-moi. Écoutez-moi attentivement. Partez d'ici. Tout de suite. Cet endroit n'est pas bon pour vous.

— Donc vous savez quelque chose. Allez, dites-le-moi.

Francis l'observa un instant sans la lâcher.

— Il n'y a pas besoin de fantômes pour être hanté. Pas besoin de fantômes pour avoir peur. Vous êtes trop courageuse pour votre propre bien. Mon père était comme vous et il l'a payé cher.

— Il est tombé dans un ravin, précisa-t-elle. Sauf si l'histoire ne s'arrête pas là.

— Qui vous en a parlé ?

— J'ai posé ma question la première.

Un voile glacé s'abattit sur le cœur de la jeune femme lorsque Francis s'écarta, mal à l'aise, rompant leur contact. Noemí lui saisit les mains à son tour. Pour le garder face à elle.

— Racontez-moi, insista-t-elle. Que s'est-il passé ?

— C'était un alcoolique. Il s'est brisé la nuque, en effet en tombant dans un ravin. Il faut vraiment parler de ça maintenant ?

— Oui. Parce que vous ne me parlez jamais de grand-chose.

— C'est faux. Je vous en ai déjà dit beaucoup. Mais vous n'écoutiez pas.

Il libéra ses mains et les posa sur les épaules de Noemí, d'un geste solennel.

— À présent, je vous écoute, l'assura-t-elle.

Francis poussa un vague soupir. Noemí pensait qu'il allait enfin se livrer lorsqu'un long gémissement résonna dans le couloir, aussitôt suivi d'un autre. Francis recula d'un pas.

L'acoustique du manoir était réellement étrange. Pourquoi les sons s'y propageaient-ils si bien ?

— C'est Oncle Howard, il a encore mal, dit Francis en grimaçant comme s'il partageait la douleur du patriarche. Il ne tiendra plus très longtemps.

— Je suis navrée. Ça doit être dur pour vous.

— Vous n'imaginez même pas. Si seulement il pouvait mourir...

Un terrible aveu. Mais Noemí se voyait mal vivre jour après jour dans cet affreux manoir humide, en marchant sur la pointe des pieds pour ne pas déranger le vieillard. Le ressentiment creusait vite sa place dans le cœur d'un jeune homme auquel on n'accordait aucune affection. Or elle ne croyait pas que quelqu'un ait vraiment aimé Francis. Certainement pas son grand-oncle ni sa mère. Virgil et lui avaient-ils au moins été amis ? Avaient-ils partagé leurs frustrations ? Sauf que Virgil, même s'il nourrissait ses propres griefs, avait eu l'occasion de voyager, de voir le monde. Francis, lui, ne connaissait que le manoir.

Elle tendit la main, la referma sur le bras de son interlocuteur.

— Quand j'étais petit, il me battait avec sa canne, avoua-t-il d'une voix rauque. Pour me rendre fort, d'après lui. Je me disais alors que Ruth avait eu raison. Totalement raison. Elle n'a juste pas pu finir le boulot, car c'était impossible. Mais elle a eu raison d'essayer.

Il avait l'air si misérable que, malgré l'atrocité de ses paroles, Noemí ressentit envers lui plus de pitié que d'horreur. Elle ne lâcha pas son bras un seul instant. Ce fut Francis qui détourna le regard.

— Oncle Howard est un monstre, lâcha-t-il, les yeux baissés. Ne lui faites aucune confiance. Pas plus qu'à Florence ou à Virgil. Maintenant, à mon grand regret, je vais devoir vous demander de partir.

— Je peux rester encore un peu, si vous voulez.

Il releva la tête, un léger sourire aux lèvres.

— Ma mère fera une attaque si elle vous trouve ici. Elle est sans doute déjà en route : elle a besoin de nous quand Howard est dans cet état. Allez vous coucher, Noemí.

— Comme si j'allais réussir à dormir, soupira-t-elle. Et si j'essayais de compter les moutons ? Qu'en pensez-vous ?

Elle passa le doigt sur la couverture d'un livre posé au sommet d'une pile, près du fauteuil qu'elle avait occupé. Elle n'avait rien de plus à ajouter mais retardait son départ dans l'espoir d'autres révélations, dans l'espoir que Francis en revienne aux fantômes et aux lieux hantés.

Il lui prit la main qu'elle promenait sur le livre et croisa son regard.

— Je vous en prie, murmura-t-il. Je ne mentais pas lorsque je disais qu'ils vont venir me chercher.

Il lui rendit la lampe qu'elle avait apportée, puis ouvrit la porte.

Noemí s'engagea dans le couloir et jeta un coup d'œil derrière elle avant de tourner à l'angle. Sur le pas de la porte, Francis avait lui-même l'air d'un fantôme, éclairé par les bougies de sa chambre qui donnaient une brillance surnaturelle à ses cheveux blonds. Certains habitants des villages reculés prétendaient que les sorcières pouvaient se changer en boules de feu pour voler. Ainsi expliquaient-ils les feux follets. Noemí se rappela alors avoir rêvé d'une femme dont le visage n'était qu'une lumière dorée.

Chapitre 17

Noemí n'avait pas plaisanté en parlant de devoir compter les moutons. Elle était trop énervée par ces histoires de fantômes, par toutes les énigmes à résoudre, pour trouver aisément le sommeil. Sans oublier qu'elle avait bien failli embrasser Francis sur les lèvres, instant qui restait gravé dans sa mémoire.

Finalement, elle décida qu'elle ferait mieux de prendre un bain.

Le sol de la vieille salle de bains comportait plusieurs carreaux cassés mais, à la lueur de la lampe à pétrole, la baignoire paraissait propre et intacte. Seul le plafond présentait de vilaines traces de moisissure.

Noemí posa la lampe sur une chaise, sa sortie-de-bain sur le dossier, et ouvrit le robinet. Même si Florence lui avait vivement recommandé les douches froides, elle refusait de s'immerger dans une mare d'eau glacée. Heureusement, malgré les faiblesses annoncées du chauffe-eau, Noemí parvint à se faire couler un bon bain, la vapeur ne tardant pas à remplir la pièce.

À Mexico, elle aurait ajouté de l'huile parfumée ou des sels de bain, mais elle ne disposait de rien de tel ici. Ce qui ne l'empêcha pas de se glisser dans l'eau chaude et d'appuyer sa tête au rebord de la baignoire.

Si le manoir ne pouvait guère être qualifié de masure, il souffrait de trop nombreux petits défauts. Du manque d'entretien, voilà ce dont il s'agissait. D'un vaste manque d'entretien. Noemí se demanda si Catalina aurait pu arranger les choses dans des circonstances plus favorables. Honnêtement, elle en doutait. La pourriture régnait en maître à High Place.

Une pensée si déplaisante que Noemí ferma les yeux.

Le robinet gouttait ; la jeune femme retint son souffle et se laissa couler, tête sous l'eau. Depuis quand n'avait-elle pas nagé ? Elle devait absolument prévoir une escapade à Veracruz. Mieux encore, à Acapulco. Difficile d'imaginer lieu plus diamétralement opposé au manoir : soleil, plages, cocktails. Elle pourrait téléphoner à Hugo Duarte pour voir s'il était disponible.

Noemí ressortit la tête de l'eau, ôtant d'un geste rageur les mèches de cheveux de son visage. Hugo Duarte. N'importe quoi. Ce n'était pas à lui qu'elle pensait ces derniers jours. Elle devait plutôt s'inquiéter de cette flèche de désir qui l'avait frappée de plein fouet dans la chambre de Francis, et qui ne ressemblait pas à ce qu'elle avait déjà éprouvé dans ces moments-là. Car même si une jeune femme de son rang n'était pas censée savoir ce qu'était le « désir », Noemí avait eu la chance d'échanger quelques baisers, quelques étreintes, parfois quelques caresses. Qu'elle n'ait jamais couché avec un homme relevait moins de la peur du péché que de la crainte d'un amant peu discret, voire cherchant à la piéger. Cette appréhension ne la quittait jamais. Sauf avec Francis.

Tu deviens mièvre, se reprocha-t-elle. *Ce type n'est même pas beau.*

Elle passa une main sur sa poitrine, leva les yeux vers les moisissures du plafond, puis soupira et tourna la tête.

Ce fut alors qu'elle vit la silhouette sur le seuil. Noemí cligna des yeux, croyant à une illusion d'optique. La lampe à pétrole suffisait pour le bain, mais n'éclairait pas aussi bien qu'une ampoule.

La silhouette s'avança d'un pas. C'était Virgil, en chemise à fines rayures et cravate, l'air décontracté comme s'il entrait dans sa propre salle de bains.

—Vous voilà, jolie petite chose, lança-t-il. Surtout ne dites rien, ne bougez pas.

Colère, honte et surprise fusèrent dans le corps de Noemí. Pour qui se prenait cet homme ? Elle allait crier. Elle allait lui crier dessus, se couvrir, et pas seulement crier mais le gifler. Elle allait le gifler dès qu'elle aurait enfilé sa sortie-de-bain.

Noemí n'esquissa pas le moindre geste. Aucun son ne sortit de sa bouche.

Virgil s'approcha, un rictus au coin des lèvres.

Ils peuvent vous faire penser différemment, murmura une voix. Noemí l'avait déjà entendue, quelque part dans le manoir. *Ils peuvent vous faire agir différemment.*

Sa main gauche reposait sur le rebord de la baignoire. Elle réussit, au prix d'un gros effort, à s'en saisir. Elle entrouvrit la bouche, mais sans parler. Impossible de dire à Virgil de s'en aller. L'effroi la submergea.

—Vous serez une gentille fille, n'est-ce pas ?

Parvenu à côté de la baignoire, il s'agenouilla et observa Noemí en souriant. C'était un sourire de travers, un sourire fourbe au milieu d'un visage aux traits sculpturaux ; il était si près que la jeune femme distinguait des reflets dorés au fond de ses yeux.

Virgil tira sur sa cravate, l'ôta, puis déboutonna sa chemise.

Noemí était pétrifiée, telles les victimes imprudentes de la Gorgone.

—Une gentille fille, oui. Je le savais. Soyez gentille avec moi.

Ouvrez les yeux, dit la voix.

Mais les yeux de Noemí étaient déjà grands ouverts. Virgil passa les doigts dans les cheveux de sa proie, la forçant à relever la tête. Un geste rude, dépourvu de cette gentillesse qu'il réclamait pour lui-même. Elle aurait voulu le repousser, mais elle ne pouvait toujours pas bouger. Il affermit sa prise et se pencha pour voler un baiser.

Noemí décela un goût sucré sur les lèvres de Virgil. Peut-être celui du vin. La sensation était plaisante, au point qu'elle se détendit, lâcha le rebord de la baignoire. La voix qui lui murmurait à l'oreille avait disparu. Noemí sentait la vapeur du bain sur sa peau, les lèvres de l'homme sur les siennes, les mains qui exploraient son corps. Les baisers de Virgil descendirent le long du cou ; il s'arrêta un instant, mordit le haut d'un sein, ce qui arracha une plainte à Noemí. Le menton mal rasé frottait contre sa peau.

Elle pencha la tête en arrière. Finalement, elle pouvait bouger.

Noemí agrippa Virgil pour le garder près d'elle. Ce n'était pas un intrus. Ce n'était pas un ennemi. Aucune raison de lui crier dessus ou de le gifler. Au contraire, elle voulait le toucher.

La main de Virgil glissa sur le ventre de la jeune femme et disparut dans l'eau où elle caressa une cuisse. Noemí ne tremblait plus de peur mais de désir. Un désir puissant et délicieux qui se répandait dans ses membres, ne cessait d'augmenter sous l'effet des doigts inquisiteurs. Le corps de Virgil était chaud contre le sien ; les doigts virils s'insinuaient tandis qu'elle haletait de plus en plus fort…

Ouvrez les yeux, souffla la voix. Noemí tourna son regard vers le plafond. Qui avait disparu.

À la place, elle vit un œuf. Dont s'élevait une mince ligne blanche. Un serpent. Mais non, non, elle avait déjà vu cette image dans la chambre de Francis, deux heures plus tôt. Sur un mur. Parmi les aquarelles de champignons, celle qui s'intitulait « Voile universel ». Voilà ce qu'elle découvrait au-dessus d'elle. L'œuf, brisé, la membrane crevée, et le serpent qui était un champignon jaillissant de la terre. Un serpent d'albâtre qui s'enroulait sur lui-même pour dévorer sa queue.

Puis l'obscurité tomba d'un coup. Plus de lampe à pétrole. Noemí, elle, n'était plus dans la baignoire. On l'avait enveloppée dans un drap qui gênait ses mouvements, mais dont elle parvint à se dégager, le faisant glisser de ses épaules telle la membrane du champignon naissant.

Du bois. Elle respirait une odeur de terre humide et de bois. Elle leva une main, se cogna aussitôt à une surface rêche qui lui érafla les phalanges.

Un cercueil. Elle reposait dans un cercueil. Le drap était un linceul.

Mais elle n'était pas morte. Pas du tout. Elle ouvrit la bouche pour hurler, pour prévenir qu'elle n'était pas morte même si elle savait qu'elle ne mourrait jamais.

Un affreux bourdonnement s'éleva, comme celui d'un million d'abeilles. Noemí se plaqua les mains sur les oreilles. Une lueur dorée, aveuglante, apparut au bout de ses pieds et remonta le long de son corps jusqu'à se poser sur son visage, étouffante.

Ouvrez les yeux, dit Ruth. Ruth avec du sang sur les mains, du sang sur les joues et sous les ongles, et les abeilles à l'intérieur de sa tête, forant les oreilles de Noemí.

Noemí qui ouvrit soudain les yeux. De l'eau lui coulait dans le dos. Elle portait sa sortie-de-bain, mais ceinture défaite, exposant sa nudité. Elle était pieds nus.

La pièce où elle se trouvait baignait dans la pénombre, mais Noemí savait malgré tout que ce n'était pas sa chambre. La lueur d'une petite lampe s'éleva dans l'air, telle une luciole, puis brilla plus fort lorsque des doigts habiles en eurent réglé l'intensité. Virgil Doyle, assis dans son lit, brandit la lampe qu'il gardait d'ordinaire sur sa table de chevet.

—Que se passe-t-il? demanda-t-elle en posant une main sur sa gorge.

Elle pouvait parler. Dieu merci, elle pouvait parler, même de cette voix rauque et tremblotante.

—Je crois que votre somnambulisme vous a menée jusque dans ma chambre.

217

Noemí respirait fort. Comme si elle avait couru. Peut-être avait-elle couru, d'ailleurs. Tout était possible. Elle referma sa sortie-de-bain d'un geste maladroit.

Virgil repoussa les couvertures ; il enfila sa robe de chambre en velours et s'approcha de Noemí.

— Vous êtes trempée.

— Je prenais un bain, marmonna-t-elle. Et vous, que faisiez-vous ?

— Je dormais, répondit-il en avançant d'un pas supplémentaire.

Elle crut qu'il voulait la toucher et recula vivement, à deux doigts de renverser le paravent, que Virgil dut rattraper d'une main.

— Je vais vous donner une serviette. Vous devez avoir froid.

— Pas trop.

— Petite menteuse, dit-il en allant fouiller dans une armoire.

Noemí ne comptait pas attendre cette serviette. Elle comptait regagner immédiatement sa chambre, quitte à marcher dans l'obscurité totale. Mais les événements de la nuit l'avaient choquée, la rendant trop anxieuse pour mettre son plan à exécution. Elle était pétrifiée, comme dans le rêve.

— Tenez, dit Virgil.

Elle hésita un long moment avant de prendre la serviette, de s'essuyer le visage puis de se sécher lentement les cheveux. Combien de temps était-elle restée dans la baignoire ? Combien de temps, surtout, avait-elle erré dans les couloirs ?

Virgil disparut quelques instants dans la pénombre. Noemí perçut des cliquetis, après quoi il revint avec deux verres en main.

— Asseyez-vous et buvez une gorgée de vin, ça vous réchauffera.

— Si vous me prêtez votre lampe, je vous libère tout de suite.

— Buvez, Noemí.

Il s'installa dans le même fauteuil que la première fois, posa la lampe à pétrole et le verre de Noemí sur une table, puis remua sa propre boisson. La jeune femme s'assit à son tour avant de jeter la serviette mouillée par terre. Elle avala une gorgée de vin – une seule comme Virgil l'avait suggéré – et reposa aussitôt le verre.

Elle se savait réveillée mais avait encore l'impression de flotter dans le rêve. Une sorte de brouillard persistait dans sa tête, au milieu duquel n'apparaissait clairement que Virgil, les cheveux légèrement ébouriffés, son beau visage tourné vers elle. Il attendait qu'elle s'explique, bien sûr. Elle tenta de choisir les mots appropriés.

— Vous étiez dans mon rêve, dit-elle plus pour elle-même que pour Virgil.

Elle voulait comprendre ce qu'elle avait vu, ce qui s'était produit.

— J'espère que ce n'était pas un cauchemar, commenta-t-il en souriant.

Un petit sourire rusé. Le même que dans le rêve. Presque méchant.

Le désir qu'elle avait éprouvé avec une telle ardeur se changeait à présent en amertume sourde nichée au fond de son ventre. Mais ce sourire lui rappelait le toucher de Virgil et comment elle l'avait apprécié.

— Vous étiez dans ma chambre ? lui demanda-t-elle.

— Je croyais que j'étais dans votre rêve.

— Ça ne ressemblait pas à un rêve.

— À quoi, alors ?

— À une intrusion.

— Je dormais. C'est vous qui m'avez réveillé. C'est vous l'intruse.

De fait, elle l'avait vu se lever et enfiler sa robe de chambre, mais elle ne parvenait pas à le croire innocent. Pourtant, il ne pouvait guère s'être introduit dans la salle de bains tel l'incube des récits médiévaux, s'asseyant ensuite sur la poitrine de sa victime comme dans une peinture de Fuseli. Pénétrant dans l'intimité d'une femme pour la violer.

Noemí se toucha le poignet, avide de sentir le bracelet porte-bonheur sous ses doigts. Mais elle l'avait ôté ; son poignet était nu. Elle aussi d'ailleurs, à peu de chose près, enveloppée dans la sortie-de-bain, quelques gouttes d'eau encore accrochées à sa peau.

— Je retourne dans ma chambre, dit-elle en se levant.

— Il paraît qu'un somnambule ne doit pas se recoucher tout de suite après le réveil, rétorqua Virgil. Je pense qu'un peu plus de vin vous ferait le plus grand bien.

— Non, merci. La nuit a été rude, je n'ai pas envie de la prolonger outre mesure.

— Je vois... Néanmoins, si je ne vous prête pas ma lampe, vous serez obligée de rester encore quelques minutes, n'est-ce pas ? Sauf si vous envisagez de regagner votre chambre en tâtant les murs. Le manoir est très sombre.

— C'est en effet ce que j'envisage de faire si vous n'êtes pas assez poli pour m'aider.

— Il me semblait que j'étais déjà en train de vous aider. Je vous ai offert une serviette pour vous sécher, un fauteuil pour vous asseoir et du vin pour calmer vos nerfs.

— Mes nerfs se portent à merveille.

Il se leva lui aussi, verre à la main, scrutant Noemí avec une expression ironique.

— Dites-moi, de quoi rêviez-vous ?

Elle ne voulait pas rougir devant lui. Devenir cramoisie, comme une idiote, devant celui qui affichait une telle hostilité à son égard. Mais elle repensa aussitôt à la bouche de cet homme sur la sienne, à la main caressant ses cuisses ; un frisson électrique lui parcourut la colonne vertébrale. Cette nuit, ce rêve, tout avait un parfum de désir, de danger et de scandale, le parfum des secrets que son corps et son esprit avaient hâte de découvrir, toute honte bue.

Finalement, elle ne put s'empêcher de rougir.

Virgil sourit. Comme si – alors que c'était impossible – il savait exactement de quoi Noemí avait rêvé. Comme s'il attendait qu'elle l'invite, par le plus léger des gestes, à passer du rêve à la réalité. Mais le brouillard se dissipait peu à peu dans la tête de la jeune femme ; elle se rappela les mots murmurés à son oreille, trois mots simples : « *Ouvrez les yeux.* »

Noemí serra fort le poing, ses ongles s'enfonçant dans la chair.

—C'était horrible, dit-elle en secouant la tête.

Virgil parut d'abord troublé, puis déçu. Une vilaine grimace déforma ses traits.

—Peut-être auriez-vous préféré vous réveiller dans la chambre de Francis ?

L'attaque la stupéfia, mais lui donna aussi le courage de regarder Virgil en face. Comment osait-il ? Alors qu'il avait proposé de ne pas se comporter en ennemis l'un envers l'autre. En réalité, ce n'était qu'un sale menteur, avide de la déstabiliser. Il ne se montrait amical que pour mieux la poignarder dans le dos.

—Retournez vous coucher, lança-t-elle d'une façon qui signifiait clairement « Allez vous faire foutre ».

Elle empoigna la lampe à pétrole et abandonna Virgil dans l'obscurité.

Une fois de retour dans sa chambre, elle se rendit compte que la pluie tombait. Le genre de pluie appelé à durer, un crépitement constant contre les vitres. Noemí fila dans la salle de bains et inspecta la baignoire. L'eau était froide ; les nuages de vapeur s'étaient dissipés. Elle s'empressa de retirer la bonde.

Chapitre 18

Noemí somnola, angoissée par l'éventualité d'une nouvelle crise de somnambulisme, avant de céder à la fatigue.

Soudain, elle perçut un froissement de tissu dans la chambre et entendit craquer une lame du parquet. Elle tourna la tête vers la porte, la peur au ventre, mains crispées sur les draps.

Florence apparut avec son habituel collier de perles et l'une de ses robes grises guindées ; elle était entrée sans prévenir, portant un plateau en argent dans les mains. Noemí s'assit sur le lit, la bouche sèche.

— Qu'est-ce que vous faites là ? s'exclama-t-elle.

— C'est l'heure du déjeuner.

— Hein ?

Il ne pouvait quand même pas être si tard. Noemí se leva et tira les rideaux. La lumière du jour pénétra à flots dans la chambre. Il pleuvait toujours. La matinée s'était écoulée sans que la jeune femme s'en aperçoive, assommée par l'épuisement.

Florence installa le plateau et versa une tasse de thé.

— Non, merci, pas tout de suite, dit Noemí. Je voulais voir Catalina avant de manger.

—Elle s'est levée il y a un moment et elle est retournée se coucher, rétorqua Florence en reposant la théière. Son traitement la fait beaucoup dormir.

—Dans ce cas, pourriez-vous m'avertir quand le docteur arrivera ? C'est bien aujourd'hui son jour de visite ?

—Il ne viendra pas.

—Je croyais qu'il passait toutes les semaines.

—Il pleut, déclara Florence d'une voix morne. Le docteur ne montera pas ici par ce temps.

—Mais il risque de pleuvoir aussi demain. C'est la saison des pluies, non ? Comment va-t-on faire ?

—Nous nous débrouillerons. Comme d'habitude.

Toujours des réponses sèches, en quelques mots ! Comme si Florence en avait mémorisé une liste apte à servir en toutes occasions.

—Alors, s'il vous plaît, prévenez-moi quand ma cousine se réveillera, insista Noemí.

—Je ne suis pas votre bonne, mademoiselle Taboada.

Le ton n'était même pas agressif. Il s'agissait d'énoncer un simple fait.

—J'en suis parfaitement consciente. Sauf que vous me demandez de ne pas rendre visite à Catalina sans prévenir et, après, vous mettez en place des horaires impossibles. C'est quoi, votre problème ?

Noemí savait qu'elle se montrait extrêmement grossière, mais elle voulait fendre le vernis de calme perpétuel affiché par Florence.

—Si mon organisation ne vous satisfait pas, je vous suggère d'en parler à Virgil.

Virgil, encore lui. Noemí n'avait pas la moindre envie de « parler » à Virgil. Elle croisa les bras et dévisagea Florence, qui lui renvoya un regard froid, la bouche légèrement tordue comme par dérision.

— Bon appétit, conclut la maîtresse de maison avec cette fois un sourire arrogant, victorieux.

Noemí goûta la soupe, puis le thé, mais ne finit aucun des deux. Elle sentait poindre une migraine. Même s'il aurait mieux valu se forcer à manger, elle s'entêta, décidant à la place d'explorer de nouveau le manoir.

Elle enfila son chandail, sortit de la chambre et descendit le grand escalier. Qu'espérait-elle trouver ? Un fantôme caché derrière une porte ? S'il y en avait un, il prit garde de ne pas se montrer.

Les pièces avec des draps sur les meubles étaient sinistres, de même que la serre avec ses fleurs fanées. Tous ces endroits déprimèrent encore plus Noemí, mais ne lui apprirent rien. Elle se réfugia finalement dans la bibliothèque dont elle ouvrit les rideaux.

Elle baissa les yeux vers le tapis rond qu'elle avait remarqué lors de sa première visite. Celui avec le serpent. Elle entreprit d'en faire lentement le tour. Il y avait eu un serpent dans son rêve. Émergeant d'un œuf. Non, d'un corps fertile. Si les rêves avaient un sens, que disait donc celui-ci ?

Noemí n'avait certes pas besoin de téléphoner à un psychanalyste pour y déceler une composante sexuelle. Les trains s'enfonçant dans les tunnels fournissaient de belles métaphores, merci M. Freud, et apparemment les champignons phalliques surgissant de la terre servaient le même propos.

Virgil Doyle surgissant dans sa chambre à *elle*.

Pas de métaphore : c'était bien assez clair.

Elle frissonna au souvenir de la main de Virgil lui agrippant les cheveux, des lèvres pressant les siennes. Mais il n'y avait là rien de plaisant, de sensuel ; l'évocation s'avérait au contraire froide et dérangeante. Noemí se concentra sur les étagères, cherchant avec l'énergie du désespoir un livre susceptible de lui changer les idées.

225

Elle finit par en prendre deux au hasard, puis retourna dans sa chambre où elle se planta devant la fenêtre en se rongeant un ongle. Fumer un peu la détendrait. Elle rassembla le paquet de cigarettes, le briquet et la tasse décorée de chérubins à moitié nus qu'elle utilisait comme cendrier. Après avoir tiré une bouffée, elle s'installa dans le lit.

Noemí n'avait même pas pris la peine de lire les titres des deux ouvrages empruntés. L'un s'intitulait : *Hérédité – lois et faits appliqués à l'amélioration de l'être humain*. L'autre, traitant de mythologie grecque et romaine, semblait beaucoup plus intéressant.

La jeune femme l'ouvrit, découvrant des traces de moisissure dès la première page. Elle tourna avec précaution les pages suivantes, lesquelles étaient presque intactes, présentant parfois une rangée de points noirs dans un coin. Comme du code morse. Comme si la nature écrivait sur le papier et sur le cuir.

De la main gauche, Noemí expédia sa cendre dans la tasse posée sur la table de chevet. Le livre l'informa que Hadès avait entraîné Perséphone aux cheveux d'or dans le royaume souterrain, où elle mangea quelques graines de grenade qui la lièrent à jamais au monde des ombres.

Une gravure illustrait l'enlèvement de Perséphone. Sa chevelure était ornée de fleurs, dont quelques-unes tombées à terre ; elle avait les seins nus. Hadès la saisissait par-derrière tandis qu'elle levait une main en l'air et criait, prête à défaillir. Son expression traduisait une horreur absolue. Hadès regardait droit devant lui.

Noemí referma le livre d'un geste vif. Ses yeux se posèrent sur le coin de la pièce où le papier peint rose portait de marques de moisi. Elle l'observa un instant. Les moisissures se mirent à *bouger*.

Dieu tout-puissant ! D'où provenait une telle illusion d'optique ?

Noemí attrapa lentement ses draps, sans lâcher la cigarette. Elle se leva tout aussi lentement et s'approcha du mur en clignant des yeux. Le mouvement des moisissures était hypnotique ; elles ne cessaient de se reconfigurer, de créer des schémas rappelant des kaléidoscopes. Au lieu de morceaux de verre reflétant telle ou telle couleur, c'était une sorte de folie organique qui agitait les moisissures, créant spirales et guirlandes, les faisant disparaître puis renaître à un autre endroit.

La couleur n'était pas absente pour autant. Noemí ne perçut d'abord que du noir et du gris mais, au fur et à mesure, elle distingua des zébrures dorées à certains endroits. Tonalités d'or et d'ambre qui s'atténuaient ou gagnaient en intensité au fil des dessins d'une fabuleuse beauté symétrique.

Noemí tendit la main vers le pan de mur qui lui offrait ce spectacle. Les moisissures s'écartèrent, comme pour échapper au contact, puis parurent se raviser. Elles bouillonnèrent telle une sorte de goudron d'où s'éleva un long doigt effilé.

Un millier d'abeilles se dissimulaient dans ce mur ; Noemí entendait leur bourdonnement tandis qu'elle s'avançait, avide de frotter ses lèvres aux moisissures. Elle passerait ensuite les mains sur les dessins dorés, qui sentiraient la terre, l'herbe, la pluie, et lui dévoileraient d'innombrables secrets.

Les moisissures battaient au rythme de son cœur ; Noemí écarta les lèvres.

La cigarette oubliée entre ses doigts lui brûla la peau. Noemí poussa un petit cri, lâchant le mégot avant de le ramasser en vitesse et de le jeter dans le cendrier improvisé.

Puis elle pivota de nouveau vers le mur. Les moisissures étaient parfaitement immobiles. Le vieux papier peint sale n'avait pas changé.

Noemí se précipita dans la salle de bains et claqua la porte. Elle s'agrippa au lavabo pour ne pas tomber. Ses jambes étaient en coton ; paniquée, elle se voyait déjà s'évanouir d'une seconde à l'autre.

Elle ouvrit le robinet et s'aspergea le visage d'eau glacée, bien décidée à se reprendre. Elle y mit toute sa volonté. Se força à respirer encore et encore.

— Bordel, murmura Noemí en s'arc-boutant au lavabo.

Le vertige s'estompa peu à peu. Mais la jeune femme ne comptait pas sortir de la salle de bains. Pas avant un moment, en tout cas. Le temps de… de quoi? De s'assurer que les hallucinations avaient cessé? qu'elle ne devenait pas complètement folle?

Noemí se passa une main dans le cou. Sur l'autre, une vilaine brûlure s'étalait entre l'index et le majeur, là où la braise du mégot avait touché la peau. Il faudrait trouver une crème pour soigner ça.

Noemí s'expédia encore un peu d'eau froide sur le visage, puis s'observa dans le miroir en s'effleurant les lèvres du bout des doigts.

Un coup frappé à la porte la fit sursauter.

— Vous êtes là? demanda Florence, qui entra avant que Noemí ait pu répondre.

— Juste une petite minute, marmonna-t-elle.

— Pourquoi avez-vous fumé alors que c'est interdit?

Noemí tourna brusquement la tête vers celle qui posait cette question stupide.

— Moi aussi j'ai une question, figurez-vous. J'aimerais savoir ce qui se passe exactement dans ce putain de manoir.

Elle ne criait pas encore, mais il s'en fallait de peu.

— Des gros mots, maintenant! Surveillez votre langage, jeune fille.

Noemí secoua la tête et ferma le robinet.

— Je veux voir Catalina tout de suite.

— N'essayez pas de me donner des ordres. Virgil va arriver d'une seconde à l'autre et vous verrez…

Noemí empoigna le bras de Florence.

— Écoutez…

— Ne me touchez pas!

Noemí serra plus fort tandis que Florence tentait d'échapper à l'étau.

— Qu'est-ce qui se passe? s'enquit Virgil.

Il se tenait sur le seuil, observant les deux femmes d'un air curieux. Portant la même chemise à fines rayures que dans le rêve, ce qui provoqua un nouveau haut-le-corps chez Noemí. Elle l'avait sans doute déjà vu avec cette chemise, ce qui expliquerait son apparition dans le songe, mais le détail n'en était pas moins perturbant : rêve et réalité se mélangeaient. L'effet de surprise suffit à faire lâcher prise à Noemí.

— Elle enfreint les règles, comme d'habitude. (Florence arrangea ses cheveux, qui n'en avaient nullement besoin, comme si la courte confrontation avait suffi à la décoiffer.) Elle me cause bien du souci.

— Qu'est-ce que vous faites là ? demanda Noemí à Virgil en croisant les bras.

— Vous avez crié, alors je suis venu voir s'il y avait un problème. Je suppose que Florence est là pour la même raison.

— En effet, confirma l'intéressée.

— Je n'ai pas crié.

— Nous vous avons entendue tous les deux, insista Florence.

Noemí était certaine de ne pas avoir crié. Il y avait eu du bruit, certes, mais juste celui des abeilles. Et même si les abeilles n'existaient pas, cela ne signifiait pas qu'elle avait crié. Elle s'en souviendrait sinon. Quand la cigarette l'avait brûlée, elle n'avait émis qu'un petit hoquet et…

Ils la scrutaient en silence.

— Je veux voir ma cousine. Tout de suite. Je jure devant Dieu que si vous ne me laissez pas la voir, je défonce sa porte.

Virgil haussa les épaules.

— Pas besoin d'en arriver là. Venez donc.

Noemí le suivit, ainsi que Florence. Durant le court trajet, Virgil se tourna vers elle et lui sourit ; elle se frotta le poignet, puis regarda ailleurs. À sa grande surprise, elle trouva Catalina éveillée, en compagnie de Mary. La chambre accueillait soudain une vraie réunion.

— Noemí, qu'y a-t-il ? lui demanda Catalina, un livre en main.

— Je voulais voir comment tu allais.

— Comme hier. Je me repose. J'ai l'impression d'être la Belle au bois dormant.

La Belle au bois dormant, Blanche-Neige : Noemí n'avait rien à faire de ces histoires en ce moment. Catalina, elle, la gratifiait de son bon vieux sourire empreint de gentillesse.

— Tu m'as l'air fatiguée, remarqua sa cousine. Ça ne va pas ?

Noemí hésita, puis finit par se résigner, secouant la tête.

— Si, ça va. Tu veux que je te lise quelque chose ?

— J'allais prendre une tasse de thé. Tu te joins à moi ?

— Non, merci.

Noemí ignorait ce qu'elle comptait trouver dans cette chambre, mais sûrement pas Catalina de bonne humeur, avec une servante arrangeant un bouquet de fleurs tiré des maigres réserves de la serre. La scène lui parut factice, sans qu'elle puisse mettre le doigt sur ce qui clochait. Elle dévisagea sa cousine en quête de la moindre trace de gêne.

— Tu as quand même l'air bizarre, dit Catalina. Tu ne nous couverais pas un rhume ?

— Je vais bien, rassure-toi. Je te laisse prendre ton thé en paix.

Noemí n'avait pas envie d'en dire plus devant les autres. Même s'ils ne semblaient pas s'intéresser de près à la conversation.

Elle quitta la chambre, suivie par Virgil qui referma la porte derrière lui. Ils se dévisagèrent quelques instants en silence.

— Satisfaite ? demanda-t-il.

— Tranquillisée. Pour l'instant.

Elle tourna les talons, espérant regagner sa chambre seule, mais Virgil l'accompagna comme s'il souhaitait poursuivre leur échange malgré le ton sec de Noemí.

— Moi qui vous croyais impossible à tranquilliser…

— Que voulez-vous dire ?

— Vous vous obstinez à chercher des défauts partout.

—Des défauts? Non. Des réponses. Et pas des moindres, sachez-le bien.

—À ce point?

—J'ai vu cette horrible chose bouger…

—Cette nuit ou maintenant?

—Maintenant, et cette nuit aussi, marmonna Noemí en portant une main à son front.

Elle se rendait compte qu'une fois dans sa chambre, elle serait de nouveau confrontée au papier peint et aux affreuses moisissures. Ne s'y sentant pas prête, elle changea aussitôt de direction et se dirigea vers l'escalier. Elle pouvait se réfugier dans le salon; c'était la pièce la plus agréable du manoir.

—Si vous faites de mauvais rêves, dit Virgil, je demanderai un somnifère au docteur Cummins lors de sa prochaine visite.

Noemí pressa le pas, tentant de distancer son interlocuteur.

—Ça ne me serait d'aucune aide. Puisque je ne dormais pas.

—Cette nuit, vous ne dormiez pas? Vous avez pourtant marché dans votre sommeil.

Noemí fit face à Virgil, qui se trouvait trois marches au-dessus d'elle dans l'escalier.

—C'était différent. Aujourd'hui, j'étais réveillée. Aujourd'hui…

—Tout cela n'est pas très clair, l'interrompit-il.

—Parce que vous ne me laissez pas finir mes phrases.

—Vous êtes très fatiguée, lâcha-t-il d'un air dédaigneux en descendant les trois marches.

Noemí en descendit trois autres pour conserver l'écart entre eux.

—C'est ce que vous lui dites? Qu'elle est très fatiguée? Et elle vous croit?

Virgil dépassa Noemí, finissant de descendre l'escalier avant de se tourner vers elle.

—Il vaut mieux en rester là pour le moment. Vous êtes trop agitée.

—Je ne compte pas en rester là.

—Ah non?

Virgil posa une main sur l'épaule de la nymphe ornant le bas de la rampe. Une étincelle mauvaise brilla un court instant dans ses yeux. Sauf si Noemí l'avait imaginée. Comme elle pouvait avoir imaginé le sous-entendu de ce «Ah non?» et du vilain sourire qui l'accompagnait.

Elle descendit à son tour les dernières marches et le défia du regard. Mais son courage s'évanouit lorsqu'il se pencha et qu'elle le crut prêt à mettre une main sur *son* épaule.

Durant le baiser du rêve, Virgil avait eu un drôle de goût dans la bouche, celui d'un fruit trop mûr. Puis il avait ôté sa chemise à fines rayures avant de plonger une main dans l'eau et de caresser Noemí, qui avait alors enroulé ses bras autour du torse viril. Le souvenir véhiculait un mélange prégnant d'excitation sexuelle et d'humiliation.

« *Vous serez une gentille fille, n'est-ce pas?* », lui avait-il dit. À présent, il semblait capable de sortir cette phrase dans la vraie vie, alors qu'ils étaient tous les deux bien réveillés. Il n'éprouverait aucune honte à lancer ce genre de réplique, à essayer de refermer ses grosses mains sur Noemí, de jour comme de nuit.

Elle avait peur qu'il la touche, peur ensuite de sa propre réaction.

—Je veux quitter High Place, affirma-t-elle soudain. Pouvez-vous dire à quelqu'un de me déposer en ville?

—Vous êtes vraiment impulsive aujourd'hui. Pourquoi voulez-vous nous quitter?

—Je n'ai pas à donner de raison.

Elle reviendrait. Assurément. Dans un premier temps, se rendre à la gare et écrire à son père serait déjà une bonne chose. Elle sentait que le monde s'écroulait autour d'elle, que rêve et éveil se confondaient dangereusement. Si elle parvenait à faire un pas de côté, discuter de ses étranges expériences avec le docteur Camarillo, peut-être réussirait-elle à retomber sur ses pieds. Avec un peu de chance, Camarillo serait même en mesure de la conseiller, de l'aider à comprendre. De l'air. Elle avait besoin d'un grand bol d'air.

—Évidemment non, dit Virgil. Mais on ne peut pas vous emmener en ville par un temps pareil. La pluie rend la route impraticable.

Noemí voyait en effet les gouttes s'écraser contre le vitrail de l'étage.

—Alors j'irai à pied.

—Vous voulez traîner votre valise dans la boue? Ou l'utiliser comme radeau et ramer avec une branche? Ne soyez pas stupide. La pluie doit cesser aujourd'hui, ce qui permettra de tenter le trajet demain matin. Ce sera suffisant?

Puisque Virgil avait accepté l'idée de son départ, Noemí desserra les poings et respira plus à son aise. Elle hocha la tête.

—Vous nous ferez bien l'honneur de dîner une dernière fois en notre compagnie? ajouta Virgil en lâchant la nymphe pour désigner l'entrée de la salle à manger.

—D'accord. Il faudra aussi que je parle à Catalina.

—Pas de problème. Autre chose pour votre service?

—Non. Rien d'autre.

Noemí évita le regard de Virgil; elle demeura un moment immobile, ne sachant s'il s'obstinerait à la suivre jusqu'au salon. Sauf qu'elle ne pouvait pas non plus rester plantée là.

Elle se remit en marche.

—Noemí? (Elle s'arrêta, se tourna vers lui.) S'il vous plaît, ne fumez plus à l'intérieur. Ça nous dérange.

—Ne vous inquiétez pas.

Elle se rappela la brûlure de cigarette, baissa les yeux vers sa main. La marque rouge avait disparu. Il n'y avait plus aucune trace de l'incident.

Noemí scruta son autre main, pensant s'être trompée, mais ne vit pas de marque rouge là non plus. Elle serra de nouveau les poings et se hâta de rejoindre le salon, faisant claquer ses pas par terre. Elle crut entendre Virgil ricaner, sans en être sûre. Elle n'était plus sûre de rien.

Chapitre 19

Noemí fit ses valises avec lenteur, se sentant l'âme d'une traîtresse, hésitant sur la conduite à tenir. Oui. Non. Peut-être. Devrait-elle rester ? Elle n'avait aucune envie de laisser Catalina seule, mais elle avait annoncé son départ et ressentait un besoin vital de s'éclaircir les idées. Elle décida de ne pas retourner à Mexico ; elle se rendrait plutôt à Pachuca, où elle écrirait à son père et trouverait un bon médecin prêt à l'accompagner à High Place. Les Doyle n'accepteraient pas sans mal cette nouvelle ingérence, mais ce serait déjà mieux que rien.

Revigorée par ce plan d'action, Noemí boucla ses valises et se prépara pour le dîner. Comme elle ne voulait pas paraître défaite pour sa dernière nuit à High Place, elle choisit de mettre une belle robe de soirée : tulle brodé avec incrustations métalliques, nœud jaune en acétate à la taille et corsage à armature. Elle aimait porter des jupes plus amples, mais celle-ci la flattait et semblait idéale pour l'occasion.

Apparemment les Doyle avaient eu la même idée, jugeant ce dîner important, voire propice à la célébration. La nappe de damas blanc était de sortie, de même que l'argenterie, les candélabres et pléthore de bougies. Il n'y avait même plus interdiction de parler à table alors que, ce soir-là, Noemí aurait apprécié un certain silence.

Elle était encore sur les nerfs suite à son étrange hallucination. D'autant plus qu'elle ne comprenait toujours pas ce qui avait bien pu la provoquer.

Noemí sentit peu à peu monter une migraine dont elle tint le vin pour responsable : trop fort, trop sucré, avec un goût s'accrochant au palais.

Les autres convives ne faisaient rien pour améliorer l'ambiance. La jeune femme devait feindre la cordialité quelques heures de plus, mais sa patience avait atteint ses limites. Virgil Doyle était un petit tyran et Florence ne valait guère mieux.

Noemí glissa un regard vers Francis, assis à côté d'elle, le seul membre de la famille qu'elle appréciait. Pauvre Francis. Il avait vraiment l'air triste. Elle espérait que ce serait lui qui la conduirait en ville le lendemain matin, ce qui leur permettrait d'échanger quelques mots en privé. Pouvait-elle le charger de veiller sur Catalina ? Il faudrait le lui suggérer.

Francis lui répondit par un coup d'œil fugace. Il entrouvrit les lèvres, comme pour murmurer quelques mots, mais la grosse voix de Virgil le coupa dans son élan :

— Nous monterons à la fin du souper, bien sûr.

— Je vous demande pardon ? dit Noemí en relevant la tête.

— Je mentionnais le fait que mon père attend notre visite après souper. Pour vous dire au revoir. Ça ne vous dérange pas ?

— Je m'en voudrais de partir sans lui présenter mes respects.

— Pourtant vous étiez prête à marcher jusqu'en ville il y a encore quelques heures, fit remarquer Virgil sur un ton mordant.

Si Noemí aimait bien Francis, elle en était venue à détester Virgil. C'était un homme dur, déplaisant, qui dissimulait sa méchanceté sous un vernis de politesse. Elle exécrait par-dessus tout la manière dont il la regardait à présent, comme il l'avait déjà fait plusieurs fois : un petit sourire pervers et des yeux qui l'étudiaient avec une telle inconvenance qu'elle avait envie de se cacher derrière sa serviette.

Pendant le rêve, dans la baignoire, elle avait ressenti la même répulsion. Mais un autre sentiment s'y était mêlé. Un plaisir honteux, comme lorsque l'on agaçait une cavité du bout de la langue.

Du désir. Un désir féroce et haletant.

C'était vicieux d'y songer ainsi à la table du dîner, avec cet homme assis en face d'elle. Noemí baissa les yeux vers son assiette. Virgil était capable de deviner les pensées secrètes, de percevoir les ardeurs inavouées. Elle ne devait surtout pas le regarder.

Un long silence s'installa entre les convives tandis que la servante ramassait les plats. Le dessert arriva, accompagné d'une nouvelle rasade de vin.

— Ce sera difficile d'aller en ville demain matin, dit Florence. La route va être dans un état lamentable.

— Oui, toujours ces inondations, approuva Noemí. C'est comme ça que vous avez perdu la mine, n'est-ce pas ?

— Il y a bien longtemps… Virgil était encore bébé.

— La mine était totalement sous l'eau, ajouta ce dernier en hochant la tête. Mais il n'y avait plus guère d'activité, de toute façon. La révolution empêchait de rassembler assez d'ouvriers car ils se battaient tous dans un camp ou dans un autre. Or un site comme le nôtre exige un afflux constant de personnel.

— Je suppose que les ouvriers ne sont pas revenus à la fin de la révolution, dit Noemí.

— Les anciens ne sont pas revenus, en effet, et il nous était impossible d'en embaucher de nouveaux. De plus, mon père était malade et ne pouvait pas superviser le travail. Mais heureusement, tout cela va changer très bientôt.

— De quelle façon ?

— Catalina ne vous en a pas parlé ? Nous comptons rouvrir la mine.

— Je croyais que vous n'aviez plus l'argent nécessaire.

— Mon épouse a décidé d'investir dans le projet.

— Vous ne m'en aviez rien dit, protesta Noemí.

— Ça a dû me sortir de l'esprit.

Virgil lâcha cette justification avec une telle candeur qu'il était difficile de ne pas le croire. Mais Noemí était certaine qu'il avait pris grand soin de dissimuler l'information jusqu'à présent, sachant fort bien ce que son invitée en penserait : que Catalina servait de tirelire.

S'il abordait le sujet ce soir-là, c'était pour énerver Noemí, pour la gratifier de ce vilain petit sourire qu'elle avait appris à connaître. En fait il jubilait. Parce qu'elle partait enfin.

— Est-ce bien sage de se lancer dans une telle entreprise ? lui demanda-t-elle. Avec Catalina malade ?

— Je ne crois pas que son état empirera pour si peu.

— C'est une réponse affreusement cynique.

— Cela fait trop longtemps que la famille se contente de survivre. Beaucoup trop longtemps. High Place doit retrouver son lustre et les Doyle leur vraie place dans le monde. Ce que vous trouvez cynique, je le considère comme normal. N'est-ce pas vous qui me parliez de changement l'autre jour ?

Voilà qu'il tentait en plus d'imputer à Noemí l'origine du projet. La jeune femme repoussa sa chaise en arrière.

— Peut-être devrais-je aller saluer votre père tout de suite. Je suis fatiguée.

Virgil haussa les sourcils sans lâcher son verre de vin.

— Je présume que nous pouvons nous passer de dessert.

— Virgil, c'est beaucoup trop tôt, s'exclama Francis.

Il s'exprimait pour la première fois de la soirée, mais Virgil et Florence se tournèrent brusquement vers lui comme s'il avait sorti des grossièretés durant tout le repas. Noemí en conclut qu'il n'était pas censé donner son avis. Ce qui ne la surprit guère.

— Je dirais au contraire que c'est le bon moment, rétorqua Virgil.

Ils se levèrent tous ; Florence ouvrit la voie avec une lampe à pétrole récupérée sur un buffet. Il faisait très froid dans le manoir, forçant Noemí à croiser les bras sur sa poitrine. Seigneur, elle espérait vraiment que Howard ne la retiendrait pas longtemps. Elle voulait se mettre au lit, s'endormir le plus vite possible afin de se lever tôt et de bondir dans cette fichue voiture.

Florence ouvrit la porte de la chambre du patriarche, précédant Noemí. Un feu brûlait dans l'âtre ; les courtines du lit étaient closes. L'air sentait mauvais. Une odeur âcre, comme celle d'un fruit trop mûr. Noemí fronça les sourcils.

— Nous voici, dit Florence en posant la lampe sur le manteau de la cheminée. Votre invitée est là.

Elle s'approcha ensuite du lit et tira les courtines. Noemí se composa un sourire poli, prête à découvrir Howard Doyle enfoncé sous les couvertures ou peut-être adossé aux oreillers dans sa robe de chambre verte.

La jeune femme ne s'était pas attendue à le trouver allongé *sur* les couvertures, complètement nu. Les veines indigo traçaient des dessins grotesques sur la peau blême du vieillard. Mais ce n'était pas le pire. L'une des jambes de Howard était gonflée de manière horrible, parsemée de dizaines d'énormes pustules noires.

Noemí ignorait ce dont il s'agissait exactement. Pas de tumeurs ordinaires puisque ces grosseurs palpitaient à vue d'œil. Leur vitalité contrastait avec le corps émacié du patriarche, qui n'avait plus que la peau sur les os sauf au niveau de cette jambe à laquelle s'agrippaient les pustules telles des bernacles sur la coque d'un navire.

C'était une vision atroce. Si atroce que Noemí pensa avoir sous les yeux un cadavre déjà rongé par la putréfaction. Mais Howard Doyle était bel et bien *vivant*. Sa poitrine se soulevait, retombait. Il respirait.

Virgil attrapa Noemí par le bras.

— Il faut vous rapprocher, lui murmura-t-il à l'oreille.

Le choc avait pétrifié Noemí, mais le contact de Virgil la tira de sa stupeur ; elle tenta de se dégager et de foncer vers la porte. La prise se resserra aussitôt, au point de lui faire mal, ce qui ne l'empêcha pas de continuer à se débattre.

—Viens m'aider, dit Virgil en regardant Francis.

—Lâchez-moi ! cria Noemí.

Francis ne bougeant pas, Florence se chargea d'empoigner le bras libre de la jeune femme, puis de l'entraîner vers la tête du lit. Noemí se tordit dans tous les sens, frappa du pied la table de chevet, envoyant un pot de chambre en porcelaine se briser par terre en mille morceaux.

—À genoux, lui ordonna Virgil.

—Non !

Ses deux agresseurs la forcèrent néanmoins à s'agenouiller. Virgil la maintint en place en refermant une main sur son cou ; les doigts puissants s'enfonçaient dans sa chair.

Howard Doyle tourna lentement la tête vers Noemí. Ses lèvres étaient aussi gonflées que sa jambe, les mêmes pustules s'y accrochaient. Un fluide noir coulait sur son menton avant d'aller souiller les draps. La mauvaise odeur émanait de ce liquide ; de près, il dégageait une telle puanteur que Noemí faillit vomir.

—Mon Dieu, marmonna-t-elle en essayant de se relever.

Mais la main de Virgil formait un véritable collier de fer autour de son cou. Il l'obligea à se pencher vers le vieillard.

Lequel se redressa peu à peu et se contorsionna jusqu'à réussir à tendre une main frêle, à se cramponner aux cheveux de Noemí pour rapprocher encore leurs visages.

À cette distance affreusement intime, elle distingua avec netteté les yeux du patriarche. Ils n'étaient pas bleus. La couleur se diluait dans un éclat doré, scintillant, tels des reflets d'or en fusion.

Howard Doyle sourit, découvrant des dents tachées de noir. Après quoi il pressa ses lèvres contre celles de Noemí. Elle sentit la langue du vieillard s'insinuer dans sa bouche, la salive lui brûler la gorge, tandis que Virgil lui maintenait la tête bien en place.

Ce supplice lui parut durer de longues et odieuses minutes. Puis la prise faiblit et Noemí put enfin se détourner, aspirer une goulée d'air.

Elle ferma les yeux.

Ses jambes ne la portaient plus, ses idées s'éparpillaient. *Mon Dieu*, pensa-t-elle. *Mon Dieu, lève-toi, cours.* Elle se le répéta plusieurs fois, en vain.

Lorsqu'elle rouvrit les yeux, elle se trouvait dans une grotte. D'autres personnes étaient présentes. Un homme venait de recevoir une coupe dont il but le contenu. Le liquide immonde lui brûla la bouche, au point qu'il crut s'évanouir, mais ses voisins se contentèrent de rire en lui donnant de grandes claques amicales sur les épaules. *Ils ne s'étaient pas montrés si gentils à son arrivée. Ils se méfiaient des étrangers, à juste titre.*

L'homme était blond aux yeux bleus. Il ressemblait à Howard et à Virgil : la courbe du menton, celle du nez. Mais ses chaussures, ses vêtements, toute son allure et celle de ses compagnons indiquaient une époque plus ancienne.

À quand cela remonte-t-il ? songea Noemí. Elle avait du mal à réfléchir tant le bruit des vagues la gênait. La grotte se situait-elle près de l'océan ? En tout cas, elle était très sombre ; l'un des hommes brandissait une lanterne qui ne fournissait qu'un éclairage chiche. Les blagues se poursuivirent tandis que deux autres hommes aidaient le buveur à se relever.

Celui-ci tituba, mais ce n'était pas la faute de ses amis. Il était malade depuis longtemps. Incurable, d'après son médecin. Aucun espoir. Pourtant, Doyle avait espéré.

Doyle. Oui, c'était lui. Noemí se retrouvait avec Doyle.

Un Doyle qui, par désespoir, avait rallié cet endroit en quête d'un remède destiné à ceux pour qui il n'y avait plus de remède. Au lieu d'entreprendre un pèlerinage vers un lieu saint, il avait pénétré dans cette étrange grotte.

Eux n'avaient pas aimé le voir arriver, mais ils étaient pauvres alors que lui avait les poches pleines. Bien sûr, il avait eu peur qu'ils se contentent de lui trancher la gorge et de le voler. Un risque qui valait la peine d'être couru. En leur promettant qu'ils recevraient une plus grande quantité d'argent s'ils respectaient leur part du marché.

Même si, d'évidence, le précieux métal ne faisait pas tout. Ils le reconnaissaient comme leur supérieur naturel : sans doute la force de l'habitude. Ils l'appelaient Monseigneur *car eux n'étaient que des charognards.*

Noemí aperçut une femme dans un coin de la grotte. Des cheveux hirsutes, un visage terreux. Elle maintenait un châle autour de ses épaules d'une main osseuse et observait Doyle avec intérêt. Il y avait aussi un prêtre, un vieil homme qui s'occupait de l'autel de la divinité. Finalement il s'agissait bel et bien d'une sorte de *lieu saint*. Remplaçant les cierges, des champignons accrochés aux parois émettaient une luminescence qui éclairait l'autel grossièrement sculpté. Dessus se trouvaient une coupe, un plat et un tas de vieux ossements.

Doyle pensa que s'il mourait, ses os rejoindraient ce tas. Mais cela ne lui faisait pas peur. Il était déjà à moitié mort.

Noemí se frotta les tempes. Une terrible migraine montait dans son crâne. Elle plissa les yeux, avec pour effet de faire vaciller la grotte telle une flamme dans le vent. Il lui fallait concentrer son attention sur quelque chose. Sur Doyle.

Elle l'avait vu tituber, les traits ravagés par la maladie, mais il semblait à présent en pleine forme, au point qu'elle le prit un instant pour un autre homme. Une fois guéri, il aurait dû se dépêcher de rentrer chez lui. Il s'attardait pourtant dans la grotte, passant une main sur le cou de la femme. Le couple s'était marié selon la coutume de ce peuple. Noemí sentit que Doyle répugnait à cette caresse mais se forçait à sourire. À masquer ses sentiments.

Il avait besoin d'eux. Besoin d'être accepté en leur sein afin de connaître tous leurs secrets. Dont celui de la vie éternelle! Il suffisait de se servir. Ces pauvres idiots ne comprenaient rien. Ils utilisaient les champignons pour soigner blessures et maladies, mais le potentiel était bien plus élevé. Lui l'avait compris en observant le prêtre auquel ces gens obéissaient aveuglément. Et ce qu'il n'avait pas vu de ses yeux, il l'avait deviné. Que de possibilités!

Cette femme ne lui servirait à rien, il l'avait flairé tout de suite. Par contre, il avait deux sœurs qui attendaient son retour au manoir. C'était dans le sang, le prêtre l'avait bien expliqué. Dans son sang à lui, désormais, et bientôt dans celui de ses sœurs.

Cette fois, Noemí se massa le front. La migraine gagnait en intensité, brouillant sa vision.

Doyle. Un homme fort. Même lâché par son corps, il n'avait pas renoncé. Il ne renonçait jamais. À présent, sa chair revigorée avait hâte de se remettre au travail.

Le prêtre prit conscience de cette force, lui souffla qu'il était l'avenir de leur congrégation, qui réclamait un homme tel que lui. Car le prêtre était âgé et craignait pour ses ouailles, de simples pilleurs d'épaves récupérant le moindre débris utilisable; ils étaient parvenus à survivre ainsi, trouvant refuge dans cet endroit, mais le monde changeait à toute allure.

Le vieil officiant avait raison. Plus encore que prévu. Car Doyle prévoyait en effet de gros changements.

De l'eau plein les poumons, des poids pour l'entraîner au fond. Une belle mort pour le prêtre!

Puis il y eut le chaos, la violence, la fumée. L'incendie. Les habitants de la grotte la considéraient comme une vraie forteresse. À marée haute, elle n'était accessible que par bateau, en faisant un abri efficace. Si ces gens n'avaient pas grand-chose, ils avaient au moins cela.

Doyle était seul alors qu'ils étaient cinquante, mais il avait tué le prêtre et l'avait remplacé. Ils voyaient en lui un saint homme.

Ils restèrent à genoux tandis qu'il mettait le feu au tas formé par leurs vêtements et leurs maigres possessions. La fumée envahit la grotte.

Il était venu en barque. Il poussa la femme dedans, qui n'opposa aucune résistance, trop effrayée. Tandis qu'il ramait vers le large, elle le dévisagea et il détourna le regard.

Au début, il ne l'avait jugée que laide. Il la trouvait à présent horrible, repoussante, avec son ventre gonflé et ses yeux vides. Mais il avait besoin d'elle. Elle avait un rôle à jouer.

Soudain, Noemí *quitta* Doyle alors qu'elle l'avait suivi jusqu'alors comme son ombre. Elle accompagnait désormais une jeune femme aux longs cheveux blonds cascadant sur les épaules, qui s'adressait à une autre femme de son âge :

— Il a changé, murmura-t-elle. Tu t'en es aperçue, quand même ? Ses yeux sont différents.

Celle qui écoutait, cheveux coiffés en natte, secoua la tête.

Noemí secoua la tête à l'unisson. Leur frère était parti pour un long voyage, il était de retour, et beaucoup de questions se posaient auxquelles il refusait de répondre. La première femme pensait qu'un grand malheur était arrivé, qu'un esprit malin s'était emparé de leur frère, mais la seconde savait que cet « esprit » avait toujours été là, juste sous la peau.

Il me fait peur depuis très longtemps.

Sous la peau. Noemí baissa les yeux vers ses mains, vers son poignet qui la démangeait horriblement. Avant qu'elle puisse se gratter, des pustules apparurent, éclatèrent, libérant de fines vrilles. Son corps velouté donnait la vie. Des champignons au chapeau blanc, charnu, jaillissaient de sa moelle et de ses muscles. Lorsqu'elle ouvrit la bouche, un liquide s'en échappa, noir et doré, un véritable torrent qui se déversa à terre.

Une main sur son épaule, un souffle dans son oreille.

— Ouvrez les yeux, répéta Noemí.

Sa bouche était pleine de sang et elle cracha ses propres dents.

Chapitre 20

— Respirez, respirez calmement, lui dit-il.

Il n'était qu'une voix. Elle le distinguait mal car douleur et larmes s'associaient pour altérer sa vision. Il lui maintint les cheveux en arrière tandis qu'elle vomissait, puis il l'aida à se relever. Dès qu'elle fermait les yeux, des lueurs noires et dorées dansaient derrière ses paupières. Elle ne s'était jamais sentie si malade de toute sa vie.

— Je vais mourir, bredouilla-t-elle.

— Bien sûr que non, la rassura-t-il.

Mais n'était-elle pas déjà morte ? Elle se rappelait le sang et la bile dans sa bouche.

Elle observa l'homme. Son nom lui échappait. Elle éprouvait la plus grande peine à réfléchir, à aligner deux idées cohérentes. À séparer ses pensées d'autres pensées. D'autres souvenirs. Qui était-elle donc ?

Doyle, elle avait été Doyle, et Doyle avait tué tous ces gens, par le feu.

Le serpent se mordait la queue.

Le jeune homme maigrelet l'entraîna hors de la salle de bains et lui posa un verre d'eau sur les lèvres.

Une fois allongée sur son lit, elle tourna la tête. Francis était assis sur une chaise, près d'elle ; il lui épongeait le front. Francis, oui. Quant à elle, elle s'appelait Noemí Taboada et se trouvait à High Place. L'horreur lui revint d'un coup : le corps boursouflé de Howard Doyle, la salive du vieillard dans sa bouche.

Elle eut un brusque mouvement de recul. Francis se figea, puis lui tendit en douceur le mouchoir qu'il utilisait. Noemí le serra dans son poing.

— Que m'a-t-on fait ?

Parler martyrisait sa gorge endolorie. Elle se souvint du liquide odieux qu'elle avait dû absorber et eut soudain envie de retourner vomir ses tripes dans la salle de bains.

— Vous voulez vous lever ? lui demanda-t-il, offrant déjà sa main pour l'aider.

— Non.

Elle n'atteindrait pas la salle de bains seule, mais refusait qu'il la touche.

Il glissa les mains dans les poches de sa veste. Cette veste en velours côtelé qui lui allait si bien. À ce salopard. Noemí regretta chaque pensée agréable à son égard.

— Je suis censé vous expliquer ce qui s'est passé, dit-il d'une petite voix.

— Parce que c'est possible *d'expliquer* tout ça ? Howard… il… vous… *comment ?*

Dieu du ciel, elle ne parvenait même pas à mettre cette abjection en mots. L'ordure noire dans sa bouche, puis les visions.

— Je vous raconte l'histoire et, après, vous me poserez des questions. Je crois que c'est la méthode la plus simple.

Noemí n'avait aucune envie de discuter. D'ailleurs elle n'était pas sûre de réussir à formuler plus d'une phrase. Mieux valait laisser parler Francis, même si elle aurait préféré le frapper. Elle se sentait vidée, fiévreuse.

— Vous comprenez sans doute à présent que nous ne sommes pas comme les autres gens et que ce manoir est lui aussi un endroit spécial. Il y a bien longtemps, Howard a découvert un champignon capable de rallonger la vie humaine dans certaines proportions. Capable aussi de préserver la santé, de guérir les maladies.

— J'ai vu ça, marmonna-t-elle. Je l'ai vu, lui.

— Vraiment ? Alors vous avez dû entrer dans le sombre. Jusqu'où êtes-vous allée ? (Noemí dévisagea Francis. Le jeune homme l'embrouillait encore plus. Il secoua la tête.) Le champignon court sous le manoir. Jusqu'au cimetière. Il est aussi dans les murs, telle une immense toile d'araignée. Il capte les pensées, les souvenirs, qui s'y collent comme à une vraie toile. Ce « dépôt » pour notre mémoire, nous l'appelons *le sombre*.

— Comment est-ce possible ?

— Les champignons peuvent entrer en relation symbiotique avec des plantes hôtes, formant ainsi une mycorhize. Eh bien, ce champignon-là entre en symbiose avec les êtres humains. C'est la mycorhize du manoir qui crée le sombre.

— Vous avez accès aux souvenirs de vos ancêtres grâce à un champignon ?

— C'est ça. Même si certaines images peuvent être confuses ou incomplètes.

Comme lorsqu'on a du mal à capter une station de radio, songea Noemí. Elle tourna la tête vers le pan de mur sali par les moisissures noires.

— J'ai vu des scènes étranges. J'en ai rêvé d'autres. Vous dites que c'est le manoir qui fait ça ? Parce qu'il y a un champignon partout à l'intérieur ?

— En effet.

— Pourquoi s'en prend-il à moi ?

— Ce n'est pas intentionnel. Je crois que c'est dans sa nature.

Noemí n'avait fait l'expérience que de visions terrifiantes. Quelle que soit la nature de cette *chose*, la jeune femme n'y comprenait rien. Un cauchemar, voilà ce dont il s'agissait. Un cauchemar vivant composé d'horribles secrets et de péchés.

— Donc j'avais raison de dire que le manoir est hanté. Et ma cousine n'est pas folle, elle a juste vu le sombre.

Francis hocha la tête ; Noemí ne put s'empêcher de ricaner. Pas étonnant qu'il se soit agité dès qu'elle avait parlé d'une explication rationnelle aux délires de Catalina. Même si Noemí n'aurait jamais imaginé que la réponse tenait dans un simple champignon.

Son regard dévia vers la lampe à pétrole posée sur la table de chevet. Elle ignorait combien de temps s'était écoulé. Combien de temps elle avait passé dans le sombre. Peut-être des heures. Ou des journées entières. Elle n'entendait plus le bruit de la pluie.

— Howard Doyle, que m'a-t-il fait ?

— Le champignon est aussi dans l'air. Vous le respirez sans vous en apercevoir. Il vous affecte lentement. Mais l'effet peut s'accélérer si vous entrez en contact par d'autres voies.

— Que m'a-t-il *fait* ? répéta-t-elle.

— La plupart des gens ne survivent pas au champignon. C'est ce qui est arrivé aux ouvriers de la mine. Le champignon les a tués, plus ou moins vite selon les cas. Mais tout le monde n'en meurt pas. Certaines personnes y sont résistantes physiquement : c'est leur esprit qui se trouve alors atteint.

— Comme Catalina ?

— Parfois bien plus qu'elle. Ça peut vous brûler l'esprit. Vous avez sans doute remarqué que nos domestiques ne sont guère loquaces. Il leur reste très peu d'eux-mêmes. Comme si leur âme s'était creusée au fur et à mesure.

— Impossible.

— Vous n'avez jamais connu d'alcooliques ? demanda Francis en secouant encore la tête. Leur cerveau est rongé. Là, c'est pareil.

— C'est ce qui va arriver à Catalina ? À moi aussi ?

— Non ! s'écria le jeune homme. Non, pas du tout. Eux, ce sont des cas spéciaux. Oncle Howard les appelle ses « serfs ». Quant aux mineurs, c'était du menu fretin. Mais vous pouvez établir une vraie relation symbiotique avec le champignon. Rien de tout cela ne vous arrivera.

— Alors qu'est-ce qui *va* m'arriver ?

Même si Francis gardait les mains dans ses poches, Noemí voyait le tissu remuer. Le jeune homme serrait et desserrait les poings, les yeux baissés.

— Je vous ai parlé du sombre. Pas encore de la lignée. Nous sommes spéciaux car le champignon se lie à nous sans nous faire de mal. Il peut même nous rendre immortels. Howard a vécu de nombreuses vies dans de nombreux corps. En transférant d'abord sa conscience dans le sombre, puis en intégrant le corps de l'un de ses enfants.

— Il possède ses propres enfants ? Comme un démon ?

— Non… il devient… ils deviennent lui… ils deviennent quelqu'un de nouveau. Ça ne fonctionne qu'avec les descendants, c'est une question de compatibilité sanguine. Notre lignée s'est isolée pendant des générations afin de s'assurer que nous resterions capables d'interagir avec le champignon, de préserver la symbiose. Aucun étranger, donc.

— De l'inceste à n'en plus finir. Il a épousé deux sœurs, il s'apprêtait à marier Ruth à un cousin, et avant il y avait eu… ses sœurs à lui. (Noemí se rappela soudain sa vision, celle des deux jeunes femmes.) Il avait deux sœurs. Mon Dieu, il leur a fait des enfants ?

— Oui.

Le fameux « look Doyle ». Celui de tous les portraits.

— Depuis quand ? demanda-t-elle. Combien de générations ? Il a quel âge ?

— Je l'ignore. Trois siècles environ. Peut-être plus.

— Trois siècles à épouser des membres de sa famille, à leur faire des enfants, puis à transférer son esprit dans l'un des rejetons. Et vous permettez ça ? Tous autant que vous êtes ?

— Nous n'avons pas le choix. C'est un dieu.

— Bien sûr que vous avez le choix ! Ce sale monstre est tout sauf un dieu !

Cette fois, Francis croisa son regard. Il avait sorti les mains de ses poches et les serrait à présent l'une contre l'autre. Il avait l'air vraiment fatigué.

— Pour nous, c'en est un. Il veut que vous rejoigniez notre famille.

— C'est pour ça qu'il m'a déversé cette horreur noire dans la bouche ?

— Parce qu'il avait peur que vous partiez, confirma Francis. Il ne pouvait pas vous laisser faire. Maintenant, vous n'irez plus nulle part.

— Je refuse d'appartenir à cette famille de tarés. Croyez-moi, Francis, je vais rentrer chez moi vite fait et ensuite…

— Vous n'y parviendrez pas. Je ne vous ai jamais parlé de mon père, n'est-ce pas ?

Noemí observait les traces noires, la moisissure sur le papier peint, mais ces mots la poussèrent à se tourner de nouveau vers Francis. Il avait sorti un petit portrait. Sans doute ce qu'il serrait si fort au fond de sa poche.

— Richard, murmura-t-il en tendant à Noemí la photo noir et blanc. Il s'appelait Richard.

La sévérité du visage au teint cireux de Francis rappelait Howard Doyle, mais Noemí y voyait aussi dorénavant l'héritage du père : le menton pointu, le front large.

— Ruth a fait de gros dégâts, reprit-il. Outre les gens qu'elle a tués, elle a blessé très grièvement Howard. Aucun homme *normal* n'aurait survécu au tir qu'il a reçu. Lui, il a résisté. Mais son pouvoir s'est affaibli. C'est à ce moment-là que nous avons perdu nos ouvriers.

— Ils étaient tous hypnotisés ? Comme vos trois domestiques ?

— Non, pas vraiment. Howard ne pouvait pas contrôler tant de monde à la fois. Dans leur cas, il s'agissait plutôt de contrôle social. Mais le manoir, le champignon, affectaient quand même les mineurs. Comme une sorte de brouillard enveloppant leurs pensées.

— Et votre père, alors ?

Elle lui rendit la photo, qu'il s'empressa de remettre dans la poche de sa veste.

— Howard a guéri lentement de sa blessure. Depuis quelques générations, la famille a du mal à procréer. Quand ma mère a été en âge d'avoir des enfants, Howard a essayé de… mais il était trop vieux, trop faible. D'ailleurs ce n'était pas le seul problème.

Sa nièce, il a voulu faire un enfant à sa nièce, pensa Noemí. La seule idée de cette créature abominable s'affairant sur une femme lui donna de nouveau envie de vomir. Elle pressa le mouchoir contre sa bouche.

— Ça va ? s'inquiéta Francis.

— Il y avait d'autres problèmes ? répondit-elle afin qu'il poursuive son récit.

— L'argent. La mine n'était plus entretenue faute d'ouvriers, d'où l'inondation. Nos revenus se sont taris alors que la révolution avait déjà ruiné la plupart de nos investissements. La famille avait besoin d'argent et d'enfants. Sinon, comment préserver la lignée ? Ma mère a déniché Richard, estimant qu'il ferait l'affaire. Il n'avait pas une grosse fortune, mais assez pour nous remettre à flot. Elle voulait surtout qu'il lui fasse des enfants. Il est venu vivre à High Place, après quoi ils m'ont conçu. Pourtant, même si un premier garçon était déjà une bonne chose, il fallait plus d'enfants. Des filles aussi.

» Le sombre l'a beaucoup affecté. Il avait l'impression de devenir fou. Il a cherché à partir mais c'était impossible, il ne parvenait pas à s'éloigner du manoir. À la fin, il s'est jeté dans un ravin. Si vous combattez le champignon, il vous fera mal. Très mal. Alors que si vous l'acceptez, si vous intégrez la famille, tout se passera bien.

— Catalina le combat, hein ?

— En effet, admit Francis. Mais il se trouve aussi qu'elle n'est pas… totalement compatible.

Noemí secoua la tête.

— Qu'est-ce qui vous fait croire que j'obéirais plus volontiers ?

— Vous êtes compatible. Virgil a choisi Catalina parce qu'il savait qu'elle le serait. Sauf qu'à votre arrivée, il est vite devenu évident que vous étiez encore plus adaptée. Je suppose qu'ils ont espéré que vous vous montreriez compréhensive.

— Ils ont espéré que je serais heureuse de rejoindre votre famille ? Heureuse de quoi, aussi ? De vous donner mon argent ? De faire des enfants ?

— Oui. Les deux.

— Ce manoir n'est qu'un ramassis de monstres. Et vous ! Vous, Francis. J'avais confiance en vous.

Il la contempla un instant en silence, les lèvres tremblantes. Comme s'il allait pleurer. Cette perspective rendit Noemí furieuse. Ce serait *lui* qui devrait craquer, éclater en sanglots ? *Je voudrais bien voir ça*, songea la jeune femme.

— Je suis vraiment navré.

— Navré ? s'écria-t-elle. Navré, espèce de fumier ?

Noemí réussit à se lever malgré la douleur qui lui taraudait les muscles.

— Ce n'est pas ce que j'aurais voulu, répondit Francis en reculant la chaise pour se lever à son tour.

— Alors aidez-moi ! Aidez-moi à partir !

— Je ne peux pas.

Elle lui assena un coup de poing. Une frappe bien faiblarde mais qui ôta à Noemí ses dernières forces. Si Francis ne l'avait pas rattrapée, elle serait tombée par terre, au risque de se fendre le crâne. Néanmoins, elle tenta de le repousser.

—Lâchez-moi, marmonna-t-elle.

La veste de Francis étouffait sa voix. Elle ne parvenait même pas à relever la tête.

—Il faut vous reposer, murmura-t-il. Je vais trouver une solution. En attendant, reposez-vous.

—Allez vous faire foutre !

Il la recoucha en douceur. Noemí voulut lui répéter d'aller se faire foutre, sauf que ses yeux se fermaient tout seuls. Sur le mur, les moisissures vibraient au point de faire trembler le papier peint. Les lames du parquet tremblaient elles aussi, évoquant la peau d'un être vivant.

Un grand serpent émergea du parquet, noir et luisant, puis se glissa sur le lit. Il toucha les jambes de Noemí, peau froide contre chair fiévreuse. La jeune femme ne bougeait pas, craignant que la bête se redresse soudain et la morde. La peau du serpent était parsemée d'un millier de petites protubérances qui palpitaient en propulsant des spores.

Encore un rêve, se dit-elle. *C'est le sombre, et le sombre n'est pas réel.*

Elle refusait pourtant d'assister à un tel spectacle. Elle battit des jambes, tentant de repousser le serpent. Les coups rompirent la peau du reptile, dont la chair apparut blanchâtre et morte, rongée par la décomposition. Une autre vie prenait possession de la carcasse ; les moisissures s'y répandaient sur toute la longueur.

Et Verbum caro factum est, dit le serpent.

Noemí était désormais à genoux. Dans une salle aux murs de pierre, baignant dans la pénombre car sans fenêtres. Les bougies qui trônaient sur un autel n'éclairaient presque rien. Cet autel était plus élégant que celui de la grotte : couvert d'un tissu de velours rouge, avec des candélabres en argent. Mais la pièce demeurait humide, froide et obscure.

Howard Doyle avait aussi installé des tapisseries. Noir et rouge, ornées du symbole de l'ouroboros. Il avait saisi la nécessité d'une certaine pompe. D'ailleurs Doyle était là, revêtu d'un habit écarlate. Près de lui se tenait la femme de la grotte, enceinte jusqu'aux yeux et l'air malade.

Et Verbum caro factum est, répéta le serpent à l'oreille de cette femme. Noemí pouvait l'entendre même si elle ne le voyait pas ; il parla encore mais elle ne comprenait plus ce qu'il disait de son étrange voix rauque.

Deux femmes aidèrent la parturiente à s'allonger sur une estrade au pied de l'autel. Deux femmes blondes que Noemí avait déjà vues. Les sœurs. Et elle avait déjà vécu ce rituel. Dans le cimetière. La femme accouchant dans le cimetière.

Accouchant. Le bébé hurla ; Doyle le prit dans ses bras. Puis elle comprit.

Et Verbum caro factum est.

Elle comprit ce qu'elle n'avait pas bien vu dans ses rêves précédents et n'avait aucune envie de voir à présent. Alors que c'était là, devant elle. Le couteau et le bébé. Noemí ferma les yeux mais ses paupières ne faisaient pas barrage. Le sang, le bébé assassiné, découpé. Les sœurs le *dévoraient*.

La chair des dieux.

Doyle déposait dans leurs mains tendues des morceaux de viande et d'os, puis elles mâchaient la chair pâle.

Ce rituel existait déjà dans la grotte, accompli par les prêtres qui se donnaient en offrande le jour de leur mort. Doyle avait perfectionné le processus. Doyle le cultivé, qui avait lu tant de livres de théologie, de biologie et de médecine, en quête de réponses qu'il avait fini par trouver.

Les yeux de Noemí étaient fermés. Ceux de la femme aussi ; on lui pressa un tissu sur le visage : sans doute serait-elle exécutée puis ingérée à son tour. Mais non. Les officiantes l'emmaillotèrent bien serrée avant de la jeter *vivante* dans un puits ouvert à côté de l'autel.

Elle n'est pas morte, leur dit Noemí. En vain. Puisque ce n'était qu'un souvenir.

C'était nécessaire, évidemment. Le champignon allait jaillir de son corps, tracer un chemin dans la terre, prendre possession des fondations du bâtiment. De plus, le sombre avait besoin d'un esprit. Le sien, donc. Le sombre était vivant. De bien des manières. À sa base se trouvait le corps pourri d'une femme, les membres tordus, quelques cheveux encore collés au crâne. Le cadavre avait la bouche grande ouverte sur un cri, et de ses lèvres desséchées émergeait le pâle champignon.

Le prêtre, lui, se sacrifiait : en partie mangé, en partie enterré. Grâce à la vie naissant de sa dépouille, sa congrégation se liait à lui pour toujours. Se liait à leur dieu. Mais Doyle n'était pas assez stupide pour s'offrir lui-même en sacrifice.

Doyle pouvait devenir un dieu sans se plier à ces ridicules arcanes.

Doyle était divin.

Doyle existait, persistait.

Doyle ne mourait pas.

Des monstres. Ah ! un monstre, c'est ainsi que vous me percevez, Noemí ?

— En avez-vous vu assez, petite curieuse ? demanda Doyle.

Il jouait aux cartes dans un coin de la chambre de Noemí. Elle vit ses mains ridées, l'anneau d'ambre qui scintillait à la lueur des bougies tandis qu'il mélangeait les cartes. Il tourna la tête vers elle. Leurs regards se croisèrent. C'était le Doyle du temps présent. Howard Doyle, vieillard voûté à la respiration sifflante. Il posa trois cartes sur la table et les retourna doucement. Un chevalier avec une épée. Un page tenant une pièce de monnaie. Noemí distinguait, à travers la fine chemise, d'innombrables pustules noires sur le dos du patriarche.

— Pourquoi me montrez-vous ça ?

— C'est le manoir qui vous le montre. Le manoir vous adore. J'espère que vous appréciez notre hospitalité. Voulez-vous jouer avec moi ?

—Non.

—Dommage. (Doyle retourna la troisième carte. Une simple coupe vide.) Vous finirez par vous abandonner. Vous nous aimez déjà. Vous faites déjà partie de la famille, même si vous l'ignorez encore.

—Vous ne me faites pas peur, vieille ordure, avec vos rêves et vos tours de passe-passe. Rien de tout ça n'est réel. Vous ne réussirez pas à me retenir ici.

—Croyez-vous? (Les pustules s'agitèrent dans son dos. Un filet de liquide noir comme de l'encre coula à terre.) Je peux vous obliger à faire tout ce que je veux.

D'un ongle pointu, il sectionna lui-même une pustule sur laquelle il pressa une coupe en argent semblable à celle de la carte à jouer. Le récipient se remplit d'un liquide infect.

—Buvez donc à ma santé, dit Doyle.

Durant une affreuse seconde, Noemí se vit obéir, s'avancer pour prendre la coupe. Jusqu'à ce que l'horreur la paralyse.

Howard Doyle lui sourit. Il affichait son pouvoir, affichait qui était le maître même dans le monde des rêves.

—Dès que je me réveille, je vous tue, cracha Noemí. Vous ne perdez rien pour attendre.

Elle se précipita vers lui, enserra le cou frêle. La peau parcheminée se déchira aussitôt, révélant veines et muscles. Il lui sourit malgré tout avec l'atroce sourire de Virgil. D'ailleurs c'était Virgil. Elle serra encore plus fort, mais il la repoussa en pressant le gras du pouce contre ses lèvres, contre ses dents.

Francis la regardait, les yeux écarquillés de douleur, sa main retombant avec lenteur. Noemí le lâcha et recula d'un pas. Francis ouvrit la bouche pour supplier; une centaine d'asticots s'en échappa en un instant.

Les vers, les tiges, le serpent qui jaillit de l'herbe et s'enroula autour du cou de Noemí.

Vous êtes à nous, que vous le vouliez ou non. Vous êtes à nous et vous êtes nous.

Elle tenta de s'arracher au serpent, mais il tenait bon, ouvrant grande la gueule pour avaler sa proie d'un seul coup. Noemí enfonça les ongles dans la peau du reptile, qui murmura alors : *Et Verbum caro factum est.*

Il y avait aussi une voix de femme qui disait : *Ouvrez les yeux.*

Je dois m'en souvenir, pensa Noemí. *Me souvenir d'ouvrir les yeux.*

Chapitre 21

La lumière du jour. Noemí n'avait jamais été plus heureuse de contempler une vision si ordinaire ; la clarté s'infiltrant dans sa chambre malgré les rideaux lui réchauffa le cœur. Elle se leva, ouvrit les rideaux et pressa les paumes contre la fenêtre. Elle tenta d'ouvrir la porte mais, sans surprise, celle-ci était fermée à clé.

Quelqu'un lui avait apporté une collation. Noemí s'abstint de boire le thé froid, de peur surtout d'éventuels ajouts dans la boisson. Même les toasts la firent hésiter. Elle grignota néanmoins le bord des tartines avant de se désaltérer au robinet de la salle de bains.

Mais pourquoi s'infliger de telles précautions si le champignon voletait dans l'air ? Elle l'inhalait de toute manière. Elle constata que ses valises avaient été défaites, ses robes de nouveau accrochées aux portemanteaux de la penderie.

Le froid la décida à enfiler sa robe à manches longues, celle à motif écossais avec le col Claudine. Noemí n'était pas amatrice de plaid et ne se rappelait pas ce qui l'avait poussée à prendre cette robe, mais elle était bien contente de l'avoir pour se tenir chaud.

Une fois coiffée et chaussée, Noemí essaya encore, en vain, d'ouvrir la fenêtre. De même pour la porte. La cuillère dont elle disposait sur le plateau ne lui semblait guère utile comme outil. Elle réfléchissait cependant à la façon de s'en servir pour forcer la porte lorsque la clé tourna soudain dans la serrure. Florence apparut sur le seuil, l'air toujours aussi contrariée de devoir côtoyer Noemí. Ce jour-là, le sentiment s'avérait totalement réciproque.

— Vous comptez vous laisser mourir de faim ? demanda Florence en découvrant la collation à peine entamée.

— Je n'ai pas beaucoup d'appétit après ce qui s'est passé hier.

— Vous devez manger quand même. En tout cas, Virgil veut vous voir. Il vous attend dans la bibliothèque. Venez.

Noemí suivit sa geôlière dans le couloir puis dans l'escalier. Florence ne pipait mot tandis que la jeune femme demeurait en permanence deux pas derrière elle. Arrivée au rez-de-chaussée, Noemí se précipita vers la porte d'entrée. Elle avait craint de la trouver fermée aussi, mais la poignée tourna sans problème et la fuyarde bondit à l'extérieur. Une épaisse brume matinale enveloppait le manoir, ce qui n'empêcha pas Noemí de prendre ses jambes à son cou sans bien savoir où elle allait.

Les herbes hautes lui frottèrent la peau et quelque chose s'agrippa à sa robe. Elle entendit le tissu se déchirer, tira sur la jupe pour se dégager. Une fine bruine lui mouillait les cheveux, mais elle n'aurait pas rebroussé chemin même en plein orage.

Noemí stoppa pourtant sa course, le souffle court. Elle chercha à calmer sa respiration, sans succès, comme si une main invisible l'étranglait. Elle dut s'appuyer contre un arbre dont les branches basses lui éraflèrent la tempe. Toujours essoufflée, elle se toucha le front et sentit du sang lui couler entre les doigts.

Il lui fallait marcher plus lentement, faire attention où elle allait, car la brume était de plus en plus dense. Noemí glissa, tomba par terre et perdit une chaussure, qui disparut comme par magie.

La jeune femme voulut se relever, mais la pression atroce sur sa gorge lui ôtait toutes ses forces. Elle parvint néanmoins à se mettre à genoux ; elle tâtonna en quête de la chaussure manquante, renonça vite et préféra ôter la seconde.

Autant continuer pieds nus. La chaussure restante en main, Noemí se força à réfléchir. La brume enveloppait tout : les arbres, le manoir, le moindre repère. Elle ignorait dans quelle direction aller. Tout à coup, un bruissement d'herbe lui apprit que quelqu'un la poursuivait.

Sa gorge la brûlait. Parvenant à aspirer un peu d'air dans ses poumons, elle prit appui sur la terre humide et se redressa péniblement. Quatre pas, cinq, six, puis elle trébucha de nouveau et retomba à genoux.

Trop tard pour s'enfuir. Une silhouette se dessina dans la brume, se pencha vers elle. Noemí leva les mains pour tenter de repousser l'homme, mais celui-ci l'empoigna et la souleva telle une poupée de chiffon.

Noemí le frappa avec sa chaussure ; un coup porta à la tête, arrachant un grognement rageur à l'assaillant, qui la lâcha aussitôt. Elle se retrouva une fois de plus dans la boue, prête à s'enfuir en rampant si besoin. Sauf qu'elle n'avait pas suffisamment blessé l'homme.

Il la reprit dans ses bras et la ramena vers la maison sans qu'elle puisse même protester, incapable d'inspirer plus qu'un filet d'air. Pis encore, elle comprit qu'elle s'était à peine éloignée du manoir – quelques petits mètres – avant de s'effondrer.

Noemí distingua d'abord le porche, suivi de la porte d'entrée, et tourna la tête vers celui qui la transportait.

Virgil. Il ouvrit la porte puis grimpa l'escalier. Le vitrail rond placé au sommet des marches comportait un mince serpent gravé en rouge le long de la bordure. Noemí ne l'avait jamais remarqué, mais le voyait à présent très bien : un serpent qui se mordait la queue.

Virgil emmena sa proie dans la chambre qu'elle venait tout juste de quitter, puis la déposa en douceur dans la baignoire avant d'ouvrir le robinet à fond.

— Déshabillez-vous et nettoyez-vous, ordonna-t-il.

Noemí respirait normalement. À croire qu'un interrupteur venait de basculer. Mais son cœur battait encore à tout rompre tandis qu'elle dévisageait Virgil, agrippée au rebord de la baignoire, lèvres entrouvertes.

— Vous allez attraper la mort, ajouta-t-il en tendant les mains comme pour dévêtir Noemí lui-même.

Elle gifla les doigts inquisiteurs, serrant de son autre main le col de la robe.

— Non ! s'écria-t-elle.

Lâcher ce simple mot lui râpa la gorge. Virgil, lui, se contenta de ricaner.

— C'est votre faute, Noemí. Vous avez voulu patauger dans la boue sous la pluie, maintenant vous devez vous laver. Alors déshabillez-vous avant que je m'en charge.

Sa voix demeurait mesurée, exempte de menace, mais son expression révélait une hostilité latente.

Noemí défit les boutons avec des mains tremblantes, puis enleva la robe, qu'elle roula en boule avant de la jeter par terre. Elle ne portait plus que ses sous-vêtements. La jeune femme pensait que Virgil se contenterait de cette humiliation mais, au lieu de partir, il s'adossa au mur et pencha la tête de côté sans quitter Noemí des yeux.

— Eh bien ? insista-t-il. Vous êtes sale. Enlevez-moi tout ça et lavez-vous. Votre coiffure ne ressemble plus à rien.

— Dès que vous serez sorti d'ici.

Virgil s'empara d'un tabouret à trois pieds et s'y assit, imperturbable.

— Je reste.

— Je ne compte pas me dénuder devant vous.

Il se pencha en avant, l'air de vouloir lui souffler un secret à l'oreille.

— Je peux vous dénuder de *force*. Ça ne me prendra même pas une minute et ça risque de faire mal. Ou alors vous vous en chargez vous-même, comme une gentille petite fille.

Il ne plaisantait pas. Noemí se sentait encore un peu étourdie, l'eau était trop chaude, mais elle ôta néanmoins ses sous-vêtements et les jeta à leur tour dans un coin de la salle de bains. Elle prit le savon posé dans une coupelle en porcelaine, avec lequel elle se frotta la tête, les bras, les mains. Elle œuvra aussi vite que possible puis se rinça.

Virgil ferma le robinet, un coude posé sur le rebord de la baignoire. Il avait le mérite de regarder par terre plutôt que vers Noemí, comme s'il s'intéressait grandement au carrelage. Il se passa le bout des doigts sur la bouche.

— Vous m'avez coupé la lèvre avec votre chaussure, dit-il.

Il avait effectivement des traces de sang sur le menton. Noemí se réjouit d'avoir au moins réussi quelque chose.

— C'est pour ça que vous me torturez ?

— Moi, je vous torture ? Je m'assure juste que vous ne vous évanouissez pas dans la baignoire. Ce serait dommage de vous noyer maintenant.

— Vous auriez pu monter la garde dehors, espèce de sale porc, lança-t-elle en rejetant en arrière une mèche de cheveux trempés.

— C'est vrai, mais j'aurais trouvé ça beaucoup moins drôle.

Noemí aurait pu être charmée par le sourire de cet homme si elle l'avait rencontré lors d'une fête, si elle ne le connaissait pas déjà trop bien. Il avait trompé Catalina avec ce sourire, qui était en réalité celui d'un prédateur. Noemí ressentit une soudaine envie de le frapper de nouveau au nom de sa cousine.

Le robinet gouttait. « Plic, plic, plic ». Aucun autre bruit dans la pièce. Noemí désigna la sortie-de-bain accrochée derrière Virgil.

— Pourriez-vous me passer ça ? (Pas de réponse.) Je viens de vous demander si…

Virgil plongea une main sous l'eau et la posa sur la cuisse de Noemí. La jeune femme recula brusquement ; elle se cogna le dos à la baignoire, projetant de l'eau par terre. L'instinct la poussait à se lever, à bondir hors de la baignoire puis hors de la salle de bains, mais Virgil lui bloquait le passage. Noemí n'avait finalement que la baignoire et l'eau comme boucliers. Elle ramena les genoux contre sa poitrine.

—Sortez tout de suite, dit-elle d'une voix aussi ferme que possible.

—Vous jouez les timides à présent ? Vous n'étiez pas dans les mêmes dispositions la dernière fois que nous étions ici ensemble.

—C'était un rêve, bredouilla-t-elle.

—Ce qui ne veut pas dire que ce n'était pas réel.

Noemí écarquilla les yeux, incrédule. Elle ouvrit la bouche pour protester ; Virgil se pencha en avant et lui empoigna la nuque. Elle hurla, tentant de se libérer, mais il lui saisit les cheveux et lui tira la tête en arrière d'un geste brutal.

Le même geste que dans le rêve. Après, il l'avait embrassée. Et elle avait aimé ça.

Noemí chercha à se dérober.

—Virgil ! s'exclama Francis.

Le jeune homme se tenait sur le seuil, bras le long du corps, poings serrés.

—Quoi ? demanda Virgil d'une voix dure en se tournant vers son cousin.

—Le docteur Cummins est arrivé. Il veut la voir.

Virgil poussa un soupir, puis lâcha Noemí et haussa les épaules à son intention.

—Nous reprendrons cette petite discussion plus tard, dit-il avant de quitter la salle de bains.

Noemí éprouva un tel soulagement qu'elle pressa les mains contre sa bouche pour étouffer un cri.

—Le docteur Cummins souhaite vous examiner, confirma Francis d'une voix douce. Avez-vous besoin d'aide pour sortir de la baignoire ?

Elle secoua la tête. Elle avait l'impression que ses joues la brûlaient à force de mortification.

Francis prit une serviette sur une étagère et la tendit à Noemí sans ajouter un mot. Elle le regarda un court instant, le temps d'attraper le linge.

—Je serai à côté, dit-il.

Il quitta la pièce à son tour, fermant la porte derrière lui. Noemí s'essuya et enfila la sortie-de-bain.

Lorsqu'elle revint dans la chambre, le docteur Cummins l'attendait près du lit et lui fit signe de s'y asseoir. Il lui prit le pouls, écouta son cœur au stéthoscope, puis ouvrit une fiole d'alcool à friction et en imprégna une boule de coton qu'il appuya sur la tempe de sa patiente. Noemí grimaça, surprise, ayant oublié l'écorchure.

—Comment va-t-elle? s'enquit Francis d'une voix anxieuse.

—Plutôt bien, juste une ou deux égratignures. Même pas la peine de mettre un pansement. Mais cela n'aurait jamais dû se produire. Je pensais que vous lui aviez déjà tout expliqué. Si elle s'était abîmé le visage, Howard en aurait été fort contrarié.

—Ne lui en voulez pas, répondit Noemí. Francis m'a en effet expliqué que je me trouvais dans un manoir rempli de monstres incestueux. Et de leurs larbins.

Les mains du médecin s'immobilisèrent un moment tandis qu'il fronçait les sourcils.

—Eh bien, je vois que vous n'avez pas perdu votre façon si charmante de vous adresser à vos aînés. Francis, remplissez-moi un verre d'eau. (Cummins se remit à tamponner la tempe de Noemí.) Cette femme est complètement déshydratée.

—Je m'en occupe, lâcha Noemí en s'emparant du coton pour nettoyer elle-même les écorchures.

Le médecin haussa les épaules et rangea le stéthoscope dans sa sacoche noire.

—Francis devait vous avertir d'un certain nombre de choses, mais il ne s'est sans doute pas montré assez clair. Vous ne pouvez pas quitter ce manoir, mademoiselle. Ni vous ni personne. Le manoir vous en empêchera. Si vous tentez encore de vous enfuir, vous souffrirez des mêmes maux.

—Comment un simple bâtiment peut-il faire ça?

—Il peut. C'est tout ce qui compte.

Francis s'approcha du lit et tendit un verre d'eau à Noemí. Elle le but à petites gorgées sans quitter les deux hommes des yeux. Soudain, elle remarqua sur le visage de Cummins une particularité qui lui avait échappé jusqu'alors, mais qui semblait à présent évidente.

—Vous êtes de la famille aussi, n'est-ce pas? Un autre Doyle.

—De la famille éloignée. C'est pourquoi je vis au village, d'où je gère le volet administratif.

Éloignée. Le mot avait de quoi faire rire. D'après Noemí, il n'existait aucun «éloignement» au sein de l'arbre généalogique des Doyle, aucune branche se développant de manière autonome. Virgil n'avait-il pas épousé la fille de Cummins? Hors de question d'autoriser quelqu'un à «s'éloigner».

«*Il veut que vous rejoigniez notre famille*», avait dit Francis. Noemí serra le verre à deux mains.

—Vous devez manger, assena Cummins. Francis, apportez le plateau.

—Je n'ai pas faim, rétorqua Noemí.

—Ne faites pas l'idiote. Francis, le plateau.

—Le thé est-il encore chaud? demanda Noemí sur un ton badin. J'en balancerais bien une tasse brûlante à la figure de notre bon docteur.

Cummins ôta ses lunettes et les essuya avec un mouchoir, sourcils froncés.

—Vous avez décidé de jouer les difficiles aujourd'hui. Je ne devrais pas m'en étonner. Les femmes sont affreusement lunatiques.

—Votre *fille* était-elle difficile? (Cummins releva la tête d'un geste sec et dévisagea Noemí. Elle avait réussi à toucher un nerf sensible.) Vous leur avez donné votre propre *fille*.

— Je ne sais pas de quoi vous parlez, marmonna-t-il.

— Virgil m'a dit qu'elle était partie, mais c'est faux. Personne ne peut partir d'ici, vous me l'avez affirmé vous-même. Le manoir ne l'aurait pas permis. Elle est morte, hein ? Virgil l'a tuée ?

Noemí et le médecin échangèrent un long regard, puis Cummins arracha le verre des mains de la jeune femme et le posa sur la table de chevet.

— Vous devriez peut-être nous laisser parler en privé, lui proposa Francis.

Cummins le prit par le bras tout en jetant un vilain coup d'œil à Noemí.

— C'est ça. Enfoncez-lui un peu de bon sens dans le crâne. Vous savez qu'il n'acceptera pas un tel comportement.

Avant de quitter la pièce, le médecin s'arrêta au pied du lit, mains serrées sur sa sacoche, et s'adressa à Noemí :

— Ma fille est morte en couches, si vous voulez tout savoir. Elle n'était pas capable de donner à la famille l'enfant tant attendu. Howard estime que Catalina et vous serez plus solides, car d'un autre sang. Nous verrons bien.

Puis il sortit en refermant la porte de la chambre derrière lui.

Francis prit le plateau en argent et l'apporta jusqu'au lit. Noemí agrippa les draps à deux mains.

— Vous devriez vraiment manger un peu, dit le jeune homme.

— C'est empoisonné ?

Francis se pencha pour poser le plateau sur les genoux de Noemí. Il en profita pour lui susurrer quelques mots en espagnol :

— Le thé, oui, il y a quelque chose dedans. Mais pas dans l'œuf. Allez-y, mangez-le. Je vous dirai pour le reste.

— Est-ce que… ?

— En espagnol, l'interrompit-il. Il nous entend à travers les murs, mais il ne comprend pas l'espagnol. Parlez à voix basse et mangez. S'il vous plaît. Vous *êtes* déshydratée après tout ce que vous avez vomi la nuit dernière.

Noemí souleva lentement la cuillère et tapota la coquille de l'œuf dur sans cesser un instant de regarder Francis.

— Je veux vous aider, l'assura-t-il. Mais c'est compliqué. Vous avez vu ce dont le manoir est capable.

— Garder les gens prisonniers, si je comprends bien. C'est vrai que je ne peux plus partir ?

— Il vous pousse à faire certaines choses, vous empêche d'en faire d'autres.

— Donc il contrôle votre esprit.

— D'une certaine façon. C'est plus rudimentaire que ça. Il joue sur les instincts.

— Je n'arrivais plus à respirer…

— Je sais.

Noemí se força à ingurgiter un bout d'œuf. Ensuite, Francis lui fit signe de manger le toast, mais sans confiture.

— Il doit bien y avoir un moyen de s'enfuir, dit-elle.

— Possible. (Francis sortit une petite bouteille de sa poche.) Vous reconnaissez ça ?

— C'est le remède que j'ai apporté à ma cousine. Comment l'avez-vous récupéré ?

— Le docteur Cummins m'a demandé de m'en débarrasser après la crise de Catalina. Mais j'ai préféré le garder. Le champignon traîne dans l'air et, grâce à ma mère, il traîne aussi dans la nourriture. C'est de cette façon qu'il s'insinue en vous. Ce qui ne l'empêche pas d'avoir des faiblesses. Il n'aime pas la lumière, ainsi que certaines odeurs.

— Mes cigarettes, lança Noemí en claquant des doigts. Elles dérangent le manoir. Et la teinture de la guérisseuse aussi.

Marta Duval était-elle au courant ? Ou ne s'agissait-il que d'un heureux hasard ? En tout cas, Catalina avait compris que la teinture affectait le manoir. Par chance ou non, la cousine de Noemí avait trouvé la clé de sa cellule. Mais elle n'avait pas pu s'en servir.

— C'est plus fort que ça, dit Francis. L'action du champignon est vraiment perturbée. Si vous prenez cette teinture, il vous contrôlera moins facilement.

— Comment pouvez-vous en être si sûr ?

— Grâce à Catalina. Elle a essayé de s'enfuir, mais Virgil et Arthur l'ont rattrapée. Ils ont découvert la potion, puis son effet sur le manoir. Ils la lui ont retirée, évidemment, sans savoir que l'affaire durait depuis un moment et que ça avait permis à votre cousine de demander à quelqu'un en ville de poster une lettre pour elle.

Catalina, toujours si intelligente. Elle avait prévu un plan de secours pour appeler à l'aide. Malheureusement, celle qui était venue à la rescousse se voyait prise au piège à son tour.

Noemí tendit la main vers la bouteille, mais Francis la repoussa en secouant la tête.

— Rappelez-vous ce qui est arrivé à votre cousine. Si vous en prenez trop d'un coup, vous subirez le même genre de crise.

— Alors c'est inutile.

— Pas du tout. Il faut juste en boire un peu chaque fois. Écoutez-moi bien : le docteur Cummins est ici pour une bonne raison. Oncle Howard va mourir. Le champignon rallonge la vie de ses hôtes, mais pas indéfiniment. Son vieux corps va lâcher, après quoi il entamera la transmigration en prenant possession de Virgil. À ce moment-là, au moment de sa mort, tout le monde sera rassemblé autour de lui. Le pouvoir du manoir sera affaibli.

— C'est pour quand ?

— Très bientôt. Vous avez vu dans quel état il se trouve.

Noemí n'était pas sûre de souhaiter raviver ce souvenir. Elle posa la cuillère contenant une dernière bouchée d'œuf, puis fronça les sourcils.

— Il veut que vous rejoigniez la famille, ajouta Francis. Faites comme si vous étiez d'accord, soyez patiente, et je me charge de vous sortir d'ici. Il existe des tunnels menant au cimetière, dans lesquels je devrais pouvoir dissimuler du matériel.

— Qu'entendez-vous exactement par « être d'accord » ? demanda Noemí en voyant Francis baisser les yeux.

Elle le saisit par le menton, d'une main, pour le forcer à la regarder. Il resta quelques instants immobile avant de répondre :

— Il voudra que vous m'épousiez. Il voudra que je vous fasse des enfants. Pour que vous soyez vraiment des nôtres.

— Et si je refuse ?

— Il arrivera à ses fins malgré tout.

— En me vidant l'esprit, comme les domestiques ? Ou juste en me violant ?

— Pas besoin d'en arriver là, marmonna Francis.

— Pourquoi ?

— Parce que ce serait grossier. Il adore exercer un contrôle plus subtil. Il a laissé mon père aller en ville pendant des années. Il a autorisé Catalina à se rendre à l'église. Il a même envoyé Virgil et ma mère au loin pour se marier. Les gens doivent lui obéir de leur propre chef, sinon ce serait beaucoup trop fatigant.

— Donc il ne peut pas les contrôler tout le temps, analysa Noemí. Ruth a pu s'emparer d'un fusil et Catalina a essayé de me dire la vérité.

— Exact. Catalina, par exemple, a gardé secrète l'origine de son remède, même si Howard a tout tenté pour lui arracher l'information.

Sans oublier les mineurs qui avaient réussi à organiser une grève. Autant Howard Doyle aimait se prendre pour un dieu, autant il ne pouvait pas soumettre tout le monde à sa volonté à toute heure du jour et de la nuit. Il était néanmoins parvenu à manipuler un grand nombre de personnes ces dernières décennies. Quitte, lorsque cela ne suffisait plus, à les tuer ou à les faire disparaître, comme Benito.

— Nous n'obtiendrons rien par une confrontation directe, affirma Francis.

Noemí se perdit dans la contemplation du couteau à beurre. Le jeune homme avait raison : que pouvait-elle espérer ? Si elle cherchait la bagarre, elle ne parviendrait qu'à atterrir de nouveau dans son lit, avec peut-être une ou deux blessures en prime.

— Si j'accepte de jouer le jeu, alors il faudra aussi faire sortir Catalina.

Francis ne dit rien, mais ne semblait guère se réjouir à l'idée de devoir exfiltrer deux personnes d'un coup.

— Je ne l'abandonnerai pas, reprit Noemí en empoignant Francis par la main qui tenait la bouteille. Vous devez lui donner de la teinture à elle aussi. Pour la libérer.

— Oui, oui, très bien. Mais parlez moins fort.

Noemí lâcha Francis et ajouta un ton plus bas :

— Jurez-le. Sur votre vie.

— Je le jure. Maintenant, que diriez-vous d'essayer ? (Il déboucha la bouteille.) Ça risque de vous endormir, mais je crois que vous en avez grand besoin.

— Virgil lit dans mes rêves, murmura Noemí. Donc il saura tout ce que nous préparons.

— Ce ne sont pas de vrais rêves. C'est le sombre. Mais faites attention si vous y retournez.

— Je ne sais même pas si je peux vous faire confiance. Qu'est-ce qui vous pousse à m'aider ?

Francis différait de son cousin par mille petits détails. Les doigts délicats, la bouche tombante, une allure dégingandée là où Virgil respirait la force virile. Son visage blême était empreint de gentillesse, mais comment savoir si ce n'était pas qu'une façade, s'il n'allait pas se montrer soudain aussi impitoyable que le reste de la famille ? Après tout, ce manoir n'était qu'apparences. Des secrets dissimulés sous d'autres secrets.

Noemí se massa la nuque à l'endroit où Virgil lui avait tiré les cheveux.

Francis jouait avec le bouchon en verre de la bouteille. Celui-ci accrocha la lumière chiche filtrant à travers les rideaux ; l'effet de prisme peignit un petit arc-en-ciel sur le lit.

— Il existe un champignon qui ne s'attaque qu'aux cigales, dit-il. *Massospora cicadina.* Je me rappelle avoir lu un article sur son cycle de vie : il se développe sur l'abdomen de la cigale, qu'il transforme peu à peu en une masse de poudre jaune. L'article expliquait que même les cigales les plus infectées continuaient à striduler alors qu'elles se faisaient dévorer de l'intérieur. Le chant d'amour d'un insecte à moitié mort. Vous imaginez ça ? (Francis fronça les sourcils.) Vous aviez raison. J'ai le choix. Je n'ai pas envie de passer ma vie à chanter en prétendant que tout va bien.

Il cessa soudain d'agiter le bouchon et croisa le regard de Noemí.

— Vous semblez avoir plutôt bien prétendu jusqu'à maintenant, lança-t-elle.

— C'est vrai, admit-il d'un air grave. Mais depuis votre arrivée, je n'y parviens plus.

La jeune femme l'observa en silence tandis qu'il versait une dose de teinture dans une cuillère. Noemí avala la potion au goût amer. Francis lui tendit la serviette posée sur le plateau afin qu'elle s'essuie la bouche.

— Je m'occupe de ça, dit-il en rangeant la bouteille et en emportant le plateau.

Noemí lui toucha le bras, ce qui le stoppa net.

— Merci, lui dit-elle.

— Ne me remerciez surtout pas. J'aurais dû agir plus tôt, mais je suis trop lâche.

Elle posa la tête sur l'oreiller et laissa la somnolence l'envahir. Plus tard – difficile d'estimer combien de temps s'était écoulé – elle entendit un froissement de tissu et se redressa aussitôt. Ruth Doyle se tenait au pied du lit, les yeux baissés.

Non, ce n'était pas Ruth. Un souvenir, alors ? Un fantôme ? Pas exactement. Noemí comprit que cette voix qui lui avait murmuré à l'oreille, la pressant d'ouvrir les yeux, provenait de l'esprit de Ruth encore niché dans le sombre, dans les murs couverts de moisissures. D'autres bribes de personnalités se cachaient sans doute dans le papier peint, mais aucune aussi forte que Ruth. Sauf peut-être cette présence dorée que Noemí n'avait pas encore identifiée, qu'elle hésitait même à qualifier de « personne ». Au contraire de Ruth.

— Vous m'entendez ? demanda Noemí. Ou vous n'êtes qu'une sorte d'enregistrement, comme sur un disque ?

Elle n'avait pas peur de cet esprit. Celui d'une jeune femme maltraitée et abandonnée. Aucune malice n'émanait d'elle.

— Je ne regrette rien, dit Ruth.

— Je m'appelle Noemí. Nous nous sommes déjà rencontrées. Mais je ne sais pas si vous me comprenez.

— Regrette rien.

Noemí doutait d'en obtenir plus lorsque, soudain, Ruth releva la tête.

— Mère ne peut pas, veut pas vous protéger. Personne ne peut vous protéger.

Votre mère est morte, songea Noemí. *Vous l'avez tuée*. Mais pourquoi rappeler de telles choses à ce qui n'était au final qu'un cadavre enterré depuis longtemps ? Noemí tendit une main et la posa sur l'épaule de Ruth. Qui lui parut tout à fait solide.

— Vous devez le tuer, dit l'esprit en secouant la tête. Père ne vous laissera jamais partir. J'ai commis une erreur. Je n'ai pas fait ce qu'il fallait.

— Qu'auriez-vous dû faire ?

— Je n'ai pas fait ce qu'il fallait. C'est un dieu ! Un dieu !

Ruth se mit à sangloter, les deux mains sur la bouche, en se balançant d'avant en arrière. Noemí tenta de la prendre dans ses bras, mais elle se dégagea et se roula en boule par terre. Noemí s'agenouilla près d'elle.

— Je vous en prie, ne pleurez pas.

Le corps de Ruth se couvrait peu à peu de gris, avec des taches blanches de moisissures sur le visage et sur les mains. Des larmes noires coulaient sur ses joues ; de la bile lui sortait de la bouche et du nez.

Puis elle poussa un cri rauque et se déchira la peau avec ses propres ongles. Noemí bondit en arrière, se cognant au lit. Ruth semblait se tordre de douleur, grattant désormais le parquet au point de s'enfoncer des échardes dans les mains.

Paniquée, Noemí faillit crier à son tour. Mais elle se souvint alors de la phrase magique, du mantra.

— Ouvrez les yeux, dit-elle.

Noemí obéit elle-même à l'injonction. Elle ouvrit les yeux. La chambre était plongée dans la pénombre ; la pluie tombait à l'extérieur. La jeune femme était seule. Elle se leva et écarta le rideau de la fenêtre, percevant au loin le sinistre grondement du tonnerre. Où était passé son bracelet ? Celui censé repousser le mauvais œil ? Même s'il ne lui servirait sans doute pas à grand-chose. Dans le tiroir de la table de chevet, Noemí trouva ses cigarettes et son briquet, que personne n'avait songé à lui prendre.

Elle actionna le briquet, observa la flamme un instant, puis le remit dans le tiroir.

Chapitre 22

Francis réapparut au matin pour administrer à Noemí une petite dose de teinture et lui montrer ce qu'elle pouvait manger ou pas. À la tombée de la nuit, il revint avec un autre plateau, puis annonça que Virgil les attendait tous les deux dans le bureau dès que Noemí aurait fini de souper.

Même avec la lampe à pétrole de Francis, le couloir menant à la bibliothèque s'avéra trop obscur pour que la jeune femme contemple les rangées de portraits. Elle aurait pourtant voulu s'arrêter devant celui de Ruth. Par curiosité, par sympathie envers celle qui avait aussi été, à son époque, prisonnière du manoir.

Dès que Francis ouvrit la porte du bureau, une odeur déplaisante de livres moisis monta aux narines de Noemí. Alors qu'elle n'y avait plus guère prêté attention ces derniers jours. La teinture faisait-elle déjà effet ?

Virgil était assis derrière le grand bureau. Le maigre éclairage de la pièce lambrissée le transformait en personnage d'une toile du Caravage, les doigts croisés, le visage d'une pâleur mortelle. Aussi immobile qu'un prédateur à l'affût. Lorsque Francis et Noemí s'assirent en face de lui, il se pencha en avant pour les accueillir, sourire aux lèvres.

— Vous avez l'air d'aller mieux, Noemí. (Elle le dévisagea sans répondre.) Je vous ai demandé de venir car nous devons clarifier certains points. Francis affirme que vous avez bien intégré la situation et que vous acceptez de coopérer avec nous.

— Si vous voulez dire par là que j'ai bien intégré mon incapacité à quitter cet horrible endroit, alors oui, c'est devenu malheureusement très clair.

— N'en soyez pas accablée. C'est un beau manoir une fois que l'on s'y est habitué. À présent, la question est de savoir si vous comptez être une nuisance pour nous ou si vous vous associez à notre famille de votre plein gré.

Les têtes empaillées des trois cerfs projetaient de longues ombres sur les murs.

— Vous avez une fort étrange notion du «plein gré», lâcha Noemí. M'offrez-vous d'autres choix? Je n'en ai pas l'impression. Donc j'ai décidé de rester en vie, si c'est ce que vous voulez savoir. Je n'ai pas envie de rejoindre ces pauvres mineurs dans leur fosse commune.

— Ils ne sont pas dans une fosse commune. Ils sont tous enterrés dans le cimetière. Leur mort était nécessaire pour fertiliser le sol.

— Des corps humains comme engrais? Du *menu fretin*, c'est ça?

— Ils seraient morts de toute façon. Ce n'était qu'une bande de paysans mal nourris et pleins de poux.

— Votre première femme était-elle aussi une paysanne pleine de poux? A-t-elle fini comme engrais au cimetière?

Noemí se demanda s'il y avait son portrait quelque part dans les couloirs, en compagnie des autres Doyle. Une jeune femme misérable tentant de faire bonne figure devant l'objectif.

— Non, répondit Virgil en haussant les épaules. Mais elle ne s'est pas montrée adéquate pour autant. Je n'irais pas jusqu'à prétendre qu'elle me manque.

—Charmant…

—C'est ainsi, Noemí. Les forts survivent, les faibles périssent, et je crois que vous êtes du côté des forts. Avec de surcroît un très joli visage. La peau sombre, les yeux noirs. Quelle splendide nouveauté.

Un beau bout de viande, pensa Noemí. Elle ne représentait rien d'autre pour lui : une pièce de bœuf choisie par le boucher et enveloppée dans du papier ciré. Avec une petite touche exotique pour exciter l'appétit.

Virgil se leva, contourna le bureau et se plaça derrière ses invités, posant une main sur le dossier de chacune des deux chaises.

—Ma famille, comme vous l'aurez compris, s'est battue pour maintenir une lignée immaculée. La reproduction sélective a permis la transmission de nos caractéristiques les plus enviables, parmi lesquelles notre compatibilité avec le champignon. Mais il y a néanmoins un petit problème. (Il se mit à marcher de long en large, jouant avec un stylo.) Savez-vous que les châtaigniers isolés sont stériles ? Ils ont besoin d'une pollinisation croisée venant d'un autre arbre. Or cela semble devenir notre cas également. Ma mère a donné la vie à deux enfants, mais elle a fait aussi de nombreuses fausses couches. Une histoire qui se répète si vous remontez dans le temps : fausses couches et morts subites du nourrisson. Avant Agnes, mon père avait eu deux autres épouses dont il n'était rien sorti de bon.

» Il faut parfois injecter du sang neuf dans la recette, si j'ose m'exprimer ainsi. Bien sûr, mon père s'est toujours montré obtus à ce sujet, insistant sur le fait de ne pas se mêler à la plèbe.

—Types supérieurs et inférieurs, commenta sèchement Noemí.

—Tout à fait, dit Virgil en souriant. Notre patriarche a même apporté de la terre du pays natal afin de s'assurer que nous pourrions vivre ici comme en Angleterre. Hors de question de fricoter avec la populace locale. Sauf qu'aujourd'hui, cela devient une nécessité. Une question de survie.

— D'où Richard, en déduisit Noemí. D'où Catalina.

— En effet. Mais j'avoue que si je vous avais rencontrée avant, j'aurais sans doute fait un autre choix. Vous êtes jeune, resplendissante de santé, et le sombre vous apprécie.

— Je suppose que mon compte en banque n'est pas de trop ?

— Ma foi, c'est même un élément indispensable. Votre stupide révolution nous a volé notre fortune. Nous devons la récupérer. Question de survie, là encore.

— Un *massacre*, c'est le terme qui convient. Vous avez assassiné tous ces mineurs. Vous les avez rendus malades, sans leur expliquer ce qui leur arrivait, et votre médecin les a laissés mourir. Vous avez sans doute tué aussi l'amant de Ruth. Mais elle vous l'a fait payer.

— Ce n'est pas très gentil de dire ça, Noemí. (Il se tourna vers Francis, l'air irrité.) Je croyais que tu avais arrangé les choses avec elle.

— Elle n'essaiera plus de s'enfuir, dit-il en prenant délicatement la main de la jeune femme.

— C'est un bon début. À présent, ma chère, vous allez écrire une lettre à votre père, lui expliquant que vous comptez rester ici jusqu'à Noël afin de tenir compagnie à Catalina. Ensuite, à Noël, vous l'informerez de votre mariage et de votre volonté de vous installer ici.

— Il en sera très contrarié.

— Alors vous lui écrirez d'autres lettres pour le calmer, affirma tranquillement Virgil. Eh bien, que diriez-vous d'entamer la rédaction de votre première missive ?

— Tout de suite ?

— Oui. Venez donc par ici.

Virgil tapota le fauteuil qu'il avait occupé derrière le bureau. Noemí hésita un instant, puis se leva et s'installa dans le siège proposé. Une feuille de papier et un stylo l'attendaient ; elle les observa sans faire mine de les prendre en main.

— Allez, insista Virgil.

—Je ne sais pas quoi dire.

—Essayez de vous montrer convaincante. Ce serait dommage que votre père décide de nous rendre visite et en profite pour attraper une drôle de maladie, n'est-ce pas ?

—Ce serait dommage, répéta Noemí dans un murmure.

Virgil lui agrippa l'épaule d'une main ferme.

—Nous avons des places libres dans le mausolée et, comme vous l'avez souligné, notre médecin de famille n'est pas très efficace pour soigner certaines affections.

Noemí repoussa la main de Virgil, qui fit un pas en arrière. Après quoi elle commença à écrire la lettre. Lorsqu'elle y eut apposé sa signature, Virgil se pencha sur le bureau et lut le texte en hochant la tête.

—Ça va comme ça ? lui demanda Francis. Je crois qu'elle a fait sa part.

—Loin de là, rétorqua Virgil. Florence fouille le manoir à la recherche de la robe de mariée de Ruth. Nous allons organiser des épousailles en bonne et due forme.

—Pourquoi ? s'enquit Noemí, la gorge sèche.

—Howard est très à cheval sur les principes. Notamment en ce qui concerne les cérémonies. Il adore ça.

—Où comptez-vous trouver un prêtre ?

—Mon père peut officier. Il l'a déjà fait.

—Donc je serai mariée par un représentant de l'Église du Très Saint Champignon Incestueux, railla Noemí. Je doute que ce soit un sacrement valable.

—Pas d'inquiétude, nous vous emmènerons bientôt voir un magistrat.

—Il faudra plutôt m'y *traîner*.

Virgil frappa le bureau du plat de la main. Noemí sursauta, consciente de la force physique de celui qui l'avait soulevée sans effort pour la ramener au manoir. La main était large, solide, capable sans doute d'infliger de terribles blessures.

— Estimez-vous heureuse. J'ai dit à Howard que Francis pourrait tout aussi bien vous attacher au lit dès à présent et vous baiser tout son soûl, mais mon père trouve que ce ne serait pas correct. On ne fait pas ça à une jeune fille de bonne famille, paraît-il. Il se trouve que je ne partage pas cet avis. Vous et moi savons que vous n'êtes pas aussi innocente que l'agneau qui vient de naître.

— Je ne sais pas de quoi vous parlez et…

— Si, vous le savez *très bien*.

Les doigts de Virgil lui touchèrent les cheveux. La caresse provoqua un frisson qui parcourut le corps de Noemí, une sensation à la fois lourde et délicieuse, comme de boire du champagne trop vite. Comme dans les rêves. Une soudaine envie de mordre la saisit, mélange féroce de désir et de haine.

Noemí se leva d'un bond, intercalant le fauteuil entre elle et Virgil.

— Arrêtez ça!

— Arrêtez quoi?

— Ça suffit, lança Francis en se levant à son tour.

Il vint se placer à côté de Noemí et la prit par la main. D'un simple regard, il la rassura, lui rappelant qu'ils avaient un plan pour échapper à cette horreur. Puis il s'adressa à Virgil d'une voix ferme:

— C'est ma fiancée. Tu dois la traiter avec respect.

Les lèvres de Virgil dessinèrent un rictus. Noemí crut qu'il allait s'en prendre à son cousin mais, étonnamment, il leva les mains au ciel dans un geste de reddition théâtral.

— On dirait que tu te décides enfin à te conduire en homme. D'accord, je serai poli avec la demoiselle. Mais elle, elle doit apprendre à rester à sa place.

— Entendu. On y va.

Francis entraîna Noemí hors du bureau, lampe à pétrole en main. La flamme oscillait à cause du mouvement soudain, projetant des ombres étranges sur les murs du couloir.

— Ça va? lui demanda-t-il en espagnol.

Noemí ne dit rien, mais entraîna à son tour Francis plus loin dans le couloir, jusqu'à l'une des pièces inutilisées, avec fauteuils et canapés couverts de draps blancs. Un grand miroir s'étirant du sol au plafond refléta les nouveaux venus ; à son sommet, des gravures de fleurs et de fruits entouraient l'image du serpent se mordant la queue, présente dans tous les recoins du manoir. Noemí se figea à la vue du serpent, manquant de se faire rentrer dedans par Francis, qui marmonna une excuse.

— Vous avez parlé de rassembler du matériel pour notre fuite, dit-elle sans quitter des yeux l'affreux reptile. Comptez-vous y inclure des armes ?

— Des armes ?

— Oui. Des fusils ou des revolvers.

— Il n'y a plus un seul fusil au manoir depuis l'attaque de Ruth. Oncle Howard conserve un revolver dans sa chambre, mais je n'ai aucune chance de le lui prendre.

— Il nous faut pourtant quelque chose !

Sa propre véhémence la surprit. Elle aperçut dans le miroir le reflet de ses traits creusés par l'angoisse et préféra s'en détourner, écœurée par cette vision. Ses mains tremblaient ; elle dut s'appuyer au dossier d'un fauteuil pour garder son équilibre.

— Noemí, qu'est-ce qui se passe ?

— Je ne me sens pas en sécurité.

— Bien sûr, je…

— C'est encore un sale tour. J'ignore comment fonctionnent vos petits jeux mentaux, mais je sais que je ne suis pas totalement *moi-même* quand Virgil est là. (Elle rejeta une mèche de cheveux en arrière d'un geste nerveux.) Il est… magnétique. C'est comme ça que Catalina me l'a décrit. Mais ce n'est pas juste une question de charme, hein ? Vous m'avez dit que le manoir poussait les gens à faire certaines choses…

Noemí ne termina pas sa phrase. Ses pires instincts remontaient à la surface : le dégoût qu'elle éprouvait à l'égard de Virgil et aussi, dernièrement, les pensées dépravées qu'il lui inspirait. Freud parlait des pulsions de mort, celles qui donnaient par exemple envie de se jeter dans le vide lorsque l'on se promenait au bord d'une falaise. Virgil jouait sans doute sur ce registre : il tirait une ficelle subconsciente dont Noemí ignorait l'existence.

Elle se demanda si elle ressemblait aux cigales évoquées par Francis. Les insectes qui lançaient des chants d'amour alors qu'ils étaient dévorés de l'intérieur, leurs organes réduits en poudre. Peut-être stridulaient-ils avec d'autant plus d'ardeur, la proximité de la mort créant une frénésie de désir dans leur petit corps, les entraînant encore plus vite vers leur perte.

Virgil déclenchait en elle violence et bestialité, mais aussi un plaisir grisant. Cette joie que pouvaient procurer la cruauté et la décadence, joie à laquelle Noemí n'avait jusqu'alors que fort peu goûté.

— Il ne vous arrivera rien, l'assura Francis en posant la lampe sur une table drapée de blanc.

— Qu'est-ce que vous en savez ?

— Pas quand je suis à votre côté, en tout cas.

— Mais vous n'y êtes pas toujours. Vous n'y étiez pas quand il m'a agressée dans la salle de bains.

Francis serra les mâchoires, rougissant de honte et de colère. Par une galanterie mal placée, il se voyait en chevalier servant mais s'en révélait incapable. Noemí croisa les bras, menton en avant.

— J'ai besoin d'une arme. Je vous en prie, Francis.

— Mon rasoir droit, peut-être. Je vous le donne si ça vous rassure.

— Oui, ça me rassurerait.

— Alors il est à vous.

Noemí se rendit compte que ce n'était là qu'un pis-aller qui ne réglait pas ses vrais problèmes. Le fusil n'avait pas sauvé Ruth. Si le manoir influait sur une pulsion de mort ancrée dans la psyché de Noemí, aucune arme ordinaire ne l'en protégerait. Ce qui ne l'empêcha pas d'apprécier le cadeau.

—Merci.

—De rien. J'espère que vous aimez les hommes barbus, car je ne serai plus en mesure de me raser.

Il avait employé le ton le plus léger possible, pour détendre l'atmosphère. Elle s'efforça de répondre de même :

—Un petit voile de barbe n'a jamais tué personne.

Francis lui sourit. Avec sincérité. Alors que High Place n'était que noirceur et vilenie, cet homme avait malgré tout réussi à rester gentil, comme une plante bizarre se développant dans un terreau hostile.

—Vous êtes un véritable ami, lui dit-elle.

Elle avait refusé d'y croire, craignant un piège. Mais il ne semblait pas y en avoir.

—Vous devriez le savoir depuis longtemps, répondit-il sans reproche dans la voix.

—C'est très difficile, ici, de discerner le vrai du faux.

—Certes.

Ils échangèrent un long regard, après quoi Noemí se mit à marcher de long en large dans la pièce, passant une main sur les meubles, soulevant la poussière et tâtant les gravures du bois à travers les draps blancs. Lorsqu'elle releva la tête, elle vit que Francis l'observait, mains dans les poches. Elle ôta le drap qui recouvrait un canapé aux tons bleutés, puis elle s'y assit, pieds ramenés sous elle.

Francis la rejoignit. Ils se trouvaient pile devant le grand miroir : leurs reflets dans le verre terni par les ans évoquaient deux fantômes.

—Qui vous a appris à parler espagnol ? demanda Noemí.

—Mon père. Il adorait apprendre, entre autres de nouvelles langues. Il a essayé de jouer les professeurs pour Virgil, mais sans succès. Après sa mort, j'ai aidé Arthur sur ses tournées ou dans la rédaction de documents. Comme il parle espagnol aussi, j'ai pu pratiquer en sa compagnie. Je partais du principe que je serais appelé à le remplacer.

—Comme intermédiaire de la famille en ville?

—C'était la tâche que l'on me destinait.

—Vous n'avez jamais eu d'autre envie que celle de servir votre famille?

—Quand j'étais gamin, je rêvais de partir. Mais ce n'était qu'un rêve d'enfant, comme de s'imaginer s'enfuir avec un cirque. J'y ai vite renoncé. Surtout après ce qui est arrivé à mon père. Il était plus audacieux, plus déterminé que moi, pourtant il n'a pas réussi à s'opposer à la volonté de High Place.

Tout en parlant, Francis sortit de sa veste le portrait de Richard. Noemí le prit et l'examina plus attentivement que la première fois. C'était un médaillon en émail dont l'arrière représentait des muguets dorés sur fond bleu. Elle suivit le contour d'une fleur du bout de l'ongle.

—Votre père était au courant pour le sombre?

—Avant de venir ici? Non. Ma mère l'a épousé et l'a amené à High Place, en omettant de mentionner certains détails. Quand il a découvert le pot aux roses, il était déjà trop tard et il a accepté de rester.

—Comme moi, dit Noemí. On lui a accordé la chance de faire partie de la famille. Quitte à ce qu'il n'ait guère eu le choix.

—Il aimait ma mère. Et moi aussi. Enfin je suppose.

Noemí lui rendit le médaillon, qu'il remit aussitôt dans sa poche.

—Ils vont réellement organiser une cérémonie de mariage? Avec une robe?

Elle se rappelait les rangées de portraits dans les couloirs, figeant les jeunes mariés génération après génération. Et les deux grandes toiles dans la chambre de Howard. La famille aimerait sans doute avoir un portrait de Catalina dans ce style. De même pour Noemí, à présent. Les deux cousines installées côte à côte sur un manteau de cheminée. Avec aussi des photos des couples, richement vêtus de velours et de dentelle.

Le miroir offrait une vague idée d'une telle photo de mariage : Francis et elle, assis l'un à côté de l'autre, avec des expressions solennelles.

— C'est une affaire de tradition, dit-il. Autrefois, il y aurait eu une grande fête et chaque invité vous aurait offert un objet en argent. Nous avons toujours travaillé dans l'industrie minière. En particulier dans l'argent.

— En Angleterre ?

— Oui.

— Donc vous êtes venus ici en quête de toujours plus d'argent.

— Les filons s'épuisaient là-bas. L'argent, l'étain, et notre chance avec eux. La famille commençait à être soupçonnée de pratiques bizarres. Howard a pensé que les gens poseraient moins de questions ici, qu'il aurait les mains libres. Il n'avait pas tort.

— Combien d'ouvriers sont morts ?

— Impossible à savoir.

— Vous vous êtes déjà posé la question ?

— Oui, murmura-t-il d'une voix chargée de honte.

Le manoir avait été bâti sur un monceau de cadavres. Pourtant, personne n'avait relevé cette atrocité : des foules de travailleurs arrivant au manoir ou à la mine et n'en repartant jamais. Aucun corps, aucune possibilité pour les proches de porter le deuil. Le serpent ne dévorait pas sa propre queue ; il avalait plutôt tout ce qui passait à portée de sa gueule, avec un appétit insatiable.

Noemí observa un instant les crocs du serpent gravé en haut du miroir, puis elle s'en détourna et posa le menton sur l'épaule de Francis. Ils demeurèrent longtemps ainsi, la femme à la peau sombre et l'homme trop pâle, couple étrange perdu parmi les draps blancs. Un tableau aux bords estompés par la pénombre du manoir.

Chapitre 23

P uisque les secrets n'étaient plus à l'ordre du jour, Noemí
pouvait désormais parler à sa cousine sans la présence
d'une domestique aux oreilles indiscrètes. Francis la
remplaçait : sans doute la famille les considérait-elle à présent
comme un vrai couple, deux organismes symbiotiques rivés l'un
à l'autre. Ou simplement comme une prisonnière et son geôlier.
En tout cas, Noemí appréciait de discuter enfin librement avec
Catalina, installée sur une chaise près du lit où la « malade » se
reposait. Francis patientait devant la fenêtre, à l'autre bout de
la pièce, offrant ainsi un peu d'intimité aux deux femmes qui
discutaient à voix basse.

— Je suis désolée de ne pas avoir cru ta lettre, dit Noemí.
J'aurais dû comprendre.

— C'était difficile, la rassura Catalina.

— N'empêche que si je t'avais sortie du manoir, sans écouter
personne, on n'en serait pas là.

— Ils ne t'auraient jamais laissée faire. C'est déjà beaucoup
que tu sois venue, Noemí. Je me sens mieux grâce à toi. Comme
dans les contes que je te lisais : tu as rompu un charme maléfique.

Noemí hocha la tête alors qu'il fallait plutôt attribuer cette
réussite à la teinture administrée par Francis. *Si ça pouvait être vrai !*

pensa-t-elle en prenant les mains de sa cousine dans les siennes. Les contes de fées de Catalina finissaient toujours bien ; les méchants étaient punis et la vie reprenait son cours normal. Il suffisait qu'un prince escalade la tour afin de délivrer la princesse. Même les détails glauques, telles les belles-sœurs de Cendrillon se mutilant les pieds, passaient au second plan lorsque Catalina concluait en disant que les deux héros vécurent heureux et eurent beaucoup d'enfants.

À présent, Catalina aurait bien du mal à prononcer ces mots – vivre heureux – et Noemí devait espérer que leur plan d'évasion n'était pas qu'une histoire à dormir debout.

—Il sait qu'il y a un problème, déclara soudain Catalina en clignant des yeux.

—Qui ? demanda Noemí, inquiète.

Catalina serra les mâchoires. Noemí l'avait déjà vue agir ainsi, de même qu'elle l'avait déjà vue plonger dans un silence total ou perdre le fil de ses pensées. Sa cousine avait beau prétendre aller mieux, le chemin de la guérison était encore long. Noemí replaça une mèche de cheveux derrière l'oreille de Catalina.

—Qu'est-ce qui se passe ? insista-t-elle.

Catalina secoua la tête, puis s'enfonça dans les draps et tourna le dos à Noemí. Celle-ci lui posa une main sur l'épaule, aussitôt repoussée.

—Je crois qu'elle est fatiguée, dit Francis en s'approchant. Nous ferions mieux de retourner dans votre chambre. Ma mère veut vous faire essayer la robe.

Noemí n'avait pas vraiment imaginé sa robe de mariée ; c'était même le cadet de ses soucis. Vu les circonstances, n'importe quel accoutrement aurait suffi. Mais découvrir la robe étalée sur son lit la surprit néanmoins. Car la simple idée de la toucher la dégoûta.

La robe était faite de mousseline soyeuse et de satin, avec un col haut orné de guipure. Une rangée de boutons en nacre courait le long du dos. Le vêtement ayant dormi longtemps dans sa boîte, les mites auraient dû s'en délecter. Pourtant, à l'exception d'un tissu légèrement jauni, l'ensemble paraissait intact.

Il s'agissait en réalité d'une très belle robe ; ce n'était pas son aspect qui causait de la répulsion à Noemí. Cette tenue symbolisait les joies et les aspirations d'une autre jeune femme. Qui avait ensuite péri de mort violente. Peut-être même de deux autres femmes : la première épouse de Virgil avait-elle porté cette robe elle aussi ?

Noemí songea à une peau abandonnée par un serpent après sa mue. Howard allait s'extraire de son corps et en pénétrer un nouveau telle une lame s'enfonçant dans la chair tendre. Ouroboros.

— Vous devez l'essayer pour préparer les retouches, dit Florence.

— J'ai déjà de très jolies robes. Celle en taffetas pourpre…

Florence se planta devant Noemí, bras croisés sur la poitrine.

— Vous voyez cette dentelle sur le col ? Elle provient d'une robe plus ancienne. Et les boutons, d'une autre encore. Plus tard, vos enfants utiliseront cette robe à leur tour. C'est ainsi que nous préservons la tradition.

Noemí se pencha sur le vêtement, ce qui lui permit de repérer une déchirure à la taille et deux petits trous dans le corsage. La robe ne semblait parfaite qu'à distance.

La jeune femme passa dans la salle de bains pour se changer. À la sortie, Florence l'étudia d'un œil critique ; assistée de Mary, elle prit les mesures et marqua les emplacements des retouches à l'aide d'aiguilles. Puis elle marmonna quelques mots à la servante, qui ouvrit une autre boîte poussiéreuse contenant un voile et une paire de chaussures. Le voile était en moins bon état que la robe : le temps avait changé sa blancheur en ivoire crémeux et les jolis ornements floraux sur les bords étaient striés de vilaines traces de moisissure. Les chaussures ne valaient guère mieux ; de plus, elles étaient trop grandes d'une taille.

— Il faudra vous en contenter, lâcha Florence. Comme nous nous contentons de vous.

—Si vous ne m'estimez pas à la hauteur, n'hésitez pas à suggérer gentiment à votre oncle d'annuler la cérémonie.

—Quelle idiote vous faites. Il n'annulera rien du tout. Son appétit s'est réveillé. (Elle toucha une boucle de cheveux de Noemí. Virgil avait eu un geste semblable à son égard, mais dans une intention différente. Là, il s'agissait d'une inspection.) Il nous parle du physique. Du plasma germinatif. De la qualité de la lignée. (Florence lâcha les cheveux de Noemí et la gratifia d'un regard dur.) Mais on en revient toujours au banal désir des hommes. Il veut vous posséder, comme un spécimen de papillon épinglé dans sa boîte. Juste une belle femme de plus.

Mary récupéra le voile pour le replier avec soin, tel un trésor précieux et non un bout de tissu moisi.

—Dieu seul sait quels attributs dégénérés coulent dans vos veines, reprit Florence. Le sang d'une étrangère, membre d'une race inharmonieuse. (Elle jeta les chaussures sur le lit.) Mais nous devons accepter son choix. Il en a décidé ainsi.

—*Et Verbum caro factum est*, récita Noemí par réflexe.

Howard était à la fois le seigneur, le prêtre, le père, à qui obéissaient aveuglément ses enfants et autres ouailles.

—Vous apprenez enfin quelque chose, dit Florence avec un petit sourire.

Noemí ne répliqua pas, s'empressant de regagner la salle de bains pour enlever la robe et retrouver ses vêtements normaux, notamment le gros chandail offert par Francis. Elle se réjouit de voir les deux femmes ranger la robe dans une grande boîte, puis quitter la chambre.

Elle fouilla ses poches et y dénicha le briquet ainsi que le paquet de cigarettes à moitié écrasé. Ces objets la rassuraient, lui rappelaient Mexico. Entourée par les murs de High Place, eux-mêmes encerclés par la brume, c'était très facile d'oublier avoir un jour habité ailleurs qu'au manoir.

Francis réapparut un peu plus tard. Il apportait le plateau du souper, ainsi que le fameux rasoir, enveloppé dans un mouchoir.

Noemí lui signala que c'était un affreux cadeau de mariage, ce qui le fit rire. Ils s'assirent par terre côte à côte, Noemí avec le plateau sur les genoux. Francis lança une ou deux plaisanteries qui, à leur tour, firent rire la jeune femme.

Un râle lointain mit brusquement fin à leur hilarité. Le manoir sembla soudain secoué de frissons. D'autres grognements suivirent, puis le silence retomba. Ce n'était pas la première fois que Noemí assistait à ce phénomène, mais il paraissait plus violent ce soir-là.

— La transmigration doit avoir lieu très bientôt, dit Francis en réponse à sa question muette. Son corps se désagrège. Il n'a jamais totalement guéri de la blessure infligée par Ruth. Les dégâts étaient trop importants.

— Pourquoi ne pas avoir effectué le transfert à ce moment-là ? Juste après l'attaque ?

— Impossible : il n'avait pas de corps à disposition. Il a besoin d'un adulte, au cerveau assez développé pour supporter la transmigration. Le bon âge se situe aux alentours de vingt-cinq ans. À cette époque-là, Virgil n'était encore qu'un bébé et Florence une adolescente. D'ailleurs, même si elle avait été plus vieille, Howard n'aurait jamais intégré le corps d'une femme. Alors il a tenu le coup et il est parvenu à recréer un semblant d'équilibre.

— Dans ce cas, il aurait pu s'emparer de Virgil dès que celui-ci a eu vingt-cinq ans, au lieu de rester dans la peau d'un vieillard.

— Tout est lié. Le champignon, le manoir, ses habitants. Faire du mal à la famille, c'est aussi faire du mal au champignon. Ruth a endommagé la trame même de notre existence. Howard ne guérissait pas seul ; tout guérissait avec lui. Mais à présent il a recouvré assez de forces. Donc il va mourir, son corps va germer, et il entamera un nouveau cycle.

Noemí imagina le manoir générer du tissu cicatriciel et respirer lentement tandis que du sang coulait entre les lames du parquet. Cela lui rappela son rêve, les murs qui palpitaient.

— C'est pourquoi je ne m'enfuirai pas avec vous, dit Francis en remuant une fourchette entre ses doigts. Nous sommes tous connectés. Si je vous accompagne, je leur offre une bonne chance de vous retrouver.

— Vous ne pouvez quand même pas rester ! Qu'est-ce qu'ils vont vous faire ?

— Probablement rien. Et dans le cas contraire, ce ne sera plus votre problème. (Il remit la fourchette en place et se pencha pour récupérer le plateau.) Je vous prends ça…

— C'est ridicule, rétorqua Noemí en empoignant le plateau pour le poser à terre.

Francis haussa les épaules.

— J'ai rassemblé du matériel pour vous deux. Catalina a déjà essayé de s'enfuir, mais elle était mal préparée. Deux lampes à pétrole, une carte, une boussole. J'ajouterai des manteaux bien chauds afin que vous ne mouriez pas de froid avant d'arriver en ville. Vous devez penser à vous et à votre cousine. Surtout pas à moi. Je ne compte pas. Cet endroit est le seul univers que je connaisse.

— Un toit au-dessus de votre tête ne constitue pas un univers, s'emporta Noemí. Vous n'êtes pas une orchidée poussant dans une serre. Je n'ai aucune intention de vous laisser ici. Alors vous prenez vos sporées, votre livre préféré, tout ce qui vous plaît, et vous venez avec nous.

— Ici, c'est chez moi, Noemí. Que ferais-je ailleurs ?

— Tout ce que vous voudrez.

— Mauvaise idée. Car j'ai *en effet* poussé comme une orchidée dans une serre. Une plante soigneusement élevée et entretenue, habituée à un certain climat, à une certaine dose de lumière et de chaleur. Créée dans une intention précise. Un poisson ne peut pas respirer hors de l'eau. J'appartiens à cette famille.

— Vous n'êtes ni un poisson ni une orchidée.

— Mon père a tenté de fuir et vous connaissez le résultat, insista Francis. Ma mère et Virgil ont pu voyager, mais ils sont revenus.

Le jeune homme éclata d'un rire sans joie. Noemí le voyait très bien rester en arrière, tel un martyr statufié laissant la poussière s'accumuler sur ses épaules, laissant surtout le manoir le dévorer peu à peu.

—Vous venez avec moi, lâcha-t-elle.

—Mais...

—Mais rien du tout ! Vous avez envie de partir, oui ou non ?

Francis gardait les épaules baissées, donnant l'impression d'être prêt à bondir vers la porte. Il se contenta d'un gros soupir.

—Pour l'amour du ciel, vous ne comprenez donc rien ? demanda-t-il d'une voix tourmentée. Bien sûr que j'ai envie de partir. Avec vous. Je vous suivrais jusqu'en Antarctique si ça vous faisait plaisir, quitte à me geler les doigts de pied. Mais la teinture affaiblit *votre* lien avec le manoir, pas le mien. J'ai vécu ici trop longtemps pour que la potion fonctionne. Ruth a tenté une autre méthode : tuer Howard pour se libérer. Ça n'a pas fonctionné non plus. Sans parler de mon père. Le problème est insoluble.

Cette explication paraissait trop logique. Aussi Noemí refusa-t-elle d'y céder. Pourquoi tous les habitants du manoir se comportaient-ils en insectes attendant d'être cloués sur une planche ?

—Écoutez-moi bien, lui dit-elle. Il suffit de me suivre. Je serai votre joueur de flûte.

—Ceux qui suivent le joueur de flûte finissent plutôt mal.

—J'ai oublié ce qui se passe dans le conte, rétorqua-t-elle avec colère. Mais vous allez me suivre quand même.

—Noemí...

Elle lui toucha le visage du bout des doigts, le long de la mâchoire.

Il la regarda sans rien dire même si ses lèvres tremblaient. Rassemblant son courage, il passa une main dans le dos de Noemí et l'attira à lui en douceur. Elle se laissa faire, appuyant sa joue sur la poitrine de Francis.

Le manoir était silencieux, trop silencieux au goût de la jeune femme, comme si les lames de parquet avaient cessé de craquer, comme si les horloges ne faisaient plus tic-tac et que même la pluie ne cinglait plus les fenêtres. Le calme d'un animal retenant son souffle avant d'attaquer.

—Ils nous écoutent? murmura-t-elle.

Même si personne d'autre ne comprenait l'espagnol, le seul fait d'être espionnée la gênait.

—Oui, confirma Francis.

Lui aussi avait peur, elle s'en rendait compte; le cœur battait fort contre son oreille. Elle releva la tête et vit Francis lui intimer le silence d'un doigt posé sur les lèvres. Puis il la lâcha. Noemí se demanda soudain si le manoir était capable de voir en plus d'écouter.

Le sombre patientait telle une araignée, et eux, sur la toile soyeuse, risquaient de révéler leur présence au moindre mouvement. Une image terrifiante. Noemí envisagea néanmoins, pour la première fois, d'entrer de son plein gré dans cette dimension étrange et glacée.

Ce qui la terrifia d'autant plus.

Mais Ruth existait encore à l'intérieur du sombre et Noemí voulait lui parler. Même si elle ignorait comment procéder. Après le départ de Francis, elle s'allongea sur le lit, bras le long du corps, concentrée sur sa respiration, s'efforçant de visualiser le visage de Ruth comme elle l'avait vu sur le portrait.

Noemí finit par rêver. Ruth et elle marchaient dans le cimetière parmi les pierres tombales. La brume était épaisse; Ruth tenait une lanterne émettant une lueur jaunâtre. Elles s'arrêtèrent devant l'entrée du mausolée. Ruth leva la lanterne vers la statue d'Agnes, mais la lumière n'était pas assez puissante et la statue demeura à moitié perdue dans l'obscurité.

—C'est notre mère, dit Ruth. Elle dort. (Noemí fronça les sourcils. Elle savait qu'Agnes était morte jeune, avec l'enfant qu'elle portait dans son ventre.) Notre père est un monstre qui erre dans le manoir durant la nuit. On entend les bruits de ses pas derrière les portes.

Ruth leva la lanterne encore plus haut. Les ombres dansèrent sur la statue, plongeant de nouveau torse et mains dans la pénombre, mais éclairant cette fois le visage. Des yeux aveugles et des lèvres serrées.

— Votre père ne peut plus vous faire de mal, dit Noemí.

C'était sans doute l'avantage d'être un fantôme : plus personne ne vous torturait.

— Il peut toujours, rétorqua Ruth en grimaçant. Il n'arrête pas de nous faire du mal. Il n'arrêtera jamais. (Elle orienta soudain la lanterne vers Noemí, qui plissa les yeux et leva une main pour se protéger.) Jamais, jamais, jamais. Je vous ai déjà vue. Je crois que je vous connais.

Ruth sautait du coq à l'âne, mais la conversation demeurait néanmoins plus cohérente que les échanges précédents avec le fantôme. En fait, Noemí avait enfin l'impression de parler à une véritable personne plutôt qu'à une copie. Même s'il s'agissait bel et bien d'une sorte de copie carbone, celle d'un manuscrit depuis longtemps détruit. Difficile de blâmer Ruth pour quelques paroles confuses, pour cette lanterne qu'elle ne cessait d'agiter de haut en bas.

— Oui, vous m'avez vue dans le manoir, confirma Noemí en posant une main affectueuse sur le bras de Ruth pour stopper le va-et-vient. J'ai une question à vous poser et j'espère que vous saurez y répondre. Quelle est la force du lien entre la famille et le manoir ? Est-ce qu'un Doyle peut le quitter et ne jamais y revenir ?

Noemí pensait toujours aux explications de Francis. Ruth pencha la tête de côté et croisa le regard de Noemí.

— Père est très puissant. Il savait que quelque chose n'allait pas, il a envoyé Mère m'arrêter... et les autres, les autres aussi. J'ai essayé de garder l'esprit clair. J'ai mis mon plan par écrit afin de me concentrer sur les mots.

La page du journal intime. Un outil mnémotechnique pour tromper la vigilance et la volonté du sombre ? Pour se laisser guider, sans plus réfléchir, par une série d'instructions simples ?

— Ruth, est-ce qu'un Doyle peut quitter définitivement le manoir ? (Mais le fantôme ne l'écoutait plus ; ses yeux devenaient vitreux. Noemí se planta devant lui.) Vous aussi, vous avez songé à partir, non ? Avec Benito ?

Ruth cligna des yeux et hocha la tête.

— Oui, murmura-t-elle. Vous réussirez peut-être. Je pensais réussir. Mais c'est une pulsion irrésistible. C'est dans le sang.

Comme les cigales dont Francis avait parlé. *Je le porterai sur mon dos s'il le faut*, songea Noemí. Elle se sentait de plus en plus déterminée, même si la réponse de Ruth ne l'avait pas complètement rassurée. Il existait au moins une petite chance d'arracher Francis aux griffes de Howard Doyle et de son affreux manoir.

— Il fait vraiment noir ici, vous ne trouvez pas ? dit Ruth en regardant vers le ciel.

En effet, il n'y avait ni étoiles ni lune. Rien que la brume et la nuit. Le fantôme tendit la lanterne à Noemí, qui referma ses doigts sur la poignée métallique. Ruth s'assit devant la statue et la contempla, une main posée sur les pieds de marbre. Puis elle s'allongea comme pour faire une sieste sur un lit d'herbe et de brouillard.

— N'oubliez pas d'ouvrir les yeux, dit-elle.

— Ouvrez les yeux, murmura Noemí.

La jeune femme les ouvrit. Elle tourna la tête et vit que le soleil était levé. Elle devait se marier avant la fin de la journée.

Chapitre 24

L a farce du mariage se déroula à l'envers du protocole
habituel. D'abord le banquet, puis la cérémonie.

La famille se réunit dans la salle à manger, Francis et
Noemí assis côte à côte, Florence et Catalina face à eux, Virgil
en bout de table. Ni Howard ni le docteur Cummins n'étaient
présents.

Les domestiques avaient allumé des dizaines de bougies,
disposé de nombreux plats sur la nappe de damas blanc. Des
bouquets de fleurs sauvages emplissaient de grands vases en
verre couleur turquoise. Les assiettes et gobelets en argent, même
habilement polis, semblaient beaucoup plus vieux que ceux dont
Noemí s'était occupée. Ils devaient accompagner les réjouissances
familiales depuis quatre cents ans. Peut-être plus. Des trésors
soigneusement conservés et transportés dans des caisses, comme
la terre que Howard avait apportée du pays natal, afin de recréer
l'univers où les Doyle régnaient en maîtres.

Assis à droite de Noemí, Francis portait une redingote
croisée grise, un gilet blanc et une cravate gris foncé. La jeune
femme se demanda si ces vêtements avaient appartenu au fiancé
de Ruth ou s'il s'agissait d'une relique encore plus ancienne.
Noemí bénéficiait quant à elle d'un voile propre, déniché dans

un coffre quelconque : un bandeau de tulle blanc qui lui couvrait le front, maintenu en place par des aiguilles et des peignes.

Noemí ne mangeait pas, ne buvait que de l'eau ; elle ne parlait pas et les autres convives non plus. La règle implacable du silence avait repris ses droits, avec pour seule exception le frottement des mains sur les serviettes. Noemí échangea un coup d'œil avec Catalina.

La scène lui rappelait une illustration dans un livre de contes : un banquet de mariage auquel une sorcière s'invitait, avec une table couverte de pièces de viande et de gâteaux, les coiffures des femmes s'étirant en hauteur et les hommes portant des manteaux à larges manches. Noemí caressa son gobelet en argent et se demanda encore une fois de quelle époque il datait, si Howard était âgé de trois siècles, ou quatre, ou cinq, et s'il avait porté des hauts-de-chausses. Elle l'avait aperçu dans un rêve, mais l'image était vague, à moins que la mémoire l'ait estompée. Combien de fois cet homme était-il mort avant de changer de corps ? Noemí se tourna vers Virgil, qui la salua en levant son gobelet ; elle replongea aussitôt les yeux dans son assiette.

L'horloge sonna l'heure pile, ce qui fit office de signal. Ils se levèrent tous. Francis prit la main de Noemí et l'entraîna dans l'escalier, à la tête d'une petite procession de mariage se dirigeant vers la chambre de Howard. Bien que sachant devoir s'y rendre, Noemí ne put retenir un geste de recul devant la porte. Elle serra si fort la main de Francis qu'elle dut lui faire mal.

— Nous sommes ensemble, lui murmura-t-il à l'oreille.

Ils entrèrent. La pièce puait la nourriture avariée. Howard était allongé sur le lit, ses lèvres noires couvertes de pustules, mais le reste du corps caché sous les draps. Le docteur Cummins se tenait à son chevet. Dans une église, l'air aurait été parfumé par l'encens. Dans cette chambre, il était alourdi par l'odeur de la putréfaction.

Le vieillard sourit en découvrant Noemí.

— Vous êtes ravissante, très chère. L'une des plus jolies mariées qu'il m'ait été donné de voir.

Combien en avait-il vu, justement? *« Une belle femme de plus »*, avait dit Florence.

— La loyauté envers la famille est récompensée, enchaîna le patriarche. Alors que l'impertinence est punie. Rappelez-vous ces deux règles et vous serez très heureuse avec nous. À présent, célébrons le mariage. Approchez.

Cummins s'écarta du lit pour laisser place au couple. Howard s'exprima ensuite en latin; Noemí n'y comprenait rien mais, à un moment, Francis s'agenouilla et elle l'imita. *L'obéissance chorégraphiée*, songea Noemí. *Tracer toujours le même chemin. En cercles.*

Howard donna un coffret laqué à Francis. Le jeune homme l'ouvrit. Deux petits morceaux de champignon, jaunes et secs, reposaient sur un coussin de velours.

— Il faut manger, dit le vieillard.

Francis et Noemí prirent chacun un morceau. Elle rechigna à ingurgiter le sien, de crainte d'abord qu'il réduise voire annule l'effet de la teinture, mais surtout à cause de son éventuelle provenance. Avait-il été cueilli à proximité du manoir ou plutôt dans le cimetière, où il avait poussé sur des cadavres? À moins qu'il se soit développé sur le corps de Howard avant d'en être ôté par des doigts experts, ne laissant couler qu'une goutte de sang.

Francis lui toucha le poignet. Il lui expliqua par gestes de tendre son bout de champignon afin qu'il le prenne en bouche, après quoi il lui rendrait la pareille. Elle était si nerveuse que cette étrange parodie de communion faillit la faire éclater de rire.

Noemí avala rapidement la bouchée. Le champignon n'avait aucun goût, contrairement au vin douceâtre que Francis lui offrit ensuite. Elle en but le moins possible, mais c'était surtout l'odeur du vin, mélangée aux miasmes de la pièce, qui la perturbait.

— Puis-je vous embrasser ? lui demanda Francis.

Noemí hocha la tête. Francis se pencha et lui effleura à peine les lèvres, avec une infinie délicatesse, avant de se redresser et de lui offrir sa main pour l'aider à se relever.

— Il nous faut à présent instruire le jeune couple, déclara Howard. Afin que leur union soit fructueuse.

Les deux jeunes gens avaient à peine échangé quelques mots mais, apparemment, la cérémonie était déjà finie. Virgil fit signe à Francis de le suivre tandis que Florence se chargeait de ramener Noemí dans sa chambre. L'une des domestiques avait décoré la pièce, profitant de l'absence de son occupante : beaucoup de bougies, encore ces grands vases remplis de fleurs, et un bouquet sur le lit, lié par un vieux ruban. Une parodie de romantisme. Les senteurs florales suggéraient un printemps qui n'existait pas hors de cette chambre.

— En quoi faudrait-il « m'instruire » ? s'enquit Noemí.

— Dans la famille Doyle, les jeunes mariées sont des filles chastes et modestes. Ce qui se produit entre un homme et une femme relève d'un profond mystère pour elles.

Noemí en doutait. Howard avait été un coureur de jupons et Virgil s'avérait le digne fils de son père. Ils gardaient peut-être le plus important pour la fin, mais sans s'interdire certaines privautés.

— Je peux nommer toutes les parties du corps concernées, rétorqua Noemí.

— Alors vous vous débrouillerez très bien.

Florence voulut ôter le voile de Noemí, mais celle-ci l'en empêcha. Même si elle ressentait soudain un drôle de vertige et aurait peut-être eu besoin d'aide.

— Justement, je me débrouille toute seule. Vous pouvez y aller.

Florence croisa les bras, observa Noemí un instant, puis se résolut à quitter la pièce.

Merci mon Dieu, pensa la jeune femme.

Une fois dans la salle de bains, elle étudia son reflet dans le miroir, enlevant peignes et aiguilles avant de jeter le voile par terre. La température avait bien baissé; Noemí regagna la chambre et enfila le chandail qu'elle aimait tant. Enfonçant les mains dans les poches, elle sentit sous ses doigts la masse dure et froide du briquet.

Le vertige persistait. Rien de déplaisant, néanmoins, rien à voir avec son dernier passage dans la chambre de Howard. La sensation évoquait celle induite par l'alcool, alors qu'elle n'avait bu en tout et pour tout qu'une gorgée de vin durant la cérémonie.

Son regard tomba sur le papier peint taché de moisissures; elles ne bougeaient pas, mais semblaient entourées de petits points dorés. Noemí baissa les paupières et se rendit compte que les points brillaient dans ses yeux, comme si une ampoule l'avait éblouie.

Elle s'assit sur le lit sans rouvrir les yeux, se demandant où se trouvait Francis, ce que l'on pouvait bien lui raconter, et s'il sentait lui aussi des frissons lui parcourir la colonne vertébrale.

Noemí éprouvait l'étrange impression de vivre un autre mariage, d'être une autre mariée. *Le matin de la cérémonie, elle avait reçu un coffret en argent qui contenait des rubans colorés, des bijoux et un collier en corail. La main de Howard posée sur la sienne, l'anneau d'ambre, elle ne voulait rien de tout cela mais devait…* S'agissait-il… d'Agnes ou d'Alice? Noemí hésitait. Alice, sans doute, car la jeune femme pensait à sa sœur.

Sa sœur.

Tout à coup, Noemí se souvint de Catalina. Elle ouvrit les yeux et les leva vers le plafond. Si seulement elles avaient pu échanger une phrase ou deux, même un seul mot, pour se rassurer.

Noemí se frotta la bouche d'un revers de main. La chambre s'était réchauffée alors qu'elle était encore glacée quelques minutes plus tôt. Noemí tourna la tête. Virgil se tenait près du lit.

Elle crut d'abord à une méprise de sa part – c'était forcément Francis – ou alors à une nouvelle illusion créée par le sombre. Après tout, pourquoi Virgil s'aventurerait-il dans sa chambre ? Puis l'intrus sourit : un rictus libidineux que Francis ne se serait jamais permis.

Noemí se leva d'un bond, mais tituba aussitôt. Virgil en profita pour la rejoindre en deux pas rapides et l'attraper par le bras.

— Nous voilà de nouveau réunis, dit-il.

— Où est Francis ? demanda Noemí, sachant qu'elle ne pourrait pas se défaire de cette poigne uniquement par la force.

— Il se fait lourdement réprimander. Pensiez-vous vraiment que nous n'y verrions que du feu ? (Il sortit de sa poche la bouteille contenant la teinture.) De toute façon, votre plan n'aurait pas fonctionné. Comment vous sentez-vous ?

— Un peu soûle. Vous nous avez empoisonnés ?

— Pas du tout, répondit-il en rangeant la bouteille. C'était un petit cadeau de mariage. Un aphrodisiaque léger. Dommage que Francis ne puisse pas en profiter.

Noemí se rappela soudain le rasoir droit, caché sous le matelas. Encore fallait-il le récupérer. Elle tenta de se dégager, mais Virgil refusa de la lâcher.

— Je suis la femme de Francis.

— Il n'est pas là.

— Mais votre père…

— N'est pas là non plus. C'est bizarre, il semblerait que tout le monde soit très occupé ce soir. (Il pencha la tête de côté.) Francis n'est qu'un gamin sans expérience. Moi, je sais ce que je fais. Je sais ce dont vous avez envie.

— Vous ne savez rien du tout, marmonna-t-elle.

— Vous rêvez de moi. Vous venez à moi dans vos rêves. Je crois que votre vie vous ennuie, Noemí. Vous aimeriez bien un peu de danger, mais votre famille vous enveloppe dans du coton pour éviter les accidents. Or vous n'auriez rien contre un petit accident, n'est-ce pas ? Vous jouez avec les gens et vous espérez que quelqu'un ait le courage de jouer avec vous.

Ce n'était pas une véritable question. Comme Virgil n'attendait pas de réponse, il se pencha pour embrasser Noemí. Elle le mordit, mais sans chercher à le repousser, ce dont il eut parfaitement conscience. Il avait raison : elle aimait jouer, elle aimait danser et flirter avec des hommes qui la prenaient avec des pincettes parce qu'elle était de la famille Taboada, ce qui la poussait parfois à griffer telle une chatte en furie.

Pourtant, même si Noemí admettait la présence de cette noirceur en elle, elle savait aussi que ce n'était pas ce qui la définissait, ce n'était pas *elle*.

Virgil ricana, comme si elle avait exprimé ses pensées à voix haute.

— Bien sûr que c'est vous. Je prends l'initiative, mais c'est *vous* qui acceptez.

— Non.

— Vous me désirez. Vous fantasmez sur moi. Nous nous comprenons, pas vrai ? Nous nous connaissons bien. Très bien, même. Sous toutes ces couches de décorum, vous ne marchez qu'au *désir*.

Noemí le gifla. Elle n'obtint qu'une seconde de répit, après quoi Virgil lui saisit le visage à deux mains, lui caressant le cou du bout des pouces. Elle ne put réprimer un râle de plaisir.

Les moisissures sur le papier peint changèrent de forme tandis que Virgil attirait sa proie contre lui. Des veines dorées couraient sur le mur ; une main s'insinua sous la jupe de Noemí, la toucha entre les cuisses. La panique la saisit lorsqu'elle se retrouva sur le lit.

— Attendez ! lança-t-elle.

— Attendre quoi, petite allumeuse ?

— La robe ! (Virgil fronça les sourcils. Noemí s'empressa d'en profiter.) Aidez-moi d'abord à enlever la robe.

La suggestion le ravit au point de lui arracher un grand sourire. Noemí put se relever ; Virgil lui ôta le chandail, qu'il jeta sur le lit, puis lui souleva les cheveux pour dévoiler la nuque. Pendant ce temps, elle cherchait désespérément un moyen de…

Du coin de l'œil, elle vit que les moisissures s'étaient étalées sur le mur, dégoulinant jusqu'au sol. Des motifs de triangles y devenaient des losanges puis des spirales. Noemí crut qu'une énorme main se posait sur son visage pour l'étouffer peu à peu.

Elle ne quitterait plus jamais ce manoir. Le seul fait de l'envisager avait été une folie, une terrible erreur. Elle voulait s'intégrer, ne faire qu'un avec l'étrange machinerie, avec les veines, les muscles et la moelle de High Place. Elle voulait ne faire qu'un avec Virgil.

Désir.

Il avait déjà déboutonné le haut de la robe. Elle aurait pu partir longtemps auparavant. Dès le début, au premier soupçon d'inquiétude. Mais elle avait apprécié le goût du frisson. Cette histoire de malédiction, de maison hantée : elle s'en était même ouverte à Francis avec ardeur. Elle avait voulu résoudre le mystère.

Une envie malsaine, tout du long. Et pourquoi pas ? Oui, pourquoi pas ?

Pourquoi ne pas céder au désir ?

Noemí avait de plus en plus chaud. Les moisissures coulaient, formant une mare noirâtre sur le parquet. Telle l'affreuse bile crachée par Howard. Le souvenir écœura Noemí, qui pensa soudain à Catalina, à Ruth, à Agnes, aux horreurs qu'elles avaient subies et qu'elle-même subissait à présent.

Elle se détourna des moisissures scintillantes et repoussa Virgil de toutes ses forces. Il trébucha contre le coffre posé au pied du lit, tomba lourdement à terre. Noemí en profita pour s'agenouiller et passer le bras sous le matelas, ses doigts malhabiles lancés en quête du rasoir.

Elle saisit l'arme et pivota vers Virgil, étalé par terre, les yeux clos ; il s'était visiblement cogné la tête. Un coup de chance, enfin.

Noemí s'efforça de calmer sa respiration, puis se pencha sur le corps inerte pour récupérer la teinture. Elle trouva la bouteille, l'ouvrit aussitôt et avala une petite gorgée.

L'effet fut immédiat. Noemí sentit monter la nausée, ses mains tremblèrent au point de lâcher la bouteille qui se brisa sur le parquet. La jeune femme s'appuya à l'une des colonnes du lit, le souffle court. *Mon Dieu*. Elle craignit de s'évanouir et se mordit durement la main pour ne pas succomber.

La flaque noire formée par les moisissures reculait peu à peu. L'esprit de Noemí était désormais plus clair. Elle enfila de nouveau le chandail, mit le rasoir dans une poche, conservant le briquet dans l'autre.

Elle envisagea de planter la lame dans la tête de Virgil, mais ses mains tremblaient trop : elle devait sortir de la chambre et filer très loin de lui. Elle devait surtout retrouver Catalina. Il n'y avait plus un instant à perdre.

Chapitre 25

Noemí se précipita dans le couloir obscur, gardant une main sur le mur pour préserver son équilibre. Les rares lampes fonctionnelles émettaient une lueur spectrale et s'éteignaient par intermittence. Heureusement, la jeune femme connaissait le chemin par cœur.

Plus vite, plus vite, s'encouragea-t-elle.

Noemí craignait que sa cousine soit enfermée dans sa chambre, mais la porte s'ouvrit sans difficulté.

Catalina était assise dans le lit, en chemise de nuit blanche. Elle n'était pas seule. Mary, les yeux baissés, se tenait elle aussi assise, immobile, dans un coin de la pièce.

—Catalina, on s'en va.

Noemí tendit une main vers sa cousine tandis que l'autre serrait toujours le rasoir. Catalina ne bougea pas, ne parut même rien remarquer ; son regard se perdait au loin.

—Catalina, répéta Noemí en vain.

Elle se mordit la lèvre et pénétra plus avant dans la chambre, doigts crispés sur le manche du rasoir, sans quitter la servante des yeux.

—Catalina, pour l'amour de Dieu, réveille-toi !

Ce fut Mary qui obéit à l'injonction. Ses yeux aux reflets dorés se posèrent sur Noemí, puis elle bondit de sa chaise et se jeta sur l'intruse, qu'elle plaqua contre la coiffeuse. Ses mains s'enroulèrent autour du cou de Noemí avec une force impensable pour une femme de son âge. Surprise par l'assaut, Noemí lâcha le rasoir, qui tomba à terre en même temps que d'autres objets posés sur la coiffeuse : des flacons de parfum, un peigne, une photo de Catalina dans un cadre en argent.

Noemí sentit les doigts de Mary s'enfoncer dans sa chair tandis que le rebord de la coiffeuse lui sciait le bas du dos. Elle tâtonna en quête d'une arme, mais ne trouva rien de valable, agrippant un napperon, renversant une cruche en porcelaine qui tomba à son tour et se brisa en mille morceaux.

— Elle est à nous, dit la servante.

La voix ne ressemblait pas à celle de Mary. C'était un son rauque, étrange. La voix du manoir, la voix de quelqu'un ou de quelque chose d'autre, passant tant bien que mal par des cordes vocales humaines.

Noemí tenta de desserrer l'étau qui lui broyait le cou, mais les mains de la servante semblaient s'être changées en serres. La jeune femme lui tira les cheveux, sans plus de résultat.

— À nous, répéta Mary avant de montrer les dents comme une bête sauvage.

Noemí avait si mal qu'elle n'y voyait presque plus à travers ses larmes. Elle avait l'impression que sa gorge était en feu.

Soudain, Mary bascula en arrière, permettant à Noemí d'aspirer une goulée d'air salvatrice ; elle se retint à la coiffeuse pour ne pas s'effondrer.

Francis venait d'entrer dans la chambre et avait aussitôt libéré Noemí des griffes de Mary. La servante se retourna contre lui, la bouche déformée par un cri strident, le projetant à terre et se juchant sur lui pour l'étrangler tel un rapace avide de dévorer un bout de charogne.

Noemí ramassa le rasoir, s'approcha des deux corps en lutte.

— Arrêtez! cria-t-elle.

La servante s'écarta de Francis et se prépara à attaquer de nouveau Noemí, à lui écraser la trachée à la seule force de ses dix doigts.

Une vague de terreur pure s'abattit sur la jeune femme, qui larda la gorge de Mary de coups de rasoir. Une fois, deux fois, trois fois, la lame s'enfonça dans la chair sans que la domestique émette le moindre son. Mary s'écroula d'un bloc, face contre terre.

Du sang dégoulinait des doigts de Noemí. Francis la contempla, l'air hébété. Puis il se releva et fit un pas dans sa direction.

— Vous êtes blessée?

Elle se frotta le cou de sa main libre tout en regardant le cadavre de Mary. Car la servante était forcément morte. Noemí n'osait pas retourner le corps, mais une flaque de sang se formait au niveau de la tête.

Son cœur battait à un rythme infernal. Elle remit le rasoir dans sa poche et s'essuya les yeux. Le sang tachait la vieille robe de mariée.

— Noemí?

Francis était à présent devant elle, lui bloquant la vue. Elle se força à scruter le visage blême.

— Où étiez-vous? lui demanda-t-elle en agrippant les revers de la redingote.

Elle avait envie de le frapper pour l'avoir laissée seule au pire moment.

— Enfermé dans ma chambre. J'ai dû forcer la porte. Je voulais vous retrouver.

— C'est vrai? Vous ne m'avez pas abandonnée?

— Bien sûr que non! Je vous en prie: êtes-vous blessée?

Noemí cracha un drôle de rire. Celui d'une femme qui venait d'échapper à un viol, puis à une tentative d'assassinat par strangulation.

—Noemí? répéta Francis d'une voix inquiète.

Inquiet, il pouvait l'être. Terriblement inquiet. Comme tout le monde dans cette pièce.

—Il faut sortir d'ici, dit-elle en lâchant la redingote.

Elle se tourna vers Catalina, qui n'avait pas bougé d'un pouce hormis pour poser une main sur sa bouche grande ouverte, les yeux baissés vers le corps sans vie de la servante. Noemí repoussa les draps et attrapa la main de sa cousine.

—Viens. (Catalina résista. Noemí se tourna vers Francis, dont la redingote portait des traces de doigts sanguinolentes.) Qu'est-ce qui lui arrive?

—Ils ont dû la droguer une fois de plus. Sans la teinture…

Noemí prit la tête de sa cousine à deux mains et lui dit d'une voix ferme:

—On s'en va.

Mais Catalina ne réagit pas; ses yeux vitreux ne semblaient même pas voir Noemí. Cette dernière récupéra une paire de pantoufles près du lit et en chaussa les pieds de Catalina. Puis Noemí tira sa cousine par le bras. Catalina se leva enfin docilement.

Les trois fuyards s'engagèrent dans le couloir. Avec sa chemise de nuit blanche, Catalina ressemblait elle aussi à une jeune mariée. *Deux épouses fantômes*, songea Noemí.

Une silhouette émergea soudain des ombres, droit devant eux.

—Stop, dit Florence.

Sa voix ne dénotait aucune alarme, pas plus que son expression. Elle tenait un revolver en main comme s'il s'agissait d'un ustensile ordinaire.

Noemí ressortit le rasoir, mais le savait inutile face à une arme à feu. Florence pointa le revolver vers elle avant de l'interpeller:

—Lâchez ça.

Les doigts de Noemí tremblaient sur le manche en bois, d'autant plus dur à tenir que le sang le rendait glissant. Près d'elle, Catalina tremblait aussi.

— Pas question, répondit la jeune femme.

— Je vous ai dit de lâcher ça, insista Florence.

La voix demeurait d'un calme surnaturel, mais Noemí voyait l'envie de meurtre briller dans les yeux de son ennemie. Laquelle dirigea alors son arme vers Catalina, en une menace qui se passait de mots.

Noemí déglutit et laissa tomber le rasoir par terre.

— Demi-tour, ordonna Florence.

Ils rebroussèrent tous chemin jusqu'à la chambre de Howard, où se trouvaient toujours les deux grands portraits accrochés au-dessus de la cheminée. Le vieillard était dans son lit, le docteur Cummins assis à proximité. Une desserte accueillait la sacoche du praticien ; il en sortit un scalpel qu'il utilisa pour entailler deux pustules sur les lèvres de Howard et sectionner une sorte de film qui couvrait la bouche du patriarche.

L'opération sembla soulager le patient, qui poussa un soupir. Cummins posa le scalpel à côté de la sacoche et grommela en s'essuyant le front du revers de la main.

— Vous voilà enfin, dit-il en contournant le grand lit. Le phénomène s'est accéléré. Il n'arrive plus à respirer normalement. Nous devons agir vite.

— C'est sa faute, expliqua Florence en montrant Noemí. Mary est morte.

Howard s'appuyait sur un nombre impressionnant d'oreillers. Sa bouche ouverte laissait échapper une respiration sifflante tandis que ses mains noueuses s'accrochaient aux draps. Les veines violacées contrastaient violemment avec la peau cireuse. Un filet de salive noire lui coulait sur le menton.

Le docteur Cummins désigna soudain Francis du doigt.

— Vous, approchez. Où est Virgil ?

— Blessé, répondit Florence. J'ai perçu sa douleur.

— On ne peut pas l'attendre, marmonna le médecin. La transmigration doit avoir lieu maintenant. (Il se lava les mains dans une cuvette remplie d'eau.) Francis est là, c'est tout ce qui compte.

— Impossible, lança Noemí en secouant la tête. Ce n'est pas à lui de tenir ce rôle.

— Bien sûr que si, dit Florence d'une voix froide.

Noemí saisit enfin le plan. Pourquoi Howard aurait-il sacrifié son propre fils, son préféré ? Alors qu'il écraserait l'esprit de Francis sans remords. Cette stratégie était-elle entendue depuis longtemps ? Glisser Howard dans la peau de Francis pendant la nuit afin qu'il puisse, ensuite, se glisser dans le lit de Noemí ? Un imposteur. Elle ne s'en serait pas aperçue tout de suite, et peut-être pensaient-ils qu'elle ne l'aurait pas trop mal pris une fois le stratagème découvert, qu'elle se serait contentée de l'enveloppe de Francis.

— Impossible, répéta-t-elle dans un murmure.

Francis s'avança docilement vers Cummins. Noemí tenta de le retenir par le bras, mais Florence l'en empêcha et la força à s'asseoir dans un fauteuil doublé de velours noir. Catalina errait d'un pas lent dans la pièce, l'air perdue ; elle se mit d'abord au pied du lit, puis à la tête, où elle s'immobilisa.

— Tout aurait pu se passer en douceur, dit Florence à Noemí. Il aurait suffi que vous restiez sagement dans votre chambre au lieu de faire encore du grabuge.

— Virgil a essayé de me violer. Je l'ai repoussé et j'aurais dû le tuer tant que j'en avais l'occasion…

— Chut ! l'interrompit Florence avec une grimace de dégoût.

On ne disait pas ce genre de choses à High Place, même dans un moment pareil.

Noemí fit mine de se relever, mais Florence la visa avec le revolver. La jeune femme se rassit, mains crispées sur les accoudoirs du fauteuil. Francis avait rejoint Cummins près du lit ; les deux hommes discutaient à voix basse.

— C'est votre fils, plaida Noemí.

— C'est un corps, assena Florence, visage fermé.

Un corps. Pour eux, les gens n'étaient que des corps. Ceux des mineurs enterrés dans le cimetière, ceux des femmes qui leur donnaient des enfants, et ces enfants eux-mêmes, destinés à n'être que les nouvelles peaux du serpent. Là, sur le lit, se trouvait le seul corps qui comptait vraiment : celui du père.

Cummins appuya sur l'épaule de Francis. Le jeune homme s'agenouilla et joignit les mains tel un pénitent.

— Baissez tous la tête, ordonna Florence. Nous devons prier.

Noemí n'obéit pas sur-le-champ, ce qui lui valut d'encaisser un vilain coup sur la nuque. Florence semblait avoir de l'expérience en la matière : la violence du choc fit danser des points noirs devant les yeux de Noemí. Peut-être Ruth avait-elle subi le même genre de sévices afin de lui enseigner l'obéissance.

Noemí joignit les mains à son tour.

De l'autre côté du lit, Catalina imita le geste en silence, avec une expression indéchiffrable.

— *Et Verbum caro factum est*, dit Howard d'une voix rauque.

Il leva une main en l'air, la lumière accrochant l'anneau d'ambre. Puis il récita quelques phrases auxquelles Noemí ne comprit rien, mais comprendre n'était pas le but. Il suffisait d'accepter, d'obéir. Le vieillard prenait plaisir à contempler cette soumission.

« *Vous abandonner* », voilà ce que Howard lui avait demandé dans le rêve. Le processus comportait une part physique, mais aussi une part mentale. La renonciation devait être volontaire. Peut-être même la victime en éprouvait-elle une certaine jouissance.

« *Vous abandonner.* »

Noemí releva un brin la tête. Francis murmurait, remuant lentement les lèvres. Cummins, Florence et Howard faisaient de même, à tel point que le murmure général paraissait sortir d'une seule bouche, comme si toutes les voix s'étaient fondues en une seule qui montait peu à peu telle une marée.

Le bourdonnement que Noemí connaissait bien apparut en contrepoint, croissant lui aussi en volume. À croire que des centaines d'abeilles se dissimulaient dans les murs et sous les lames du parquet.

Howard leva cette fois les deux mains, avide de saisir la tête de Francis. Noemí se rappela l'horrible baiser que le vieillard lui avait infligé. Cette version-là serait bien pire. Le corps de Howard était couvert de pustules, il puait la pourriture, il allait germer et mourir. Mourir pour mieux s'introduire dans un nouveau corps, après quoi Francis cesserait d'exister. Un cycle dément. Des enfants dévorés encore bébés, des enfants dévorés sous forme adulte ; ils n'étaient jamais que de la nourriture. Pour sustenter un dieu cruel.

Catalina s'était doucement rapprochée du lit. Personne ne l'avait remarquée puisque toutes les têtes étaient baissées. Sauf celle de Noemí.

Soudain, la jeune femme se rendit compte que sa cousine avait ramassé le scalpel. Catalina le regardait d'un air vague, comme si elle ne savait même pas de quoi il s'agissait, comme si elle rêvait encore.

Puis ses traits changèrent du tout au tout. Noemí n'aurait jamais cru sa cousine capable d'exprimer une telle rage : une haine si absolue, si brutale, que Howard la ressentit. Il tourna la tête au moment où le scalpel s'abattait sur lui.

Le coup porté avec férocité lui transperça un œil.

Catalina devint alors une véritable ménade, poignardant avec frénésie le cou, l'oreille, l'épaule. Des jets de pus noir et de sang violacé aspergèrent les draps. Howard hurla, tressauta comme parcouru par un courant électrique. Le phénomène gagna les autres membres de la famille ; Cummins, Florence et Francis s'effondrèrent, secoués eux aussi de terribles spasmes.

Catalina recula d'un pas, lâcha le scalpel et se dirigea lentement vers le seuil de la chambre, où elle s'arrêta pour observer la scène.

Noemí se précipita vers Francis. Elle l'agrippa par les épaules afin de le mettre en position assise ; ses yeux révulsés ne montraient que du blanc.

— On y va ! lança-t-elle en le giflant. Allez, on y va !

Hébété, Francis parvint malgré tout à se relever et à saisir la main de Noemí pour filer vers la porte. Mais Florence referma à son tour une main sur la jambe de Noemí, qui perdit l'équilibre, entraînant Francis dans sa chute.

La jeune femme échoua à se remettre debout car Florence s'accrochait à sa cheville. Elle vit alors le revolver par terre et chercha à s'en emparer. Florence s'en aperçut ; elle bondit sur Noemí tel un fauve au moment où celle-ci refermait ses doigts sur l'arme. Florence serra la main qui tenait le revolver avec une telle force que Noemí hurla en sentant ses os se briser.

En larmes sous l'effet de l'atroce douleur, Noemí ne put empêcher son adversaire de récupérer l'arme.

— Vous ne nous quitterez pas, dit Florence. Ni maintenant ni jamais.

Elle pointa la gueule noire du revolver vers Noemí, avec un sourire vicieux qui indiquait son intention de tirer pour tuer.

Ils nettoieront après, pensa follement la jeune femme. Laver le parquet, les draps, gratter les dernières traces de sang et enterrer son cadavre dans le cimetière, dans un trou dépourvu de croix, comme tant d'autres avant elle.

Noemí leva sa main blessée, protection bien inutile face à une balle tirée à bout portant.

— Non ! cria Francis.

Il se jeta sur sa mère, la propulsant contre le fauteuil que Noemí avait occupé. Le meuble bascula sous leurs poids conjugués. Une puissante détonation retentit. Noemí grimaça, mains sur les oreilles, et retint son souffle.

Francis était allongé sous sa mère. De là où elle se trouvait, Noemí ne pouvait voir qui avait reçu la balle. Puis Francis se dégagea du corps de Florence, revolver en main. Il avait les yeux embués de larmes; un frisson le parcourut, mais rien de comparable aux convulsions qui avaient suivi l'assaut de Catalina.

Florence ne bougeait plus.

Francis s'avança vers Noemí d'un pas maladroit, en secouant la tête. Il voulait sans doute parler, exprimer l'horreur de son acte, mais un affreux grognement lui fit tourner la tête. Sur le lit, Howard tendait les mains vers lui. Borgne, le visage lardé de coups de scalpel, il gardait néanmoins l'autre œil grand ouvert, monstrueux, doré, posé sur Francis. Le vieillard cracha du sang, puis du mucus noir.

— Tu m'appartiens, dit-il. Ton corps m'appartient.

Ses doigts tordus se replièrent, invitant son petit-neveu à s'approcher. Lorsque Francis fit un pas vers le patriarche, Noemí comprit qu'il ne pouvait pas résister, ne pouvait pas refuser d'obéir. Comme le reste de la famille. Comme Ruth, que Noemí avait cru voir se suicider, submergée par la barbarie de ses crimes.

« *Je ne regrette rien* », avait pourtant dit le fantôme. Mais Noemí pensait à présent que Howard l'avait poussée à retourner le fusil contre elle, dans une tentative désespérée d'échapper au massacre. Les Doyle savaient tordre la volonté de leurs victimes, les conduire dans une direction voulue, comme Virgil avec Noemí.

Ruth avait été assassinée.

Francis, lui, progressait d'un pas traînant vers Howard.

— Viens, lui dit le patriarche avec un affreux sourire.

Le fruit est mûr, il demande à être cueilli, songea Noemí.

Howard ôta l'anneau d'ambre et le tendit à Francis afin que le jeune homme le prenne, le passe à son doigt en gage de respect, d'acceptation, de transmission.

— Francis! s'écria Noemí, en vain.

316

Cummins gémit ; le médecin n'allait pas tarder à se relever lui aussi. Pendant ce temps, Howard continuait à hypnotiser Francis avec son unique œil doré. Noemí devait arracher son ami à cette emprise, le forcer à quitter la chambre dont les murs palpitaient, se soulevant et retombant comme si une bête énorme respirait au rythme du vacarme des abeilles.

Le vrombissement horripilant d'un millier de petites ailes.

Noemí rattrapa Francis et lui enfonça ses ongles dans l'épaule. Il pivota vers elle, l'œil éteint.

— Francis ! répéta-t-elle.

— Mon garçon ! lança Howard en réponse.

La voix du vieillard résonna avec une force étonnante, renvoyée en échos par les murs tandis que les abeilles bourdonnaient encore et encore.

Mon garçon mon garçon mon garçon.

« *C'est dans le sang* », avait dit Ruth. Mais une tumeur pouvait toujours être extraite.

Noemí arracha le revolver aux doigts ramollis de Francis. Elle n'avait employé une arme à feu qu'une seule fois, lors de cette fameuse excursion au Desierto de los Leones durant laquelle son frère avait organisé un concours de tir sur boîtes de conserve. Tout le monde avait ri et applaudi en constatant que Noemí visait très bien. Elle n'avait pas oublié la leçon.

La jeune femme brandit le revolver et tira deux fois sur Howard. Le regard de Francis s'éclaircit aussitôt. Noemí pressa une troisième fois la détente, mais le barillet était vide.

Howard se tordit dans tous les sens en poussant des cris perçants. Autrefois, lors de vacances en famille sur la côte, la grand-mère de Noemí avait décapité un gros poisson d'un seul coup de couteau. Même privée de tête, la bête au corps glissant s'était tortillée pour tenter de fuir. Howard ressemblait à ce poisson, remuant avec une telle violence que le lit bougeait aussi.

Noemí laissa tomber le revolver, attrapa la main de Francis et le tira vers la sortie. Catalina se tenait encore sur le seuil, mains devant la bouche, scrutant la chose qui s'agitait sur le lit dans les affres de l'agonie. Noemí l'entraîna avec elle sans un regard en arrière.

Chapitre 26

L es fuyards stoppèrent leur course en haut de l'escalier. Les deux autres domestiques de High Place se tenaient quelques marches plus bas et les observaient; Charles et Lizzie frissonnaient, tête penchée de côté, leurs mains ne cessant de s'ouvrir et de se fermer. Ils évoquèrent à Noemí des épouvantails désarticulés, secoués par le vent. Elle supposa que les événements en cours les affectaient eux aussi mais, hélas, sans les mettre hors d'état de nuire.

— Qu'est-ce qui leur arrive? murmura-t-elle.

— Howard a perdu le contrôle, répondit Francis. Ils ne savent plus quoi faire. Pour l'instant. On peut essayer de les contourner, au risque qu'une fois en bas la porte d'entrée soit fermée. Et les clés sont avec ma mère.

— Pas question de retourner les chercher.

Noemí n'avait aucune envie de « contourner » Charles et Lizzie ni de fouiller les poches d'une morte dans la chambre de Howard.

Catalina se plaça à côté d'elle et secoua la tête en regardant les domestiques. Elle non plus ne semblait guère désireuse de s'engager dans l'escalier.

— J'ai une autre idée, dit Francis. L'escalier de service.

Il se précipita dans un couloir, suivi par les deux femmes.

—Ici, indiqua-t-il en ouvrant une porte.

L'escalier en question s'avéra étroit et surtout mal éclairé par deux maigres appliques. Noemí alluma son briquet, puis s'agrippa à la rampe de l'autre main.

Une rampe qui devint de plus en plus glissante au fil de la descente, tel le corps élancé d'une anguille. Une rampe vivante qui respirait et se soulevait. Noemí baissa le briquet pour mieux voir. Sa main blessée vibrait au rythme du manoir.

—Ce n'est pas réel, l'assura Francis.

—Vous le voyez?

—C'est le sombre. Il cherche à nous tromper. Allez-y, vite.

Noemí pressa le pas et finit par atteindre le bas de l'escalier. Catalina la suivait de près, et derrière elle Francis, essoufflé.

—Ça va? lui demanda Noemí.

—Pas vraiment, mais on doit continuer. Même si ça a l'air bloqué devant. Dans le garde-manger, il y a un placard jaune qui peut s'écarter.

Noemí repéra la porte du garde-manger et y pénétra. Le sol était en pierres; une série de crochets attendait les pièces de viande. Une ampoule nue munie d'une longue chaîne pendait du plafond. Noemí tira sur la chaîne, illuminant l'espace confiné. Toutes les étagères étaient vides. Si l'endroit avait un jour abrité de la nourriture, ce n'était plus le cas depuis un bon bout de temps vu les moisissures noires qui parsemaient les murs et auraient rendu les aliments impropres à la consommation.

Le placard était bien là: faîte en arc de cercle, portes vitrées surplombant deux grands tiroirs, beaucoup d'éraflures et un intérieur doublé de tissu jaune pour l'accord de couleur.

—Il se pousse sur la gauche, dit Francis. J'ai mis un sac en bas.

Le jeune homme avait toujours l'air aussi essoufflé. Noemí se pencha et ouvrit le tiroir inférieur. Elle y trouva un sac de toile marron que Catalina se chargea d'inspecter. Il contenait une lampe à pétrole, une boussole et deux manteaux : le paquetage d'évasion que Francis n'avait pas fini de préparer. Il faudrait s'en contenter.

— Alors on pousse vers la gauche ? demanda Noemí en fourrant la boussole dans sa poche.

Francis hocha la tête.

— D'abord sécuriser la porte, dit-il en montrant le chemin par lequel ils étaient venus.

— Avec cette bibliothèque, là.

Francis et Catalina tirèrent le vieux meuble branlant devant la porte. Ce n'était pas la plus belle des barricades, mais elle semblait capable de tenir le coup.

Noemí tendit ensuite l'un des manteaux à Catalina et l'autre à Francis car il faisait sans doute très froid dehors. Quant au placard, pourtant d'aspect massif, il s'avéra étrangement plus facile à déplacer que la bibliothèque. Derrière apparut une porte en bois noir patinée par le temps.

— Ça mène à la crypte familiale, annonça Francis. Après, il ne nous restera plus qu'à descendre à flanc de montagne jusqu'en ville.

— Je ne veux pas y aller, murmura Catalina.

Elle n'avait pas lâché un mot depuis si longtemps que le son de sa voix surprit Noemí.

— Les morts dorment là, ajouta-t-elle. Je ne veux pas y aller. Écoutez, écoutez donc.

Noemí entendit alors une sorte de gémissement très grave. Le plafond au-dessus de leurs têtes sembla frémir à l'unisson. L'ampoule clignota tandis que la chaîne oscillait lentement. Un frisson glacé parcourut le dos de Noemí.

— Qu'est-ce que c'est ?

Francis leva les yeux et prit une profonde inspiration.

— Howard. Il est vivant.

— Pas possible, rétorqua Noemí. Je l'ai tué de deux balles dans...

— Non, l'interrompit Francis en secouant la tête. Il est affaibli, il souffre, il est en colère, mais il n'est pas mort. Le manoir souffre avec lui.

— J'ai peur, avoua Catalina d'une toute petite voix.

Noemí se tourna vers sa cousine et la serra fort dans ses bras.

— On va s'en sortir, d'accord ?

— D'accord, marmonna Catalina.

Noemí ramassa la lampe à pétrole. À cause de sa main blessée, elle dut passer son briquet à Francis pour qu'il l'allume.

Le jeune homme remit doucement la cheminée en verre en place, tout en observant la main blessée que Noemí plaquait contre sa poitrine.

— Je prends la lampe ? lui demanda-t-il.

— Non, je peux m'en charger.

Florence ne lui avait cassé que deux doigts de la main gauche, pas les deux bras, sans compter que porter la lampe la rassurait.

Elle tourna la flamme vers sa cousine. Catalina hocha la tête et Noemí lui sourit en retour. Francis ouvrit la vieille porte, révélant un long tunnel. Noemí s'attendait à une galerie rudimentaire, comme celles creusées par les mineurs, mais ce n'était pas du tout le cas.

Les parois arboraient des carreaux jaunes sur lesquels étaient peints des motifs de fleurs et de vignes. De belles appliques en argent représentaient des serpents dont les gueules grandes ouvertes avaient un jour accueilli des bougies au lieu de tas de poussière.

Par terre et sur les murs, Noemí nota la présence de quelques champignons jaunâtres surgissant de fissures dans la pierre. Le tunnel était froid et humide, assurément un bon climat pour ces végétaux qui se multiplièrent, regroupés en petites touffes, au fur et à mesure de l'avancée des fuyards.

Noemí finit aussi par remarquer un halo, une vague luminescence émanant des touffes.

— Je ne rêve pas ? demanda-t-elle à Francis. Ils brillent ?

— En effet.

— C'est vraiment bizarre.

— Pas tant que ça. Certaines armillaires, ainsi que *Panellus stipticus*, émettent une bioluminescence qu'on appelle en général « feu de fée ». Mais leur lumière est verte.

— Ce sont les champignons qu'il a trouvés dans la grotte. (Noemí leva la tête et eut l'impression de contempler des dizaines de petites étoiles.) Ce sont eux qui lui donnent l'immortalité.

Francis agrippa soudain l'une des appliques, comme pour conserver son équilibre. Les yeux baissés, il se passa une main tremblante dans les cheveux et poussa un drôle de soupir.

— Ça ne va pas ? s'inquiéta Noemí.

— C'est le manoir. Il souffre, il est enragé. Je le ressens en moi.

— Vous pouvez continuer ?

— J'espère, répondit-il. Mais sans certitude. Si je m'évanouis…

— Arrêtons-nous une minute, proposa Noemí.

— Non, ça ira.

— Appuyez-vous sur moi, alors.

— Vous êtes blessée…

— Vous aussi.

Il hésita un instant, puis posa une main sur l'épaule de Noemí. Ils se remirent en route avec Catalina en tête du groupe. Les champignons étaient de plus en plus nombreux, de plus en plus gros ; leur luminescence émanait à la fois des murs et du plafond.

Catalina s'arrêta brusquement. Noemí faillit lui rentrer dedans, au risque de lâcher la lampe.

— Quoi ?

Catalina indiqua la suite du tunnel, droit devant. Noemí vit aussitôt ce qui avait stoppé la progression de sa cousine. Le tunnel s'élargissait, puis se terminait par une énorme porte à deux battants faite d'un bois noir très épais. Un grand serpent en argent se mordant la queue était incrusté dans le bois. Des heurtoirs ronds, eux aussi en argent, pendaient des gueules de deux têtes de serpent aux yeux d'ambre.

— Derrière, il y a une chambre située sous la crypte, expliqua Francis. Une fois là, il suffira de remonter à la surface.

Le jeune homme tira sur l'un des heurtoirs. Le lourd battant n'accepta de bouger qu'après un gros effort. Noemí franchit le seuil, lampe en avant, mais constata vite qu'elle n'avait plus besoin d'éclairer la route.

Les murs étaient couverts de champignons de toutes tailles, formant une véritable tapisserie organique. Ils s'accrochaient aux parois telles des bernacles à la coque d'un vieux navire échoué, et surtout ils brillaient, fournissant à eux tous une lumière plus puissante que bougies ou torches. La lumière d'un soleil moribond.

Sur la droite, une grille métallique avait échappé à l'invasion des champignons, de même que le lustre façonné en forme de serpents au bout desquels se trouvaient des moignons de bougie. Le sol n'accueillait quant à lui que quelques touffes profitant des interstices entre les pierres, ce qui permettait de distinguer aisément la mosaïque : un serpent noir qui se mordait férocement la queue, les yeux luisants, entouré de fleurs et de vignes. Cet ouroboros ressemblait à celui que Noemí avait vu dans la serre, mais plus grand et de meilleure facture ; la lueur des champignons lui donnait un air menaçant.

La chambre ne contenait qu'une table placée sur une estrade en pierre. Sur la table coiffée d'un tissu jaune étaient posés une coupe et un coffret, tous deux en argent. En toile de fond, un grand rideau de soie jaune servait peut-être de portière masquant une autre issue.

— L'escalier derrière la grille mène au mausolée, dit Francis. C'est la prochaine étape.

Noemí distinguait en effet les premières marches, mais plutôt que d'essayer d'ouvrir la grille, la jeune femme se dirigea vers le rideau, sourcils froncés. Elle mit la lampe par terre, passa une main sur la table et souleva le couvercle du coffret. À l'intérieur, elle trouva un couteau au manche incrusté de pierres précieuses ; elle prit l'arme et la leva à hauteur d'yeux. Francis et Catalina l'observaient.

—J'ai déjà vu ça, dit-elle. Dans mes rêves. Il a tué des enfants avec ce couteau.

—Entre autres, confirma Francis.

—Du cannibalisme ordinaire.

—Une communion. Nos enfants naissent infectés par le champignon, donc ingérer leur chair signifie ingérer aussi le champignon, ce qui nous rend plus forts et nous lie plus intimement au sombre. Donc à Howard.

Francis grimaça et se plia soudain en deux. Noemí crut qu'il allait vomir, mais il n'en fit rien, demeurant bras croisés sur le ventre. La jeune femme posa le couteau sur la table et descendit de l'estrade pour rejoindre son ami.

—Qu'est-ce qu'il y a ?

—J'ai mal, dit-il. Parce qu'elle souffre.

—Qui ?

—Elle parle.

Noemí prit alors conscience d'un son qui avait toujours été là, sauf qu'elle ne l'avait pas remarqué. Un son très faible, presque inaudible, qu'elle aurait pu attribuer à son imagination. À la fois un bourdonnement et quelque chose de très différent. Comme celui qu'elle avait perçu à plusieurs reprises, mais plus aigu.

Ne regardez pas.

Noemí tourna la tête. Le bourdonnement semblait venir de l'estrade. Quand elle y remonta, il gagna en volume. En fait, il provenait de derrière le rideau. Noemí tendit la main.

—Arrête, dit Catalina. Tu ne dois pas voir ça.

Lorsque les doigts de Noemí touchèrent le rideau jaune, le bruit se changea en martèlement. Celui de mille insectes cognant contre une vitre, celui d'un essaim prisonnier de son crâne, à tel point que l'air vibrait autour d'elle.

Ne regardez pas.

Comme si des abeilles voltigeaient au bout de ses doigts, comme si l'air se chargeait d'ailes invisibles. Son instinct lui hurla de reculer, de détourner le regard, mais elle agrippa le rideau et le tira de côté avec une telle force qu'elle faillit l'arracher.

Noemí contempla alors le visage de la mort.

La bouche grande ouverte d'une femme figée dans le temps. Une momie à la peau jaunâtre, possédant encore quelques dents bancales. Ses habits mortuaires étaient depuis longtemps tombés en poussière, mais elle bénéficiait désormais d'une autre parure : les champignons préservaient sa pudeur. Ils poussaient sur son torse, son ventre, le long de ses bras et de ses jambes, formant une couronne dorée autour de sa tête. Ils la soudaient au mur telle une monstrueuse statue de la Vierge dans une cathédrale de mycélium.

C'était elle, morte et enterrée depuis tant d'années, qui produisait ce bourdonnement, ce son atroce. La femme dorée que Noemí avait croisée dans ses rêves. La créature terrifiante qui vivait dans les murs du manoir. Elle portait un anneau d'ambre au doigt, ce qui permit à Noemí de l'identifier.

—Agnes, dit-elle.

Le bourdonnement, âpre et violent, amena la jeune femme à se pencher pour mieux voir, mieux *savoir*.

Regardez.

La pression du tissu sur son visage, l'étouffement, la perte de conscience, suivie du réveil dans un cercueil. Le souffle coupé par la peur, malgré la connaissance de ce qui devait arriver. Ses paumes appuyées au couvercle, des échardes s'enfonçant sous sa peau. Elle cria, poussa encore et encore, mais le cercueil ne cédait pas. Elle cria mais personne ne vint à son secours. Personne n'était censé venir. C'était prévu ainsi.

Regardez.

Il avait besoin d'elle. De son esprit. Les champignons eux-mêmes ne pensaient pas, n'étaient pas vraiment conscients. Ou alors à l'état de traces, comme une vague senteur de roses. Même dévorer le corps des prêtres n'offrait pas une réelle immortalité ; cela augmentait le pouvoir des champignons, créait un lien entre les fidèles, mais ne préservait rien à tout jamais. Quant aux champignons, ils pouvaient soigner, étendre la vie au-delà de certaines limites mais, là encore, sans atteindre l'immortalité.

Sauf que Doyle, si futé, si intelligent, fin connaisseur des arcanes de la science et de l'alchimie, fasciné par les processus biologiques, avait entrevu une possibilité que personne d'autre n'avait envisagée.

Un esprit.

Le champignon utilisait un esprit humain pour engranger les souvenirs et permettre une forme de contrôle. Le champignon, couplé à l'esprit adéquat, se comportait comme de la cire tandis que Howard était le sceau : il imprimait sa marque sur un nouveau corps tel un sceau sur une feuille de papier.

Regardez.

Les prêtres avaient quand même réussi à se transmettre quelques bribes de souvenirs de l'un à l'autre, à travers le champignon et les lignées de leurs ouailles, mais cela s'effectuait presque par hasard. Là où Doyle avait établi un système. Grâce à des gens comme Agnes.

Sa femme. Sa cousine.

À présent, Agnes n'existait plus. Agnes était le sombre, le sombre était Agnes, et Howard Doyle, s'il mourait à cet instant précis, survivrait à l'intérieur du sombre car il avait créé la cire, le sceau et le papier nécessaires.

Mais ce bel ensemble souffrait. Le sombre. Agnes. Les champignons. Le manoir, lourd de pourriture, aux murs tressés de vrilles lancées à la recherche de matières mortes sur lesquelles se nourrir.

Il est blessé. Nous sommes blessés. Regardez, regardez, regardez, regardez!

Le bourdonnement était désormais si fort, si frénétique, que Noemí se boucha les oreilles et cria pendant que, dans sa tête, une autre voix criait avec elle.

Francis attrapa la jeune femme par les épaules et la força à pivoter vers lui.

— Ne la regardez pas. Nous n'avons pas le droit de la regarder.

Le bourdonnement cessa d'un coup. Noemí leva les yeux vers Catalina, qui gardait la tête basse, puis revint vers Francis. Horrifiée, elle retint le sanglot qui montait au fond de sa gorge.

— Ils l'ont enterrée vivante, dit-elle. *Vivante.* Puis elle est morte et le champignon s'est nourri d'elle et… mon Dieu… ce n'est même plus un esprit humain. Howard l'a… recomposée.

Noemí haletait. Le bourdonnement avait disparu mais pas la présence de cette femme. Elle voulut de nouveau tourner la tête vers le crâne hideux, mais Francis l'en empêcha en lui agrippant le menton.

— Non, non, regardez-moi. Restez avec moi.

Elle prit une profonde inspiration, telle une plongeuse perçant la surface de l'eau. Ses yeux rencontrèrent ceux de Francis.

— C'est elle, le sombre. Vous le saviez?

— Seuls Howard et Virgil descendent ici, répondit Francis en frissonnant.

— Mais vous le saviez!

Tous les fantômes étaient Agnes. Ou plutôt: tous les fantômes vivaient à l'intérieur d'Agnes. Non, ce n'était pas ça non plus. Agnes était devenue le sombre et, dans le sombre, vivaient les fantômes. Une perspective ahurissante. Le manoir n'était pas hanté mais possédé, à moins qu'il s'agisse d'un autre phénomène que Noemí ne pouvait même pas nommer. La création pure et simple d'une vie après la mort, bâtie sur la moelle, les os et les neurones d'une femme, sur un vaste réseau de tiges et de spores.

—Ruth le savait aussi, dit Francis. Nous ne pouvons rien faire. C'est elle qui nous retient ici, elle qui permet à Howard de tout contrôler. Nous ne pouvons pas partir.

Il se mit à suer abondamment puis s'affaissa, à genoux, se raccrochant aux bras de Noemí.

—Qu'est-ce qui se passe? demanda-t-elle en s'agenouillant à son côté. Allez, relevez-vous!

—Il a raison. Il ne peut pas partir. Ni lui ni aucun de vous.

La voix de Virgil. Lequel ouvrit la grille métallique et pénétra dans la chambre d'un pas tranquille. *Un mirage*, pensa Noemí en contemplant l'apparition.

—Ah bon? lança-t-il en haussant les épaules.

Il lâcha la grille, qui se remit en place à grand fracas. Il était bel et bien là. Ce n'était pas une hallucination. Plutôt que de les suivre dans le tunnel, il s'était contenté de gagner le cimetière et de leur couper la route en passant par la crypte.

—Pauvre petite fille. Vous avez l'air drôlement étonnée. Vous ne pensiez pas *vraiment* m'avoir tué, hein? De même que vous ne croyez pas que j'avais la teinture dans ma poche par hasard? Je vous ai laissée la récupérer. Pour que vous échappiez un moment à notre contrôle. Pour que vous semiez cette belle pagaille.

Noemí déglutit avec peine. Près d'elle, Francis tremblait.

—Mais pourquoi?

—N'est-ce pas évident? Pour que vous attaquiez mon père. Moi, j'en étais incapable, ainsi que Francis. Le vieillard prenait garde à ce que personne ne lève la main sur lui. Vous savez à présent comment il a forcé Ruth à se suicider. Quand j'ai compris ce que manigançait Francis, j'y ai vu une chance à saisir: aider notre invitée à briser ses chaînes, tant qu'elle le pouvait encore, et l'envoyer à la bataille. Ce qui nous donne au bout du compte un Howard mourant. Vous le sentez, non? Son corps tombe en morceaux.

—Ça ne vous mènera à rien, rétorqua Noemí. Si vous lui faites du mal, vous faites aussi du mal au sombre. Et même si son corps meurt, il survivra dans le sombre. Son esprit…

—Il est bien trop affaibli, l'interrompit Virgil. C'est moi qui contrôle le sombre désormais. Quand il mourra, il mourra pour toujours. Je lui refuse un nouveau corps. Enfin un peu de changement. C'est ce que vous vouliez, pas vrai? Eh bien, figurez-vous que moi aussi. (Il se dirigea vers Catalina, un sourire narquois aux lèvres.) Te voici, ma chère épouse. Merci beaucoup pour ta contribution au spectacle de ce soir.

Virgil la prit par le bras en un faux geste d'affection. Catalina grimaça, mais ne tenta pas de se dégager.

—Ne la touchez pas, dit Noemí en se relevant et en montant sur l'estrade.

—Mêlez-vous de vos affaires. C'est ma femme.

Noemí se saisit du couteau orné de pierres précieuses.

—Vous feriez mieux de…

—Lâchez ce couteau, ordonna Virgil.

Jamais, pensa-t-elle. Mais sa main tremblait. Elle se sentait *poussée* à obéir.

—J'ai bu la teinture. Vous ne pouvez pas me contrôler.

—Jolie analyse, dit Virgil qui délaissa Catalina pour se concentrer sur Noemí. Tout à l'heure, vous avez échappé à notre contrôle, mais l'effet de la teinture ne dure pas et tout votre parcours dans le manoir vous a de nouveau exposée à l'influence du sombre. Vous respirez à l'instant même ses petites spores invisibles. Vous êtes au cœur du manoir. Tous les trois.

—Le sombre est endommagé. Vous ne…

—Nous avons tous passé une sale journée. (Noemí distinguait à présent la sueur sur le front de Virgil, le reflet fiévreux au fond de ses yeux bleus.) Mais j'ai pris le contrôle. Donc vous allez m'obéir.

La main de Noemí lui faisait mal. Puis, tout à coup, elle eut l'impression de tenir un charbon ardent entre ses doigts. Elle lâcha le couteau, qui tomba à terre avec un bruit métallique.

—Je vous l'avais bien dit, se moqua Virgil.

Noemí baissa les yeux vers le couteau, à ses pieds. Elle ne parvenait pas à le ramasser alors qu'il était si près. Des fourmillements lui parcouraient les bras; ses doigts se tordaient, provoquant une douleur atroce dans sa main blessée.

—Regardez un peu cet endroit, dit Virgil en contemplant le lustre avec mépris. Howard vivait dans le passé alors que moi, je me tourne vers l'avenir. Il va falloir rouvrir la mine, remeubler le manoir, y installer vraiment l'électricité. Nous aurons besoin de nouveaux domestiques, évidemment, de nouvelles voitures aussi. Et de nouveaux enfants. J'espère que vous ne verrez pas de problème à me donner une progéniture abondante?

—Pas question, rétorqua-t-elle.

Mais sa voix n'était plus qu'un murmure. Elle ressentait l'emprise de Virgil comme une main invisible posée sur son épaule.

—Venez ici, la somma-t-il. Vous m'avez appartenu dès le premier instant.

Les champignons s'agitaient sur les murs telles des anémones remuées par un courant marin. Ils lâchaient des nuages de poussière dorée. Ils soupiraient. Ou alors Noemí soupirait, enveloppée une fois de plus par cet étrange sentiment alangui, d'autant que la douleur dans sa main gauche se dissipait rapidement.

Virgil lui tendait les bras, et Noemí les imagina autour d'elle, s'imagina le bonheur de s'abandonner à la volonté de cet homme. Au fond d'elle-même, elle avait envie de s'ouvrir à lui, de crier de plaisir et de honte, cris étouffés par une main virile posée sur sa bouche.

Les champignons brillaient de plus en plus fort; la jeune femme songea que peut-être, plus tard, elle pourrait les toucher, caresser les murs, enfouir son visage dans la douceur de leur chair. Elle se voyait déjà reposer en leur sein, sa peau contre leurs tiges glissantes, jusqu'à ce qu'ils finissent par la recouvrir, ces beaux champignons, par s'introduire dans sa bouche, son nez, ses orbites, jusqu'à l'empêcher de respirer, jusqu'à se nicher dans son ventre et pousser le long de ses cuisses. Virgil serait là aussi, en elle, bien profond, dans un monde revêtu d'une magnifique brume dorée.

— Arrête, dit Francis.

Noemí avait déjà descendu une marche de l'estrade, mais Francis s'avança et serra ses doigts blessés, ce qui lui arracha une grimace ; elle se tourna vers lui, interdite.

— Arrête, murmura-t-il encore à l'intention de son cousin. Laisse-les partir.

Noemí sentait qu'il avait peur, que sa voix pouvait se briser à tout instant, mais il se posta néanmoins devant elle pour la protéger.

— Pour quelle obscure raison devrais-je les libérer ? s'enquit Virgil d'un air innocent.

— Parce que tout ceci est mal. Nous ne savons que faire le mal.

Par-dessus l'épaule de Francis, Virgil désigna le tunnel emprunté par les fuyards.

— Tu entends ça ? C'est mon père qui meurt. Quand il aura enfin rendu son dernier soupir, j'exercerai un contrôle total sur le sombre. Mais il me faudra un allié. Un membre de la famille, comme toi.

Noemí crut en effet entendre quelque chose au loin. Howard Doyle, gémissant et crachant du sang tandis qu'un liquide noir suintait de son corps à chaque respiration sifflante.

— Francis, écoute-moi, reprit Virgil avec effusion. Je ne suis pas égoïste, nous pouvons partager. Tu veux cette fille et je la veux aussi. Pourquoi se battre, hein ? Pareil pour Catalina. Allez, je t'en prie, ne sois pas bête.

Francis avait ramassé le couteau et le brandissait devant lui.

— Je ne te laisserai pas leur faire du mal.

— Tu veux me tuer, c'est ça ? Dis-toi bien que je te donnerai plus de fil à retordre qu'une femme. Oui, Francis, n'oublie pas que tu viens de tuer ta propre mère. Pour les beaux yeux d'une fille. Maintenant c'est mon tour ?

— Va te faire foutre !

Francis bondit vers Virgil et s'immobilisa une fraction de seconde plus tard, couteau en l'air. Noemí ne voyait pas son visage mais ne l'imaginait que trop bien : leurs expressions devaient se ressembler car elle aussi se retrouvait soudain pétrifiée. Près d'eux, Catalina évoquait une statue de marbre.

Le bourdonnement des abeilles retentit de nouveau. *Regardez.*

— Ne m'oblige pas à te tuer, dit Virgil en posant une main sur celle qui tenait le couteau. Lâche ça.

Francis repoussa son cousin avec une force incroyable. Virgil percuta durement le mur.

L'espace d'un instant, Noemí ressentit la douleur de Virgil, l'adrénaline courant dans ses veines, sa colère : *Francis, sale petit merdeux.* Le sombre les avait connectés. Elle laissa échapper un petit cri, faillit se mordre la langue. Elle parvint aussi à faire lentement obéir ses jambes. Un pas en arrière. Deux pas.

Virgil fronça les sourcils. Des reflets dorés brillaient dans ses yeux. Il se redressa et épousseta des morceaux de champignons collés à sa veste.

Le bourdonnement monta encore en volume, au point d'arracher une nouvelle grimace à Noemí.

— Lâche ça, répéta-t-il à son cousin.

Francis grommela une réponse, puis se jeta encore sur Virgil, qui riposta avec aisance : il était plus fort et, cette fois, avait anticipé l'attaque. Il dévia facilement le coup porté par Francis avant de lui expédier un puissant direct en plein visage. Le jeune homme vacilla mais réussit à conserver son équilibre et même à frapper son adversaire en retour.

Surpris, Virgil essuya sa bouche meurtrie d'un revers de main, les yeux emplis de colère.

—Je vais te faire bouffer ta langue, lâcha-t-il.

Les deux hommes ayant changé de position, Noemí pouvait voir le visage de Francis, le sang qui lui coulait sur la tempe, sa respiration haletante. Elle voyait aussi les yeux écarquillés, les mains tremblantes et la bouche qui ne cessait de s'ouvrir et se fermer, tel un poisson hors de l'eau.

Mon Dieu, pensa-t-elle. *Il va le faire. Il va l'obliger à manger sa langue.*

Le bourdonnement des abeilles, incessant, provenait de derrière Noemí.

Regardez.

Elle pivota et son regard tomba sur le visage d'Agnes, sur sa bouche sans lèvres, ouverte sur un éternel cri de douleur. Noemí se boucha les oreilles dans l'espoir de tenir le vacarme à distance, ce bruit affreux qui l'avait poursuivie dans tout le manoir.

Puis elle comprit soudain ce qui aurait pourtant dû lui paraître évident dès le départ : ce terrible « sombre » qui les entourait n'était en réalité que l'émanation de toutes les souffrances infligées à cette femme. Agnes, poussée à la folie, à la colère, au désespoir. Une femme dont une infime partie survivait et continuait à hurler sa détresse.

Agnes était un serpent se mordant la queue.

Agnes était une rêveuse enfermée à jamais dans un cauchemar qui se déroulait derrière ses paupières closes, même si les paupières en question étaient depuis longtemps retournées à la poussière.

Le bourdonnement n'était autre que sa voix. Incapable de parler, elle savait encore crier les horreurs qu'elle avait vécues, les atroces douleurs endurées. Privée de pensées et de souvenirs cohérents, il ne lui restait plus que cette rage incandescente qui brûlait l'esprit de quiconque passait à portée. Que désirait-elle au final ?

Juste échapper à son tourment.

Juste se réveiller enfin. Mais c'était impossible. Elle ne pouvait même pas se réveiller.

Le bourdonnement était si fort que Noemí risquait de devenir folle à son tour. Elle se pencha et ramassa la lampe à pétrole d'un geste gourd. Plutôt que de penser à ce qu'elle allait faire, elle se répéta en boucle la phrase de Ruth : *Ouvrez les yeux, ouvrez les yeux.* Puis elle s'avança vers Agnes en murmurant à chaque pas : *Ouvrez les yeux.*

Noemí observa une dernière fois la pauvre femme.

— C'est l'heure pour les somnambules d'ouvrir les yeux.

Elle jeta la lampe droit sur le visage du cadavre. Les champignons qui l'entouraient prirent feu sur-le-champ, entourant la tête d'Agnes d'un halo de flammes. Après quoi le feu se répandit très vite le long du mur, allumant les champignons comme du petit-bois, les faisant noircir et éclater.

Virgil hurla. Un hurlement rauque, terrible. Il tomba à terre, où il se mit à gratter les pierres avec ses ongles dans un effort stérile pour se relever. Francis s'effondra à son tour. Agnes était le sombre, qui lui-même était une part des Doyle. Cette soudaine agression contre Agnes, contre le réseau de champignons, devait tous leur incendier les neurones. Noemí, au contraire, reprit pleinement conscience, comme si le sombre l'avait chassée.

Elle descendit aussitôt de l'estrade et se précipita vers sa cousine.

— Ça va ? demanda-t-elle en lui posant une main sur la joue.

— Oui, répondit Catalina avec un vigoureux hochement de tête. Oui, ça va.

Francis et Virgil gémissaient. Ce dernier essaya de se redresser, d'agripper Noemí, mais la jeune femme lui expédia un coup de pied au visage. Il s'obstina néanmoins, cherchant à attraper la jambe de Noemí, qui recula pour l'éviter. Mâchoires serrées, il rampa vers elle.

Elle recula encore, craignant qu'il parvienne à lui sauter dessus.

Catalina ramassa le couteau que Francis avait lâché, se dressa au-dessus de son mari et lui planta la lame en plein visage au moment où il se tournait vers elle. Elle lui creva un œil, étrange imitation du sort qu'elle avait réservé à Howard Doyle.

Virgil s'affala avec un grognement étouffé. Catalina enfonça le couteau encore plus loin, sans qu'un mot ni un sanglot s'échappe de ses lèvres. Virgil se tordit, ouvrit la bouche, cracha. Puis s'immobilisa.

Les deux femmes se prirent par la main et contemplèrent le corps de Virgil. Son sang coulait sur la tête noire du serpent de la mosaïque, qui sembla soudain peinte en rouge. Noemí aurait aimé disposer d'un plus grand couteau pour décapiter Virgil, comme autrefois la grand-mère avec le poisson.

Catalina pensait sûrement la même chose vu comment elle crispait les doigts.

Francis gémit encore. Noemí s'agenouilla près de lui pour l'encourager à se relever.

— Allez, dit-elle. On doit partir. Tout de suite.

— Elle meurt… et nous avec.

— Oui, on va mourir si on ne sort pas vite d'ici, confirma Noemí.

Les champignons prenaient feu dans toute la pièce, ainsi que le rideau jaune qui avait dissimulé Agnes.

— Je ne peux pas partir, dit Francis.

— Bien sûr que si. (Noemí parvint tant bien que mal à le remettre debout, mais il refusait d'avancer.) Catalina, viens nous aider!

Elles prirent chacune un bras de Francis sur leurs épaules, puis l'entraînèrent vers la grille métallique. Noemí ouvrit celle-ci sans problème mais, découvrant l'escalier pentu, se demanda comment le trio réussirait à le grimper. Sauf qu'il n'y avait pas d'autre issue. Elle regarda en arrière, vit les premières escarbilles tomber sur le cadavre de Virgil. Dans l'escalier aussi, les champignons poussant sur les murs semblaient prêts à s'enflammer. Il n'y avait plus un instant à perdre.

Les fuyards entamèrent l'ascension. Noemí dut pincer Francis pour éviter qu'il s'évanouisse, pour qu'il participe à l'effort. Il progressa de quelques mètres en s'appuyant sur les deux femmes, puis Noemí dut vraiment le porter sur les dernières marches menant à une crypte poussiéreuse pourvue de nombreux emplacements. La jeune femme distingua des plaques en argent, des cercueils pourris, des vases vides ayant peut-être un jour contenu des fleurs, plus une poignée de champignons par terre, fournissant un très léger éclairage.

Heureusement – grâce à Virgil – la porte du mausolée était ouverte. Dès qu'ils sortirent à l'air libre, la brume et la nuit les enveloppèrent.

— Tu sais retrouver le portail ? demanda Noemí à sa cousine.

— Il fait trop noir.

À cause de cette brume qui avait tant effrayé Noemí avec son étrange lueur dorée et le bourdonnement venu d'Agnes. Laquelle se consumait désormais sous leurs pieds.

— Francis, il faut nous guider, dit Noemí.

Les yeux mi-clos, le jeune homme fit l'effort de hocher la tête vers la gauche. Ils prirent cette direction en trébuchant souvent, car Francis prenait toujours appui sur les deux femmes. Les pierres tombales semblaient plantées en terre telles des dents pourries. Francis indiqua un nouveau chemin. Noemí était incapable de se repérer : pour ce qu'elle en savait, ils pouvaient très bien tourner en rond. Ne serait-il pas ironique, ici, de décrire des *cercles* ?

La brume ne leur laissa aucun répit jusqu'à ce qu'ils aperçoivent enfin le portail du cimetière et le serpent qui s'y mordait la queue. Catalina poussa la grille, dévoilant le sentier menant à High Place.

—Le manoir brûle, annonça Francis pendant qu'ils reprenaient tous leur souffle.

Noemí constata qu'il disait vrai. Elle apercevait une lueur distante, assez intense pour déchirer la brume ; elle ne voyait pas le manoir lui-même mais devinait aisément ce qui s'y produisait. Le feu dévorant le papier et le cuir des vieux livres de la bibliothèque, ainsi que les meubles doublés de velours et les lourds rideaux à glands. Le feu brisant les vitrines renfermant la précieuse argenterie. Le feu partant à l'assaut de la nymphe de l'escalier, qui périssait sur le bûcher tandis que des bouts de plafond tombaient à ses pieds. Le feu montant l'escalier en un flot implacable, engloutissant les deux domestiques paralysés.

Vieilles peintures et photos fanées partaient en cendres ; les couloirs se changeaient en tunnels de flammes. Les portraits des deux épouses du patriarche disparaissaient à leur tour alors que Howard Doyle lui-même reposait à présent sur un lit enflammé, s'étouffant avec la fumée. Son médecin gisait par terre, immobile. Les flammes attaquaient les draps, les couvertures, attaquaient le corps décharné du vieillard qui hurlait, hurlait encore. Mais il n'y avait plus personne pour lui porter secours.

Noemí imagina également, invisible à l'intérieur des murs, l'immense réseau de mycélium, de filaments délicats qui flambait lui aussi, nourrissant l'incendie.

Le manoir luisait au loin. Qu'il se consume donc jusqu'aux fondations.

—On y va, marmonna Noemí.

Chapitre 27

Il dormait, les draps tirés jusqu'au menton. La pièce minuscule accueillait avec peine une chaise et une commode en plus du lit. Noemí occupait cette chaise tandis qu'une statuette de saint Jude occupait la commode. La jeune femme se surprit plusieurs fois à prier le saint, allant jusqu'à placer une cigarette à ses pieds, en offrande. Elle priait de nouveau, les lèvres remuant en silence, lorsque Catalina ouvrit la porte. La cousine de Noemí portait un châle épais par-dessus une chemise de nuit en coton prêtée par une amie du docteur Camarillo.

— Je venais voir si tu avais besoin de quelque chose avant que j'aille me coucher.

— Non, ça va.

— Tu devrais aller te coucher aussi, dit Catalina en posant une main sur l'épaule de Noemí. Tu ne t'es presque pas reposée depuis notre arrivée.

— Je ne veux pas qu'il soit seul à son réveil.

— Ça fait deux jours…

— Je sais, rétorqua Noemí. J'aurais aimé que ça se passe comme dans tes contes de fées. Ceux où il suffit d'embrasser la princesse.

Elles regardèrent Francis, aussi blême que l'oreiller. Camarillo avait pris soin des trois fugitifs ; il avait soigné leurs blessures, leur avait offert des vêtements de rechange ainsi qu'un endroit où se laver et dormir, et n'avait pas hésité à appeler Marta lorsque Noemí lui avait expliqué qu'ils avaient tous besoin de la teinture. Après en avoir bu, ils avaient souffert de migraines et de nausées qui s'étaient vite dissipées. Sauf chez Francis. Le jeune homme avait peu à peu sombré dans un profond sommeil dont il semblait impossible de le tirer.

— T'épuiser ne servira à rien, insista Catalina.

— Je sais, je sais, dit Noemí en croisant les bras.

— Tu préférerais que je te tienne compagnie?

— Non, merci. Je te promets d'aller me coucher dans pas longtemps. Même si je n'en ai pas vraiment envie. Je ne suis pas fatiguée.

Catalina hocha la tête en silence. La poitrine de Francis se soulevait avec régularité. S'il rêvait, ses songes n'étaient pas déplaisants. Noemí faillit s'en vouloir de souhaiter son réveil.

En réalité, elle avait peur d'aller au lit, peur des cauchemars qui pourraient l'assaillir. Comment les gens réagissaient-ils après avoir contemplé de telles horreurs? Était-il possible de retrouver un semblant d'habitude, de vie normale? Noemí l'espérait de tout cœur, mais craignait que le seul fait de dormir lui prouve le contraire.

— Le docteur a dit que deux officiers de police et un magistrat arriveraient demain de Pachuca, précisa Catalina en ajustant son châle. Ton père ne devrait pas tarder non plus. Que va-t-on leur raconter? Ils ne nous croiront jamais.

Le trio exténué n'avait guère eu le temps de s'accorder sur une version des faits avant de tomber sur deux fermiers traînant leurs ânes. Quant aux paysans, sidérés par cette apparition, ils n'avaient pas pensé à leur poser de questions, se contentant d'emmener les trois blessés à El Triunfo. Une fois devant Camarillo, il avait bien fallu inventer une histoire, et Noemí s'était chargée de simplifier l'affaire, indiquant que Virgil était devenu fou et avait tenté de perpétrer un massacre comparable à celui de sa défunte sœur : au lieu de tuer tout le monde avec un fusil, il avait choisi de mettre le feu à High Place.

Ce qui n'expliquait pas pourquoi Noemí portait une vieille robe de mariée et Francis une redingote assortie, ni pourquoi les vêtements des deux femmes étaient à ce point tachés de sang.

Noemí estimait que Camarillo ne croyait pas un mot de leur récit mais choisissait de se taire ; elle pensait avoir lu une sorte d'accord tacite dans son regard las.

— Mon père nous aidera à faire passer certaines choses, dit-elle.

— J'espère bien. Et s'ils nous accusent de meurtre ? Tu te rends compte ?

Dans un premier temps, Noemí doutait que les autorités décident de les arrêter : il n'y avait pas l'ombre d'une prison à El Triunfo. À la rigueur, ils seraient envoyés à Pachuca mais, là encore, les probabilités étaient très faibles. On se contenterait sûrement de prendre leurs dépositions, après quoi un petit rapport serait rédigé à la hâte, faute de preuves concrètes.

— Ne t'en fais pas, on sera vite rentrées à la maison, affirma-t-elle.

Catalina sourit, ce qui ravit sa cousine. C'était le sourire de la douce jeune fille avec qui Noemí avait grandi. Le sourire de la vraie Catalina.

— Bon, n'oublie pas d'aller dormir. Ils seront là tôt demain matin.

Les deux femmes partagèrent une longue étreinte. Noemí avait envie de pleurer, mais ce n'était pas le moment, pas encore. Catalina lui remit une mèche rebelle en place et sourit de nouveau.

— Je suis au bout du couloir si tu as besoin de moi.

Catalina jeta un dernier coup d'œil à Francis avant de quitter la pièce.

Noemí enfonça la main dans la poche de son chandail et referma les doigts sur le briquet. Son talisman. Se trouvait là aussi un paquet de cigarettes froissé que Camarillo lui avait donné la veille.

Elle alluma une cigarette, prit quelques bouffées en tapant du pied par terre, puis fit tomber la cendre dans un bol vide. Son dos la faisait souffrir. Elle était assise sur cette chaise inconfortable depuis trop longtemps, mais refusait d'en partir même si Camarillo et Catalina se relayaient pour la convaincre de s'accorder une pause. Francis remua un peu dans le lit ; Noemí posa la cigarette dans le bol, le bol sur la commode, et observa son ami.

Il avait déjà bougé ainsi, penchant la tête de côté, mais Noemí avait l'impression que, cette fois, le geste était différent. Elle prit la main de Francis dans la sienne.

— Ouvrez les yeux, murmura-t-elle.

Ruth avait souvent prononcé ces mots avec terreur, mais la voix de Noemí était douce, chaleureuse. Elle vit ses efforts récompensés lorsque Francis battit des paupières puis, au bout d'un moment, se tourna vers elle.

— Salut, dit-elle.

— Salut.

— Laisse-moi te donner de l'eau. (Elle remplit un verre à la carafe, l'aida à boire.) Tu as faim ?

— Mon Dieu, non. Peut-être plus tard. Ça ne va pas très fort.

— Je me demande bien pourquoi.

Francis se fendit d'un maigre sourire.

— Oui, je me le demande aussi.

— Tu as dormi deux jours complets. Je me disais que j'allais devoir déloger un morceau de pomme de ta gorge, comme dans la Belle au bois dormant.

— C'est dans Blanche-Neige.

— Oui, sans doute, tu es aussi pâle qu'elle.

Il sourit encore et se redressa pour s'appuyer à la tête de lit. Puis son sourire s'évanouit.

—C'est vraiment terminé? s'enquit-il d'une voix inquiète.

—Deux villageois sont montés là-haut. D'après eux, le manoir n'est plus que ruines fumantes. High Place a disparu. Et le champignon avec, je suppose.

—Probablement. Même si... le mycélium peut se montrer assez résistant au feu. D'ailleurs j'ai lu que certains champignons comme... comme les morilles... poussaient encore mieux après un feu de forêt.

—Il ne s'agissait ni de morilles ni d'un feu de forêt, assena Noemí. Si par hasard il reste quelque chose là-bas, on pourra toujours le retrouver et finir de le cramer.

—D'accord. (L'idée parut le rassurer car il soupira et lâcha les draps qu'il avait agrippés avec force.) Que va-t-il se passer demain quand votre... quand ton père arrivera?

—Petit voyou! Tu nous écoutais, alors?

Il secoua aussitôt la tête, l'air décontenancé.

—Non, non, vous avez dû me réveiller, ou j'étais déjà en train de me réveiller tout seul. Enfin bref, j'ai entendu Catalina dire que ton père arrivait demain matin.

—C'est vrai. Dans la journée, en tout cas. Je pense que vous vous entendrez bien. Tu vas adorer Mexico.

—Parce que je viens avec toi?

—Je ne vais pas t'abandonner ici, quand même! En plus, je t'ai traîné sur tout un flanc de montagne, ça me donne des responsabilités envers toi. Je crois qu'il existe une sorte de loi en ce sens.

Elle avait employé son ton badin pour la première fois depuis un bon moment. Difficile de jouer de nouveau les insouciantes, mais elle y parvint, réussissant même à se composer un sourire que Francis lui rendit.

Question d'entraînement, songea-t-elle. Elle réapprendrait à vivre sans peur, sans guetter l'ennemi parmi les ombres.

—Mexico, dit-il. C'est une très grande ville.

—Tu prendras vite le coup, répondit Noemí en dissimulant un bâillement derrière sa main blessée.

Les yeux de Francis suivirent les deux doigts immobilisés par une attelle.

—Ça fait mal ?

—Un peu. Je ne risque pas de jouer une sonate avant longtemps. Par contre, on peut faire un duo et tu te charges de la main gauche.

—Sérieusement…

—Sérieusement ? J'ai mal partout. Il suffit d'attendre que ça guérisse.

Ou pas. Peut-être n'arracherait-elle plus jamais trois notes correctes à un piano, peut-être ne surmonterait-elle jamais les traumatismes de High Place. Mais elle n'avait pas envie d'exprimer ses angoisses. Pour quoi faire ?

—J'ai entendu ta cousine te conseiller d'aller dormir. Je crois que c'est une bonne idée.

—Dormir, c'est pour les faibles, rétorqua-t-elle en agitant le paquet de cigarettes.

—Tu fais des cauchemars ? (Noemí haussa les épaules sans répondre.) Moi, je n'en ai pas encore fait sur ma mère. Ça viendra sans doute plus tard. À la place, j'ai rêvé que le manoir s'était reconstitué et que j'étais prisonnier à l'intérieur. Tout seul.

—C'est fini, dit-elle en écrasant le paquet entre ses doigts. Je te répète que c'est fini.

—Le manoir était splendide, comme à la grande époque. Plein de couleurs vives, avec des fleurs qui poussaient dans la serre et dans toutes les pièces. Entre les fleurs, des touffes de champignons. Jusque dans l'escalier. (Francis racontait son rêve d'une voix calme. Beaucoup trop calme.) Quand je marchais, des champignons poussaient dans les traces de mes pas.

—S'il te plaît, arrête…

Elle aurait préféré qu'il rêve de meurtre, de sang, de viscères. Ces images-là auraient été moins dérangeantes.

Noemí laissa tomber le paquet de cigarettes. Francis et elle baissèrent les yeux vers le petit objet, coincé entre le lit et la chaise.

— Et si ce n'était pas fini? dit-il d'une voix hésitante. Si c'était en moi?

— J'en sais rien.

Ils avaient fait tout ce qui était en leur pouvoir. Brûler les champignons, détruire le sombre, boire la teinture de Marta. C'était forcément fini. Même si… *dans le sang.*

Francis secoua la tête.

— Si c'est en moi, il faudra que j'y mette un terme. Et tu ne devrais pas rester si près, c'est peut-être…

— Ce n'était qu'un rêve.

— Noemí, tu ne m'écoutes pas…

— Non! Ce n'était qu'un rêve. Les rêves ne peuvent pas nous faire de mal.

— Alors pourquoi tu ne vas pas dormir?

— Parce que je n'en ai pas envie, point final. Les cauchemars ne veulent rien dire.

Il faillit protester, mais Noemí se pencha vers lui, puis s'assit sur le lit pour finalement se glisser sous les draps. Elle l'entoura de ses bras dans l'espoir de le rassurer. La main de Francis lui effleura les cheveux tandis qu'elle écoutait le cœur affolé se calmer peu à peu.

Les yeux du jeune homme brillaient de larmes non versées.

— Je refuse de devenir comme lui, murmura-t-il. Si je meurs bientôt, il faudra brûler mon corps.

— Tu ne vas pas mourir.

— Tu n'en sais rien.

— On va rester ensemble, affirma-t-elle. Tu ne seras pas tout seul. Ça, je le sais.

— Tu en es sûre?

En réponse, elle lui décrivit Mexico, belle et scintillante, avec de grands immeubles en construction, des endroits neufs qui ne dissimulaient aucun secret. Il y avait aussi plein d'autres villes à visiter, illuminées par un soleil avide de donner des couleurs aux joues trop pâles. Et la mer, pourquoi ne pas vivre au bord de la mer, dans une maison avec d'immenses fenêtres sans rideaux?

—Joli conte de fées, marmonna-t-il.

Mais il la serra à son tour dans ses bras.

Normalement, c'était Catalina la conteuse de la famille: les beaux cavaliers montés sur des juments noires, les princesses enfermées dans des tours, Kubilai Khan et ses messagers. Mais Francis avait besoin qu'on lui raconte une histoire; Noemí s'en chargea, alignant les mots jusqu'à ce qu'il ne se préoccupe même plus de savoir si elle mentait ou pas.

Il resserra son étreinte et enfouit son visage dans le cou de Noemí.

Elle finit par s'endormir. D'un sommeil sans rêves. Lorsqu'elle se réveilla, dans la pénombre du petit matin, Francis la regardait. Peut-être verrait-elle un jour un reflet doré apparaître au fond de ses yeux bleus. À moins qu'elle y découvre son propre reflet, ses propres yeux dotés d'une couleur malvenue. Il n'était pas inconcevable que le monde soit vraiment pris dans un cycle maléfique, le serpent dévorant sa queue encore et encore, jusqu'à la fin des temps.

—Je crois que j'ai rêvé de toi, dit Francis d'une voix endormie.

—Je suis réelle, lâcha-t-elle dans un murmure.

Ils gardèrent le silence un moment. Puis elle se lova contre lui et l'embrassa sur la bouche pour qu'il sache qu'elle était bien là, bien réelle. Il soupira, ferma les yeux et entrelaça ses doigts avec ceux de Noemí.

Elle se dit qu'il était impossible de prédire l'avenir. Croire le contraire serait stupide. Mais Francis et elle étaient jeunes, ils pouvaient au moins espérer que le monde renaîtrait sous une forme plus aimable, plus douce. Elle l'embrassa de nouveau, pour lui porter chance. Le visage de Francis exprima un tel bonheur que Noemí ne résista pas à l'envie d'un troisième baiser. Un baiser d'amour.

REMERCIEMENTS

Merci à mon agent, Eddie Schneider, ainsi qu'à mon éditrice, Tricia Narwani, et à toute l'équipe de Del Rey. Merci également à ma mère pour m'avoir laissée regarder des films d'horreur et lire des livres effrayants quand j'étais gamine. Enfin, comme toujours, merci à mon époux, qui lit chaque mot que j'écris.

Achevé d'imprimer en juillet 2021
par Aubin Imprimeur à Ligugé
N° d'impression 2104.0367
Dépôt légal, août 2021
Imprimé en France
2811248-1